JN059028

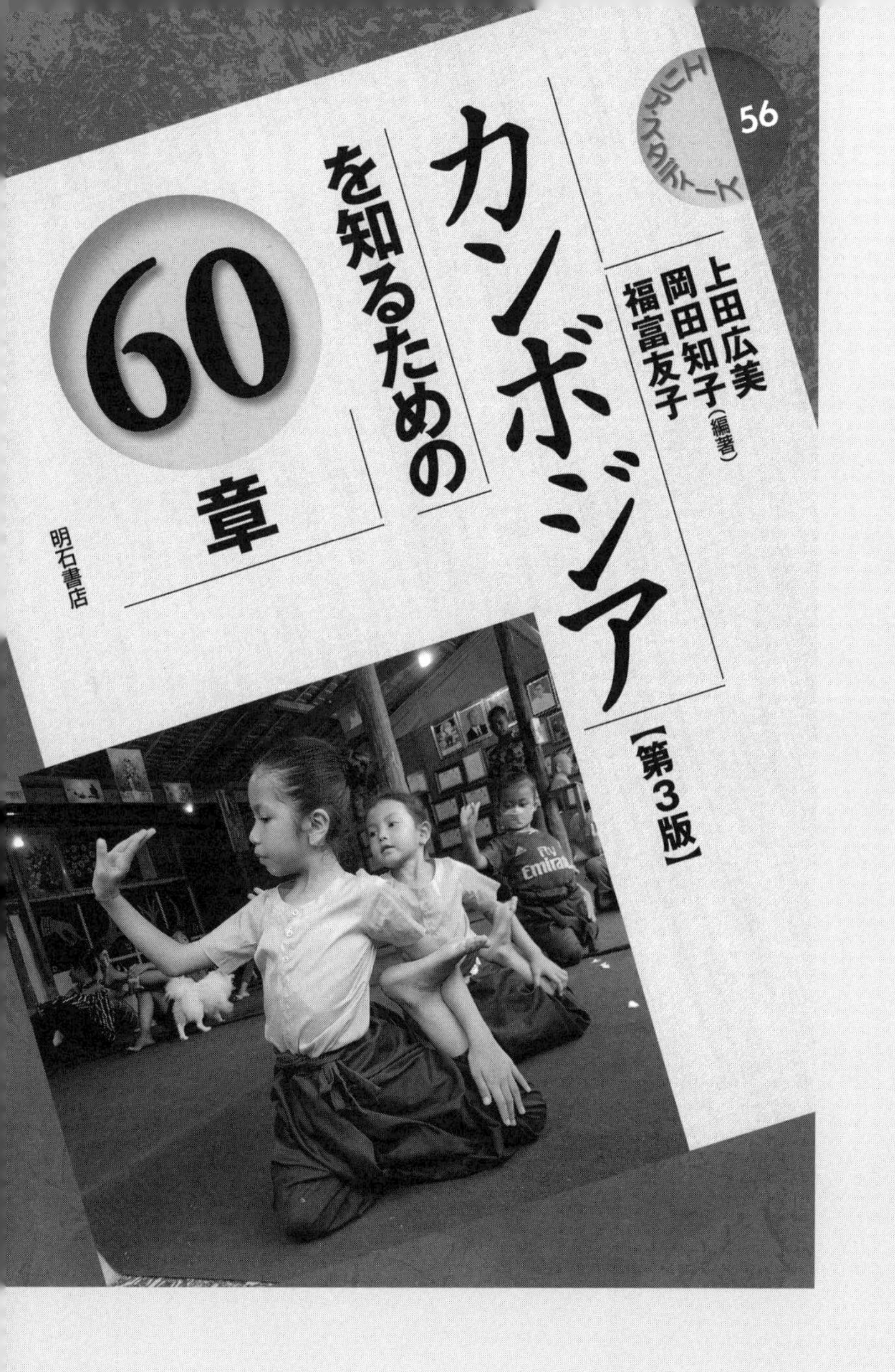
エリア・スタディーズ
56
カンボジアを知るための
60
章
【第3版】
上田広美
岡田知子
福富友子
（編著）
明石書店

第3版によせて

今やカンボジアはグローバルな国である。『カンボジアを知るための62章』第2版の発行から今日までにカンボジアは大きく変わった。コンビニやカフェ、レストラン街が併設された国際空港は活気に満ちている。カンボジアの国旗と花束とプラカードでミス・グランド・インターナショナルのカンボジア代表の帰国を待ち受ける若者が気勢を上げている。駐車場でずらりと並んだワゴン車の側では、十数人からなる、いくつものグループがピクニックのように食事をしている。韓国へ労働目的で旅立つ人を見送りに来た親類のグループである。カンボジア政府がウクライナの地雷除去に協力し、またウクライナの柔道選手がカンボジア国籍を取得し日本で稽古を重ねている一方で、ロシア人と結婚したカンボジア人はウクライナとの最前線に派遣される予定だと、カンボジアの親類に不安の電話をかけてくる。

さらにカンボジアの人々にとって、日本は非常に身近な存在になってきている。プノンペンには日系の大型ショッピングモールが三号店までオープンした。日本に滞在するカンボジア人も増え、日本の生活の様子をSNSで発信するカンボジア人も少なくない。車やバイクのメーカー名はあいかわらず有名だが、日本で市販されている総合感冒薬や胃腸薬、目薬、湿布薬も認知度が高くなっている。「カワイイ」「カラアゲ」という単語も定着しつつある。日本人が想像する以上にカンボジアの人々は日本に関心を持っているのだ。

本書は、こういったカンボジアの変化を紹介すべく、写真やグラフを含めて、大幅に改定した。カンボジアとの関わりも深く、新進気鋭の研究者である朝日由実子氏、佐伯風土氏、調邦行氏にもあらたに執筆陣に加わっていただいた。

二〇二〇年三月、世界保健機関は新型コロナウイルス感染症（COVID-19）の世界的大流行を宣言した。その影響で、カンボジアもあらゆる点でこれまで以上に劇的な変化を遂げてきており、それは今後も続いていくだろう。その変化を読者のみなさまとともに見守っていきたい。

折しも、二〇二三年は日本とカンボジアは外交関係樹立七〇周年を迎える。本書がカンボジアに興味を持つ読者にとって、カンボジアと親しくなるためのパートナーとなれば幸いである。

二〇二三年

編者代表　岡田知子

※本書中のカンボジア語のカタカナ表記について

本書中のカンボジア語のカタカナ表記は、原音に忠実であることよりも読みやすさを優先した。よって慣例となっている名称についてはそれに従う。また国名の表記は、「カンプチア」「クメール」ではなく、可能な限り「カンボジア」に統一した。詳しくは1章をご覧いただきたい。

※本書中で使用する通貨単位について

カンボジアの通貨はリエルであるが、本書では米ドルを採用している。たとえば日本円に換算すると三〇〇〇リエルは約一〇〇円（二〇二三年一月時点）となる。そのため桁数の多い経済状況などを示すのには米ドルが単位として使用されてきた。また一九九〇年代初頭に国際連合カンボジア暫定統治機構が活動を開始したという経緯から、日常的に米ドル紙幣が流通している場合もある。

※本書に掲載した写真について

写真は、編者もしくはその章やコラムの著者が撮影、提供した場合には、提供者名は割愛した。

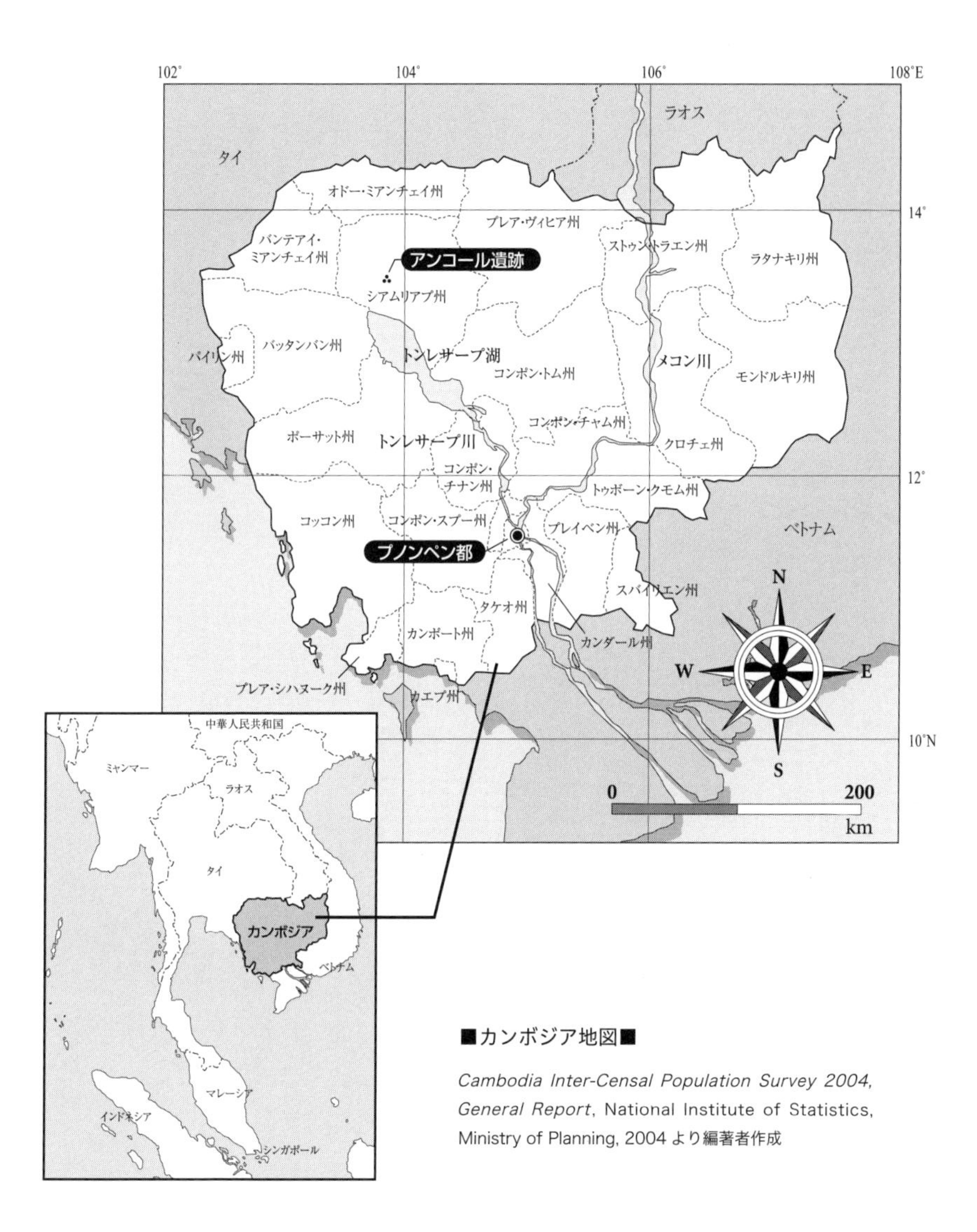

■カンボジア地図■

Cambodia Inter-Censal Population Survey 2004, General Report, National Institute of Statistics, Ministry of Planning, 2004 より編著者作成

カンボジアを知るための60章【第3版】

目次

I　ことばを読む

Ⅱ 暮らしを知る

Ⅲ　歴史をたどる

Ⅳ　社会を考える

V

芸術を楽しむ

Ⅵ　明日へつなぐ

I

ことばを読む

たけのこは竹のあとを継ぐ【7章参照】（©Em Sothya）
1999年2月12日付『リアスマイ・カンプチア』紙掲載

1

カンボジア？カンプチア？クメール？

★カンボジア語が話されている地域★

本書を読んで、どうしてもカンボジアのことばを学びたくなったら、カンボジア語とクメール語のどちらを勉強するべきだろうか。探してみると「クメール語講座」もある一方で、『カンボジア語入門』という教科書もある。助けを求めて旅行ガイドブックを見れば「クメールの微笑」、新聞を見れば「カンボジア国王」、世界史の教科書には「民主カンプチア」と、ますます混乱は深まる。

このように、日本で普段目にする文章の中には、「カンボジア」「カンプチア」「クメール」の三つの表記が、時にはそれに加えて「カンボディア」という表記までもが入り混じっているのだが、言語名としてはいずれも同じ言語を指しているため、「クメール語講座」という講座を選んでも、『カンボジア語入門』という本を選んでも、同じことばを学ぶことができる。ここから先はカンボジア語としておこう。

日本語の中でこそ四つの表記で呼び分けられているものの、これに相当するカンボジア語の語彙は二つしかない。一つは、「カンボジア」「カンプチア」「カンボディア」に相当する語 **kam-puʔ-cèə**（カンボジア文字ではなく音韻表記。以下「カンボジア」で統一）、もう一つは「クメール」に相当する語 **kmae**（同。以下「クメール」）である。カンボジア語の中では、正式国名など公的なものを表すときに「カンボジア」を使い、言語名、料理名など一般的なものを表すときには「クメール」をよく使う。カンボジア人はインドから来たカンブ王子の子孫であるという神話があり、「カンボジア」という語は「カンブ王子の子孫」を意味する。王子の名「カンブ」は「金」を意味するため、カンボジアは「黄金の国」を意味するという説もあれば、カンブが「貝殻」も指すため、民話や古典文学の中で、法螺貝として生まれた王子が困難に出合いながらも自身の持つ不思議な力と神に助けられながら最後には王女を妻にして王位に就く物語と関連があるという指摘もある。借用語でない本来のカンボジア語は音節が二つまでの短い語である（3章参照）ことから、三音節からなる **kam-puʔ-cèə**「カンボジア」ではなく、一音節の「クメール」**kmae**（なぜ一音節と数えるかは4章参照）の方が本来の民族名だと考えられる。

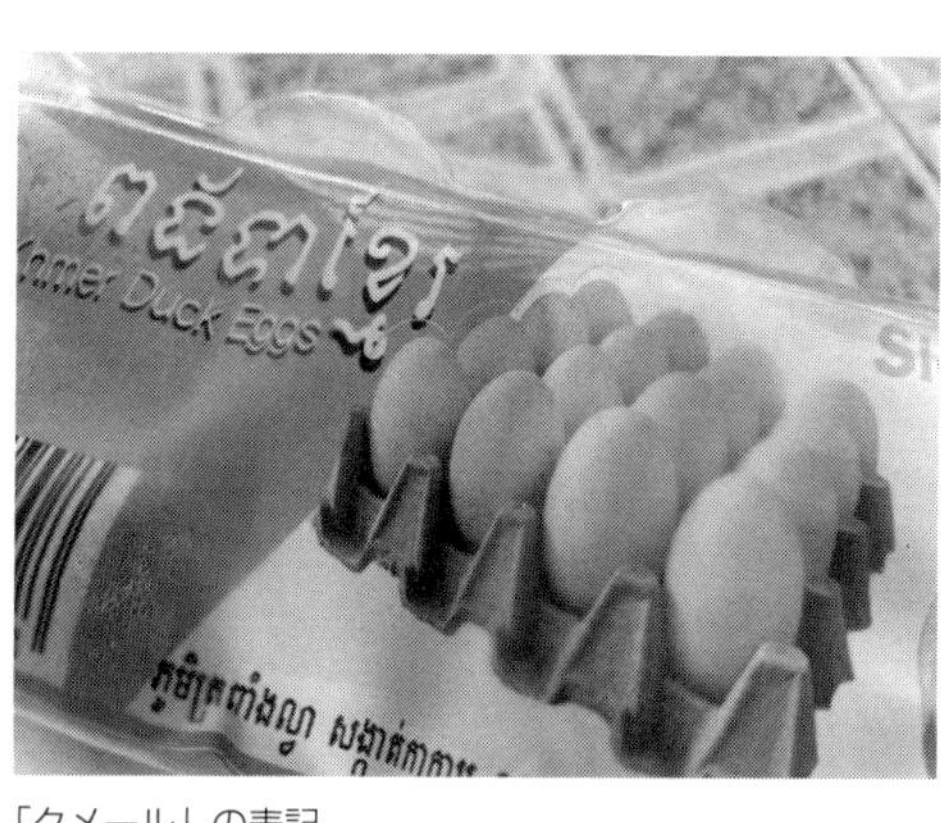

「クメール」の表記

「カンボジア」という語が、日本語でさまざまな呼ばれ方をしているのは、日本語に存在しない音をカタカナで書き表す方法が異なっているためである。「カンプチア」は原音に近い表記であるが、内戦中の国名の定訳として使われた以外は、一般に「カンボジア」と表記されることが多い。本書で「プ」「チ」と書いている音は、実は二種類ずつあって（3章参照）、

「カンボジア」の表記

そのうち「カンプチア」に含まれるほうの「プ」「チ」は、聞き慣れないと「ブ」「ジ」という濁音に聞こえるのである。「カンボディア」は英語での名称を日本語読みしたもので、近年はほとんど使用されない。もう一つの語は、原音は「クマエ」に近いのだが、それが日本語で「クメール」となったのは、綴りの語末にRの文字があるためである。この語末のRは現代の標準カンボジア語では発音しないが、カンボジア文字の綴り通りにフランス語で転写したものをさらに日本語読みして「クメール」となった。日本語の中での使い分けは、文化に関連した分野では「クメール」を用いることが多いようであるが、本書では、一部の固有名詞を除き、可能な限り、一般に馴染みが深い「カンボジア」に統一することとした。

系統から見ると、カンボジア語はオーストロアジア語族のモン・クメール語族に属している。東南アジアで話されている数多くのことばは、系統も文字も実に多様であり、何か一つを学んでおけば、東南アジア全域で通用するということばは存在しない。カンボジアと国境を接するタイ、ラオス、ベトナムの国語のうちいずれのことばをとっても、カンボジア語とは、話をしても通じないし、文字を見ても読むことはできないという関係である。東南アジアではそれぞれの国語、公用語以外にも、民族や地域ごとにたくさんのことばが話されており、ことばの境界線と国境とが一致するわけではない。

カンボジア語が話されている地域は、主にカンボジア国内であり、現在のカンボジア王国憲法（一九九三年公布）第五条で公用語として規定され、「王国は、必要に応じカンボジア語を擁護し、発展させる義務を有する」（同第六九条）ともされている。他にも、タイ、ベトナム、ラオス国内の一部地域と、後述する第三国（アメリカ、フランス、オーストラリア、カナダなど）で定住者が住む地域にもカンボジア語を話す人々が住んでいる。使用人口は推定で、カンボジア国民一五五五万二二一一人（計画省二〇一九年）の九割以上の他、タイ、ベトナム、ラオス国内に合わせて約二〇〇万人、また第三国への定住者が約二三万人とされている。

ベトナム南部に住む「低地カンボジア人」と呼ばれる人々は、寺院を中心とした文化活動も行っており、カンボジア語の出版物もある。タイ東北部では、カンボジア国境沿いのスリン県、ブリラム県、シーサケート県を中心に、家庭内、地域内でカンボジア語を話す人々がいる。しかし、タイ国内のカンボジア語は文字を持たず、また学校教育はタイ語で行われるため、読み書きや公の場での会話にはタイ語が使用されている。前述の第三国とは、一九七九年以降、主にタイに流出したカンボジア難民たちが難民キャンプを経た後、定住した国々のことである。それぞれの定住国のことばで教育を受け、第二世代以降はカンボジア語を使わなくなりつつある中で、アメリカのカリフォルニア州ロングビーチでは、新聞、テレビ放送、ウェブサイトなど、カンボジア語による情報発信、図書の出版・配布、演劇の上演など文化活動も行われている。日本にも約一〇〇〇人が定住したが、日本の学校教育を受けた世代は日本語が中心になることが多く、中には家庭での会話に困難が生じる場合もあり、有志によるカンボジア語教室が開かれている。

（上田広美）

2

奥が深い文法

★ことばのしくみ★

カンボジア語界の聖人であるチュオン・ナートが言っている。「どのことばにも難しいところとやさしいところがある」と。

では、日本語に慣れ親しんだ人がカンボジア語を学ぼうとすると、どこが楽でどこが難しいのだろうか。ことばの部品を発音、文字、文法の三つに大きく分けてみると、文法は簡単だが文字が難しいという声を多く聞く。実際には、最初は平易に思える文法は奥が深く、単に見慣れないために難しく思えた文字は、ある日あっさりと読めるようになっているものであるが、まずは、文法について、カンボジア語がどのようなことばであるか見てみよう。

文法の学習というと、たくさんの規則や単語の形の複雑な変化を必死で覚えることを想像しがちだが、カンボジア語を学ぶうえでそのような努力は必要ない。文をつくるための基本の規則は数が少ないし、日本語のように「する」が「した」に、「行く」が「行か（ない）」になったり、「良い」が「良く」になるような単語の形の変化はない。原形、過去形、複数形などと悩まなくても、文章を読んでいてわからない単語があったら、辞書をひけば文中に記された通りの形で見つかるし、新しく覚えた単語もすぐに使って文をつくることができる。また、動詞や形容詞はそのままの形で「〜すること」という名詞としても使うことができるため、「カンボジア語を勉強するのは簡単だ」などという作文も実に容易である（答えは、「勉強する＋語＋カンボジア＋簡単な」）。「が」「を」なども使わないので、助詞を選ぶのに迷うこともない。カンボジア語の文法は、単語の形が変化したり、助詞をつけたりすることによってではなく、単語を並べる順番によって、さまざまな意味の違いを表す文法なのである。

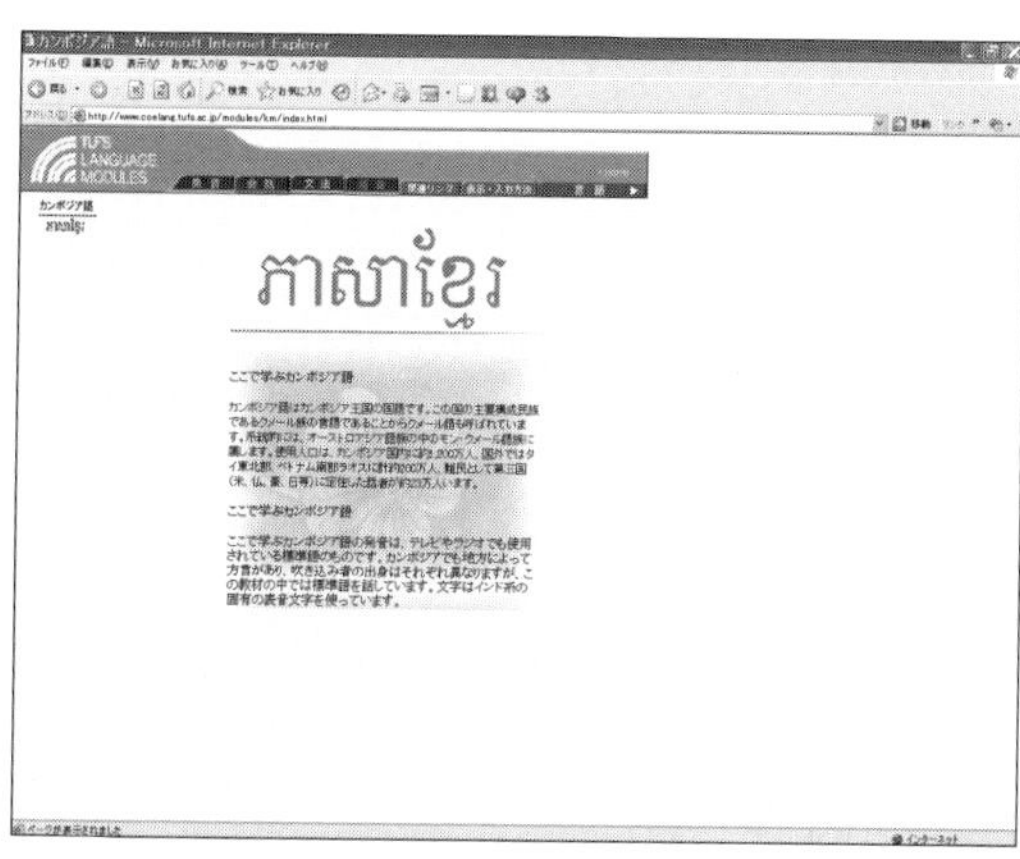

カンボジア語インターネット教材ウェブサイト・トップページ（東京外国語大学　以下同）

文の基本語順は「主語＋述語＋目的語（＋その他）」であるが、日本語と違って「が」「を」がないので、「主語」や「目的語」であることを示すのは、それぞれ述語の前にあるか（主語）、後ろにあるか（目的語）という位置関係だけである。たとえば、

「妻＋殴る＋トラ＝妻がトラを殴った」

から、同じ語を使い、語の位置だけ入れ替えて、

「トラ＋殴る＋妻＝トラが妻を殴った」

にしただけで、文法的には正しいが、全く意味が違う文になってしまう。その点、日本語は、「妻がトラを殴った」「トラを妻が殴った」のどちらの語順でも、妻は被害者ではない。

それ以外の語順の規則として重要なのは、「説明は後ろに」「付属品は前に」の二つで、いずれも日本語の語順とは逆である。第一の規則は、名詞に対する説明（凶暴な→トラ、魚の→醤油）であっても、動詞に対する説明（たくさん→食べる、速く→走る）であっても、説明する語は後ろに続けるというものである。たとえば、日常的な調味料であるトゥック・トライ（魚醤（ぎょしょう））は、「水＋魚」という構成になっている。第二の規則は、単独では使わない付属語（〜ない、で）は自立語（殴る、棒）の前につけて、「ない＋殴る＝殴らない」「で＋棒＝棒で」となるというものである。以上の三つの規則を使うだけで、辞書を頼りにたいていの文章を読むことができるし、語彙さえ与えられれば、「コンは妻とともに森に行き、トラに出くわした。コンは逃げ出し、妻は棒でトラを殴り殺した」というような民話の一節が、初学者でも簡単に作文できる（この話の続きは、コラム2参照）。

ここまで日本語とは異なる部分ばかり説明してきたが、日本語と似ているために理解が容易な部分もある。たとえば、言わなくてもわかる場合には、

「（私が）昨日家に帰ったら」

「（あなたは）わかりましたか」

「（私は）わかりました」

などと言うときにいちいち主語（「私」や「あなた」）をつけないところは共通であり、言わなくてもわかることが何かという基準も日本語の基準で判断してほぼ間違いがない。また、日本語では、「トラは、妻が殴った」というように、「は」を使うことでその文で何について語るかという文の主題を示すが、カンボジア語でも、

「妻＋殴る＋トラ＝妻がトラを殴った」

という文から、述語「殴る」の目的語である「トラ」の位置を変えて、

「トラ＋妻＋殴る＝トラは、妻が殴った（他の動物は、夫が殴った）」

とするように、文の中のある要素を文頭に出すことで主題とすることができる。

このようにカンボジア語の文を理解したり、つくったりすることは、学習を始めて比較的早い段階で可能になる。しかし、単語の変化や「が」「を」のように、形として表れることがない。言い換えれば暗記しなければならない文法事項が少ないということは、他のどのようなもので文法事項を表しているのだろうか。それは語順で示されていたり、それぞれの語の意味からわかるものであったり、あるいは「カンボジア語を話す人にとって

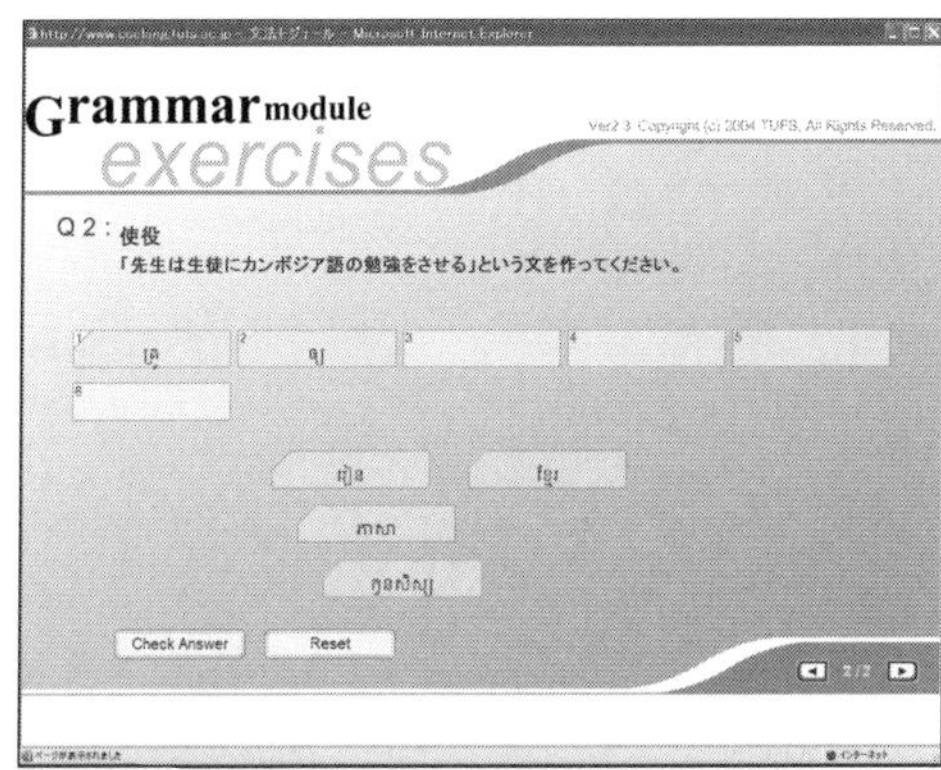

カンボジア語インターネット教材ウェブサイト・文法ページ

カンボジア語インターネット教材ウェブサイト・会話ページ

たとえば、特定の場面では、「噛み(か)タバコを噛(か)む」といったら老人、「サンポットをはく」といったら女性、「おわかりになった」といえば王様の動作だとわかるから、わざわざ誰が行った動作か言わない。また、「殴る＋トラ＋死ぬ」というと、トラを殴って死なせた場合と死んだトラにさらに鞭打った場合があるのだが、どちらの意味を表すかは、文脈次第である。一方で、自分の意思で行えること（本を読むとか、菓子を食べるなど）と、自分の意思ではどうにもならないこと（病気が治るとか、生徒に宿題をさせるなど）とはきっちり区別する文法なので、トラを殴ってみたら死んでしまった場合と、最初からトラに殺意を抱いていた場合は異なる表現を用いる。

このように最初はすぐに制覇できると思えたカンボジア語文法の世界に入っていくと、実は謎が尽きず、その謎を解く楽しみも格別なのである。

（上田広美）

3

カタカナ表記が難しいわけ

★音と文字★

文法に比べると、音や文字は親しみやすいとは思われていないようで、音はどれも同じように聞こえるとか、文字に至っては、美しい文字に魅せられてという少数の愛好者もいるものの、なぜローマ字化されなかったのかと嘆く学習者も多い。

音については、確かに日本語よりも種類が多いため、普段意識して区別していない音は聞き分けにくい。本書中でもカタカナ表記の限界があるので正確な音を表すことはできないのだが、実際には一定の訓練を受け、顔の筋肉を動かすことをいとわずに数日練習すれば、意思の疎通ができる水準の発音を身につけることはそう難しくはない。本書に書かれているカンボジア語は多くが人名や地名など固有名詞であるが、カタカナ表記は、日本で一般に受け入れられているもの（アンコールワットなど）はそのまま使い、正確さよりも、文章中での読みやすさを優先した。そのため、本書中のカタカナをそのまま読み上げてもカンボジア人に通じないものもある。ではいったい、カタカナではどのような音が表せないのだろうか。

母音は、日本語のアイウエオと比べ、九種類の短母音（**i, e, ɛ, ɯ, ə, a, u, o, ɔ**）があるうえに、長短の区別、喉の緊張の度合

カンボジア文字表（特定非営利活動法人　幼い難民を考える会）

いによる区別、二重母音を加えて、三六種類を区別している。九種類の短母音だけを考えてみても、日本語のア、ウ、エ、オと聞こえるものがそれぞれ二つずつある。また、喉の緊張の度合いによる区別というのは、できる限り喉に力を込めてはっきり大声で叫んだ「アー」とため息をつく「あー（あ）」に似た区別なのだが、これなどは、カタカナでは全く書き表すことができない。この区別がある代わり、タイ語、ラオス語、ベトナム語、ビルマ語など近隣の国のことばと違い、カンボジア語では一部の方言を除き、音の高さの差異で意味の違いを示す声調はない。

子音は、音節頭子音が一七種類（**p, t, c, k, ʔ, b, d, m, n, ɲ, ŋ, v, j, r, l, s, h**）の他、借用語に**f**を用いる。子音の特徴を三点挙げておくが、いずれもカタカナでは書き表すことが難しい。第一点は、音節頭の無声閉鎖（**p, t, c, k**）に有気音（強く息が出る音）と無気音（ほとんど息が出ない音）の区別があることで、たとえば「ター」と聞こえる音でも、有気音なら「〜と言う」、無気音なら「祖父」という別の意味になる。第二点は、音節頭の二重子音の組み合わせが豊富なことで、いくつか例を挙げれば、

kmae（クメール）　**lhoŋ**（パパイヤ）　**cŋaŋ**（おいしい）　**tbaaŋ**（織る）

などである。二つの子音の間に母音を入れないようにするには練習が必要である。「クメール」（1章参照）は、日本語で「クマエ」と言ってみると、どうしても「ク・マ・エ」というように、子音と母音のセットが三つになってしまうのだが、カンボジア語では、二重子音**km**と二重母音**ae**のセットなので、一音節と数える。

通りの名前を示す標識

第三点は、音節末子音が一三種類（**p, t, c, k, ʔ, m, n, ɲ, ŋ, v, j, l, h**）あることで、これも慣れないうちは聞き分けにくい。たとえば、同じように「チャッ」と聞こえても、言い終わったときの唇や舌の位置が少しずつ異なると、唇が閉じたときは**cap**（捕らえる）、舌先が上の歯茎にあたったときは**cat**（指図する）、舌が上あごにくっついたときは**cac**（何だ）、舌がどこにも触れず唇があいたときは**cak**（刺す）というように、それぞれ別の語になる。同じく「チャン」と聞こえても**cam**（待つ）**can**（月）**caɲ**（負ける）**caŋ**（輝く）という別の語になる。以上のような特徴が、本書中でもカタカナでは表すことができなかった点であり、カンボジア語を学習する場合には、特に注意して練

習すべき点である。

オーストロアジア語族のことばの中で、現在も国語として使われており、固有の文字を持っているのは、カンボジア語だけである。カンボジア文字は南インドから伝えられた文字を独自に発展させた表音文字で、最古の記録は、タケオ州で発見されたシャカ暦五三三年（西暦六一一年）と記された碑文である。現在の憲法では公用語の規定とともに公用文字も規定されている（識字率は5章参照）。また、タイでも宗教に用いるパーリ語を記すためにカンボジア文字が使用されている。

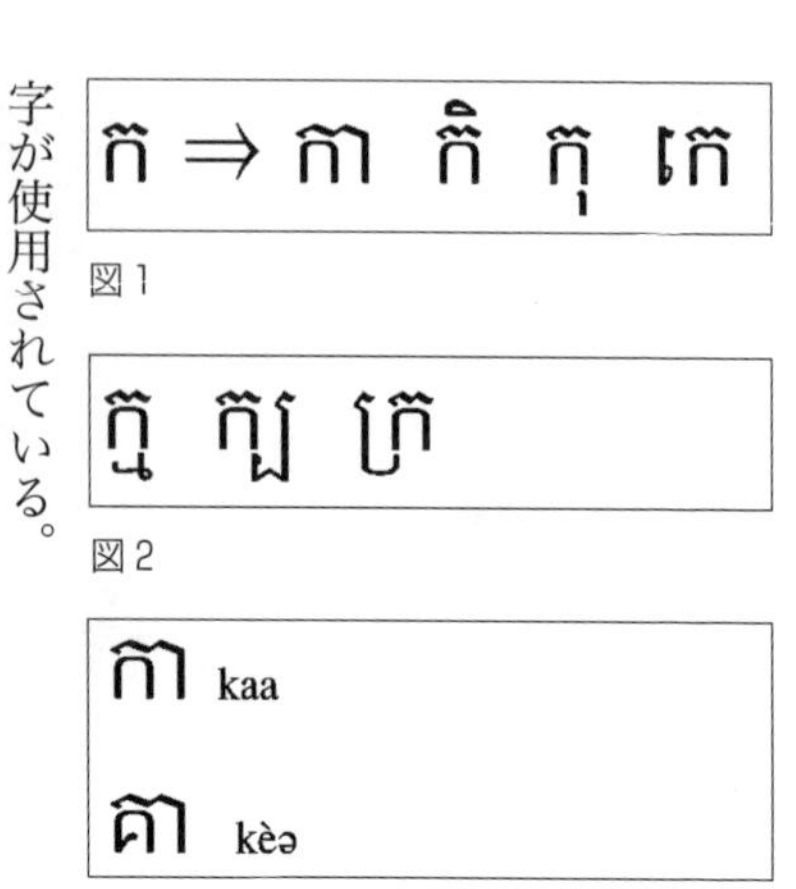

図1
図2
図3

文字は、三三個の子音文字の上下左右に二二種類の母音記号をつけるしくみとなっている。たとえば **k** にあたる子音文字に **a, i, u, e** にあたる母音記号をつけるには、**a** は **k** の右に、**i** は上に、**u** は下に、**e** は左につける（図1）。また、子音文字には「脚」と呼ばれるもう一つの字体があり、一つの語の中で子音が連続しているときにはこの「脚」を第一の子音文字の下か、下から右にかけてか、左につける（図2）。

学習者泣かせなのは、表音文字とはいえ見慣れない形であることと、文字と音との対応が必ずしも一対一ではないことであろう。古くから使用されていた文字に対し音声が変化したため、例（図3）のように二つの文字が同一子音（**k**）を表す一方、同一記号が二つの母音（**aa** と **èə**）を表すという複雑な体系をなしている。文字は左から右への横書きで、日本語と同じく分かち書きはしない。算用数字も使うが、固有の数字も存在する。

フランス統治期の一九四〇年代には、行政文書を中心にローマ字化が試みられたが、宗教界などからの強い反発もあり定着しなかった。ことばの系統は異なるが文字としては同系のタイ文字やラオ文字にはない「脚」など文字の種類が多く組み合わせも複雑であることから、ローマ字表記は困難で、パスポートや運転免許証などの公的書類でも、同一氏名の表記方法が統一されているとは限らない。加えて、一九七〇年から二〇年以上続いた内戦の影響もあり、電子利用のための文字コードの統一が遅れ、コンピュータで読み書きしたり印刷するのも不便ならば、カンボジア語でしか話さない人同士が電子メールは英語を使うという状態が続いていたが、徐々に状況が改善されている。（上田広美）

4

日本でよみがえった国語辞典

★語彙と辞書★

半世紀以上にわたり最高の国語辞典として人々に愛用されているのは、仏教研究所から一九六七年、六八年に二巻本として出版された『カンボジア語辞典』の第五版、すなわち通常は編者である上座仏教モハーニカイ派の僧王チュオン・ナート（一八八三〜一九六九）の名で呼ばれる「チュオン・ナート辞典」である。国語辞典編纂事業は、一九一五年に国王の命を受けて開始され、二〇年以上の歳月をかけて、一九三八年に初版が出版された後、改訂が重ねられた。

いかにすぐれた辞典であっても長い間新しい辞典が編纂されなかったのは内戦の影響であるが、現在、この第五版だけでも手にすることができる経緯には、日本人が果たした役割が大きい。チュオン・ナートの死の直後に始まった長い内戦でこの辞典も失われたが、一九八〇年代に日本人研究者がカンボジア仏書復刊救援会を結成し、仏教経典を中心とした復刻事業を始めた。この事業は、資金だけではなく、カンボジアから購入して持ち帰った日本人研究者が日本国内で保管していたオリジナルも提供し復刻するというもので、仏教経典に続いて国語辞典や小説も対象となり、この辞典も一巻にまとめられて復刻（一九八三年）、再復刻（一九八九年）された。カンボジアで市販されているこの国語辞典は再復刻本のコピーであり、日本の援助で復刻されたことを記した日本語の頁もコピーされている。

内戦終結後も、新しい国語辞典の必要性は認められながらも時間と労力のかかる編纂は進まなかったが、国連機関やNGOなど外資系の仕事が増えたためか、政治、経済、法律用語を英語あるいはフランス語と並べた対訳語彙集は増えた。二〇〇〇年の国語学会の後、王立学士院国語研究所教授ロン・シエムを中心に新国語辞典の編纂が始まった。

国語辞典に載っている語にはどのような特徴があるだろうか。音と文字の章（3章参照）でいくつかの例を示したように、カンボジア語の本来の語は、単音節語か、それに接辞をつけて派生させた二音節語という短いもので、長いものは借用語である。接辞には、前接辞と接中辞があり、接尾辞はない。それぞれ一例ずつ挙げれば、

前接辞 **bɔŋ** を **rien**（学ぶ）につけて使役形とした **bɔŋrien**（教える）

接中辞 **ɔmn** を **dae**（歩く）に挿入して名詞にした **dɔmnae**（旅）

がある。このような接辞はいずれも現在では造語能力を失っている。

他にも、単独では使用できず、他の語の前後に「随伴」するだけの語がある。例を挙げれば、

DICTIONNAIRE CAMBODGIEN
Tome I.
K. M.
CINQUIEME EDITION
ÉDITION DE L'INSTITUT BOUDDHIQUE
1967

『カンボジア語辞典（第5版）』（1967-68年、仏教研究所）

頭に載せて運ぶ

子を腰に抱いて運ぶ

caan（皿）に随伴語 **kbaan** をつけて食器類という総称を表すなどのもので、韻を踏んでいることが多い。一九七三年の随伴語辞典には、二〇〇〇語の随伴語が紹介されている。

また、豊富な語彙の例として、「ものを運ぶ」語彙は、運ぶ形態によって、ぶらさげる、握る、子を腰に抱く、子を腕でかかえる、両腕で抱きかかえる、脇にはさむ、肩にかつぐ、肩にかついだ棒の片端にさげる、天秤棒でかつぐ、二人以上でかつぐ、頭に載せる、肩にかける、身につける、のそれぞれに相当する多くの動詞を使い分けている。

古くからインド文化の影響を受けたため、カンボジア語の語彙には、大学、歴史、人民などの文化語彙から牛、夫、顔などの日常用語までサンスクリット語、パーリ語からの借用語が圧倒的に多い。また、机、ズボンなど日常用語は中国語から、省、局など政治・行政用語はタイ語から借用している。タイ語とは相互の借用関係があり、カンボジア語からタイ語に借用された後でカンボジア語に逆輸入

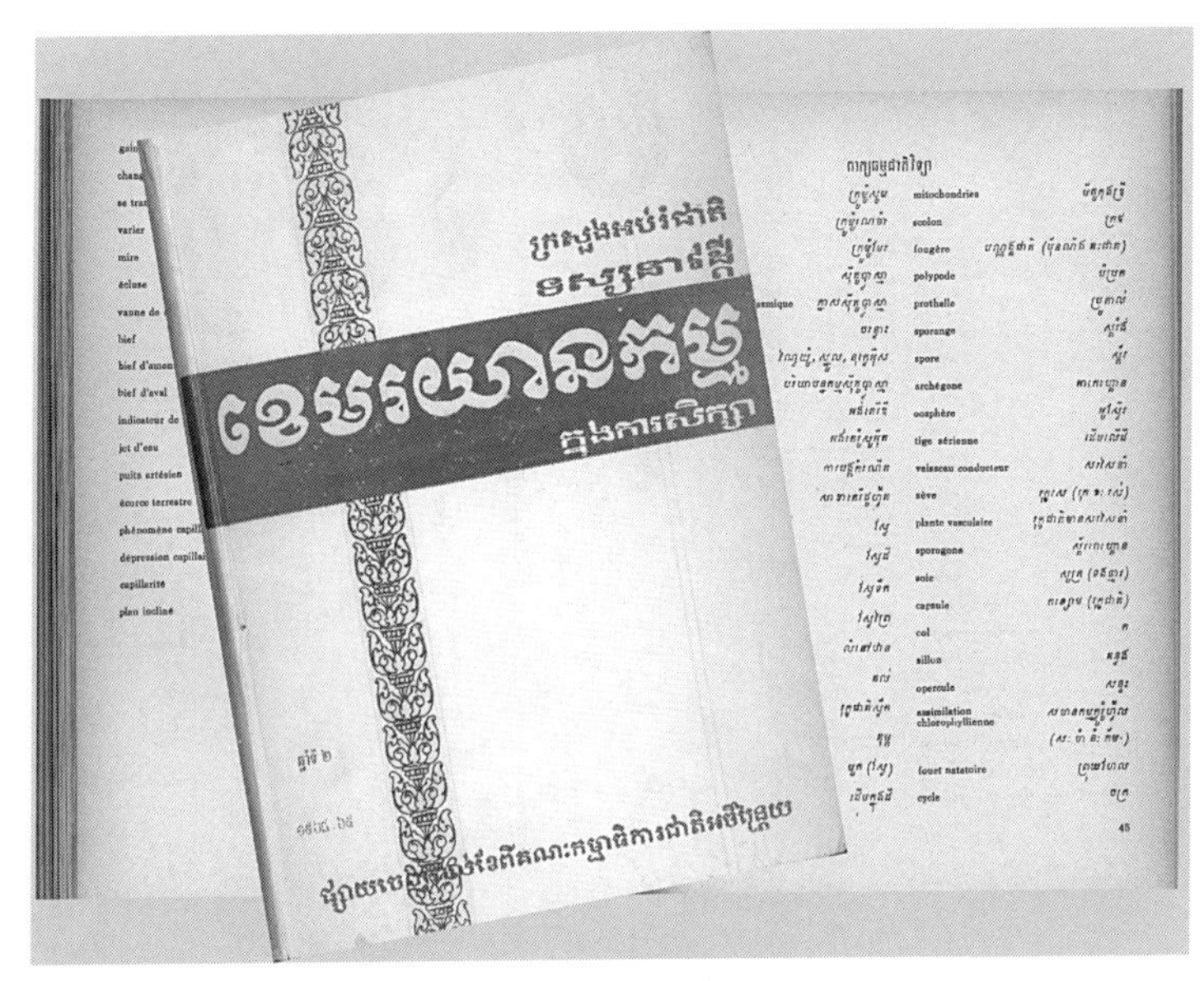

『語彙のカンボジア語化運動』（1968-69年、教育省）

された語もある。また、本来の数詞は、一、二、三、四、五、一〇、二〇などで、かつては五進法、二〇進法を組み合わせていたが、のちにタイ語から、三〇、四〇、五〇、六〇、七〇、八〇、九〇、百、千、万、一〇万、一〇〇万を借用したと考えられる。日本語のカボチャがカンボジアの国名から名づけられたことは知られているが、キセルもカンボジア語からの借用である。

フランスの保護国になった一九世紀以降、公用語も初等教育の言語もフランス語になり、郵便局、オートバイなど多くの語彙を借用した。独立後も教育・学術用語や公文書はフランス語で書かれていたが、一九六六年に公用語をカンボジア語にしてから、フランス語を使用していた教育や行政の語彙を本来のカンボジア語の語彙で造語して置きかえる「ケマラジアナカム（語彙のカンボジア語化運動）」が始まった。国語辞典を編纂したチュオン・ナートもその著作の中で、「幸運にも独立を果たしたカンボジアにとって、文化や国語は重要であり、社会の要請に応えて国語の発展の基礎を築いているケマラジアナカムを擁護する」と述べている。このプロジェクトでは、年間七～九〇〇〇の新語が造られ、月刊機関誌（一九六七年九月創刊）やラジオ、新聞で発表された他、教科書にも新語が使われた。造語方法は、既存の語彙の組み合わせか、すでに機能を失っていた接辞を復活させた。このプロジェクトは、一九七三年には大学レベルの語彙に到達する予定であったが、内戦が勃発したため中断されたまま現在に至っている。当時の新語のうち、**hat**（練習する）に前接辞**lòm**をつけて名詞にした**lòmhat**（練習）などは定着したが、現在でも、統治期に輸入された物や概念を表す語を中心にフランス語からの借用語も少なからず残っている。

内戦中も体制が変わるごとに、新しく生まれたり、意味が変わったり、禁じられたりして、語彙は変遷した。ポル・ポト政権期には、「学習に行く」「薪を切りに行く」というと処刑を意味した。続くヘン・サムリン政権期には「連帯組」など社会主義用語がさらに増えた。ある語彙を目にしたり耳にしたりすると、特定の時代を思い起こすという人も多い。

（上田広美）

僧王チュオン・ナートと正書法

コラム1

上田広美

上座仏教モハーニカイ派のサンガ長（僧王）チュオン・ナートは、一八八三年コンポン・スプー州の農家に生まれた。幼い頃から寺院で学んだが、その才能と勤勉さは並ぶ者がなく、やがてサンスクリット語、パーリ語、タイ語、ラオス語、ビルマ語、フランス語に通じた博学な僧として有名になった。仏教はもちろん言語、文学、教育の分野でさまざまな役職を歴任し、最高の文化人として幅広く活躍し、国外にも派遣され、数多くの勲章も受けた。伝記によれば、高位の僧となってからも決して努力を怠らない謙虚さと、恐れを知らない勇敢さをあわせもち、素食を好み、四〇歳で禁煙し、病気のときは漢方薬を愛用し、寺院の庭であれ、訪問先の山林であれ、木を植えるのを好む人だったという。

国語辞典以外にも多くの書物を著した他、『正書法辞典』（一九五四）などを監修した。これは一般の人々が文章を書くため利用しやすいよう、『国語辞典』（一九三八）の中から頻度が高い語彙を抜き出した辞典で、綴りが異なる語の意味と用法（たとえばスオ）で、同じ音（スオの三つの綴りはそれぞれ「（木の枝の上を）歩く」「尋ねる」「天国」を意味する）を解説したものである。また、一九六一年から国営ラジオ局で「国文学の時間」を担当し、国語と文学について平易なことばで一般の人々に語った。この放送は、内戦後、ラジオ局の元職員などが個人的に保管し続けた古い録音テープを収集し、二一本中一七本が文字として書き起こされ、『チュオン・ナート僧王の国文学の時間』（二〇〇二）として、王立学士院国語研究所から出版された。一九六〇年代には、フランスをはじめとする外国に留学し、多くは文学を学んで帰国した「若年知識人（チュオン・ナートの造語）」たちが、カンボジア語の近代化のためには、文字の数を少なくした正書法を導入し、サンスクリット語、パーリ語からの借用語も減らすべきだと主張していた。大学生や教員たちは改革を叫ぶ「若年知識人」に引き寄せられていった。フランス語を含め多くの言語に通じたチュオン・ナートは決してサンスクリット語、パーリ語だけを重んじたわけではなかったが、守旧派と呼ばれ、ラジオ放送では、国語問題に関する意見をあまり声高に言えなかったかもしれないというのが、同書の解説である。一九六九年九月、黄金色に染まった天空を一対の仏塔が漂っている夢を見たことを吉兆として弟子たちに語った日から、チュオン・ナートは体調を崩し、まもなく国王をはじめとして多くの人々に惜しまれつつこの世を去った。その死の半年後に起きたクーデターからカンボジアの長い不幸な時期が始まった（28章参照）。

『チュオン・ナート僧王の国文学の時間』（2002年、王立学士院国語研究所）

正書法に関する意見の対立は、内戦をはさんで現在も続いている。教育省を中心とする改革派は、教科書を通じて、平易な綴りを広めてきており、内戦後に教育を受けた若い世代は新しい綴りを使っている。一方で、研究者を中心とする守旧派は、「民族は文化と文学によって継続する」として、歴史的に意味のある文字を失ってはならないと訴えている。王立学士院国語研究所は、新国語辞典の編纂作業の中で『正書法辞典』（二〇〇五）を出版した。約四万語の綴りと品詞のみを記載した同書では、伝統的な正書法を用いている。

5

消滅の危機に瀕していることば、新しく生まれてくることば

★ことばの変容★

カンボジア国内で使用されている言語の数は資料によって言語の定義が異なるが、手話や英語や中国語各方言を含め三〇前後とされることが多い。憲法第三一条には、「カンボジア国民は、人種、肌の色、性別、言語、信条、宗教、政治的見解、門地、社会的身分、財産又はその他の状態にかかわらず法の下に平等であって、同等の権利、自由及び義務を有する」とされている。しかし、それぞれの言語話者の割合を見ると、国勢調査（二〇一九年）では、九五・八％がカンボジア（クメール）語を母語としており、第二位の中国語（〇・六％）を大きく引き離している。公的機関のウェブサイトを見てもカンボジア語の使用が一般であり、その他の言語を併用する場合には、文字情報は英語で、動画の音声情報は手話で情報提供がなされていることが多い。

カンボジア語以外の使用言語としては、まず、ベトナム語、中国語、ラオス語、タイ語がある。これらの言語は、国境をこえれば多くの話者がおり、他地域では国語や公用語とされている言語である。その他に、国勢調査では少数民族の言語（二・九％）と分類されている言語がある。カンボジア語と系統を異

にするチャム語やチャラーイ語、また、カンボジア語と同じモン・クメール語族のプノーン語やチュウン（サオチ）語などである。少数民族のことばは文字を持たないものが多いため、公用語であるカンボジア語を学ぶとともに、その民族のことばもカンボジア文字で記述して学ぶ、二言語併用方式の識字教科書が作成されることもある。王立プノンペン大学で教鞭をとるジャン・ミシェル・フィリッピ教授とシルヴァン・ヴォーゲル教授は、カンボジア語の諸方言や少数民族の言語の調査を行い、少数民族の言語状況に関する書籍（二〇〇八年）と、それらの言語のひとつであるプノーン語の概説書（二〇〇六年）を出版している。以下に紹介するチュウン語は、同書の調査では、推定話者数一五〇名とされており、消滅の危機に瀕したことばである。

多言語表記の掲示

少数民族のことばの一つ、チュウン語は、モン・クメール語族のペアル語派に属する。モン・クメール語族には、ベトナムからインドにかけて分布する多くの言語が含まれるが、共通の特徴としては、子音結合が豊富であること、母音体系が概して複雑であること、基本語順は主語＋述語＋補語、及び、後置修飾であることなどが挙げられる。広く用いられてきた名称のサオチとはカンボジア人側からの他称であり、ある病名を意味する蔑称から生じたと考えられ、このことばを話す人たちはチュウンと自称している。国勢調査では、「その他の言語」に含まれると考えられ正確な話者数は不明である。過去の統計資料を見ても、各民族の州ごとの分布を示した一九九〇年の政府統計で、話者は西部のプレア・シハヌーク州一州のみに存在し、総数もわずか七一名とされている。

二〇〇一年一二月に同州ビアル・レニュ郡サムロン・クラオム村でこのチュウン語の調査をする機

会を得たが、チュウン語話者を含む世帯はわずか二六世帯であった。それらの世帯でもカンボジア人との婚姻がすすみ、また、内戦中に居住地を強制移動させられたこともあって、家庭内の日常言語はカンボジア語になっていた。若い世代を中心に、チュウン語を聞き取ることはできても、自ら話すことはできないことが多く、調査時に語彙を提供し得る方は、一〇名に満たなかった。次頁の写真の父子は長く兵役についたことで教育を受ける機会を逃した上、土地を持たない農民で貧しかったため、息子一家の子どもたちも十分な教育を受けられずにいた。しかし自分たちのことばが消えていくことを危惧し、それを記録することの重要性をよく理解していたため、自らが記録できない代わりにと、忍耐強く我々の調査に協力してくださった（次頁語彙表を参照）。

同じカンボジア語といっても、外国人が多く訪れる首都プノンペンの方言や、アンコール遺跡で有名なシアムリアプの方言は標準語との違いが大きく、旅行者をとまどわせる。例えば、プノンペン方言では、/r/ の音がほとんど現れず、その代わりに語の中で特定の位置にある場合に低い音から昇る声調が現れることや、特定の二音節語の第一音節の音が抜け落ちることが特徴的である。

消滅の危機に瀕した言語とは対照的に、新しく用いられるようになった語彙もある。カンボジアでは携帯電話の保有率が九六％（アメリカ合衆国国際開発庁ＵＳＡＩＤ二〇一六年調査）に達し、ソーシャルメディア利用が進んだ。安価な音声通話や写真や動画の掲載が人気ではあるが、一五歳以上の識字率八七・七％（国勢調査二〇一九年）にとどまっている現在でも、文字メッセージの交換を楽しむ人が増えた。さらに、若い世代のメッセージでは、ローマ字の方がカンボジア文字より画面上のキーが少なく入力が容易という理由から、ローマ字による略語が用いられている。こういった俗語的な略語では、メッセージのやりとりで使用頻度が高い語について、綴りではなく音から連想したローマ字が用いられている。まず、語頭の子音のみで表す呼称（先輩 /**bɔɔŋ**/ を **b**、後輩 /**ʔoon**/ を **o**）、単音節語の語頭と語末の子音のみで表す動詞（遊ぶ /**lèeŋ**/ を **lg**、いる /**nə̀v**/ を **nv**、したい /**cɔŋ**/ を **jg**、来る /**mɔ̀ɔk**/ を **mk**、知る /**daŋ**/ を **dg**、行く /**tə̀v**/ を **tv**）、二音節語の各音節頭子音のみで表す動詞（愛する /**srɔɔlaɲ**/ を

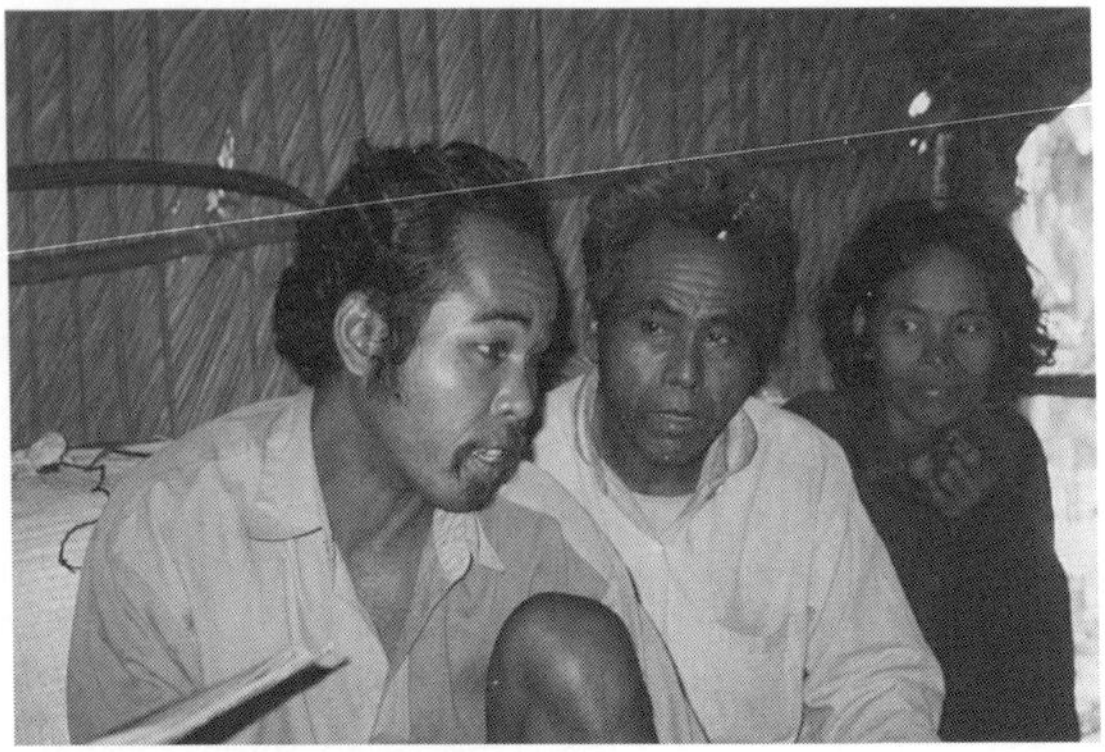

調査に協力するサオチ語話者たち

No.	日本語	English	Saoc
56	煙草	tobacco	mɯɯncʷɔk
56.2	キンマ	betel leave	slaa
56.3	石灰	lime (for betel)	kbao
56.4	ビンロウジの葉	betel leave	mluu
57	味	taste, flavor, savor	coʔəɲ
58	匂い	smell	kuʔəm
59	食べ物	food	lə̀əp
60	肉（食用）	meat	cuoc
61	卵	egg	tɔŋ
62	鶏	fowls	laek
63	鳥	bird	chʔim haə
64	翼	wing	slaap chiʔim
65	羽（鳥の）	feather, plume	tχɔsok laek
66	巣（鳥の）	nest	səmbok chiʔim
67	嘴	beak, bill	cpuu chiʔim
68	角（牛・水牛の）	horn	ckaoc
69	牛	cattle	kòo
69.1	雄牛	bull	kòo ckhən
69.2	雌牛	cow	kòo clòoŋ

サオチ語語彙集（上田広美編『東南アジア大陸部諸言語に関する調査研究』2003 年）

sl）、二音節語の第二音節の語頭と語末子音のみで表す動詞（話す **/niʔyèay/** を **yy**）といった略語がある。

また、カンボジア語の文章に英語の単語を混在させるメッセージも増加していため、国語研究の専門家は、「英語なら英語で、カンボジア語ならカンボジア語で読み書きすべきだ」と若者に苦言を呈している。こういった混在の例として多いのは、英語の形容詞（**cool** や **sad**）にカンボジア語の強調の副詞（**/nah/**）をローマ字（**nas**）綴りでカンボジア語の文法通りに後置する例である。

rkun b（喜ぶ＋恩＋先輩：先輩、ありがとうございます）ありがとう（喜ぶ＋恩）の最初の語 **/ʔɔɔ/** を英語の **r** の音に見立てており、先輩は前述の通り **b** で略している。

ローマ字表記のメッセージ（提供：Pov Seyha）

Anh Jong ban（私＋したい＋得る：欲しいなあ）三語ともカンボジア語の音をローマ字で表している。

pyat anh tenh ouy men（注意する＋私＋買う＋あげる＋本当に：そんなことというと本当に買っちゃうよ）最初の「注意する」という語 **/prɔɔyat/** の第一音節を音節頭の子音 **p** のみで略している。その後は、四語ともカンボジア語の音をローマ字で表している。

Tmr meet knea nv 10 makara na knea yg（明日＋会う＋互いに＋で＋10マカラー（地名）＋ね＋互いに＋我々：明日、10マカラー（地名）で会おうな、おれら）最初の二語は英語を用い、その後はカンボジア語の音をローマ字で表してたり、略語や数字を使っている。

カンボジア語の綴りをローマ字化する方法については、まだ統一化の途上にあり、パスポートを作成する際の氏名のローマ字表記でも、カンボジア語から予想できないローマ字になることもある。一方、逆に、日本語におけるカタカナ語のように、外来語をカンボジア語で綴る場合には、統一された規則がなく、ハンバーガー、ドーナツ、ヨーグルトなどは複数のカンボジア語の綴りがある。

さらに、ローマ字での綴りや英語の単語の混在にとどまらず、近年は都市部を中心に、家庭でも動画を駆使して英語の早期教育を目指した結果、「国語」ができない子どもが増え、受験勉強のために家庭教師が必要になることもあるという。難民としてアメリカに定住したカンボジア人親子を描いた詩（「ことばを失った親と子」チャット・チア作）では、ある母親が子どもに英語で罵倒され、何を言われているか理解できず、つたない発音で **thank you** と返事するのを目撃した経験が語られている。新しい国に馴染む努力のあまり子どもが祖先から受け継いだことばを忘れてしまうことは心配しなかったのかと、親の思慮の浅さを嘆いているが、今や、カンボジア国内でも同様の状況が生じつつあるのかもしれない。

（上田広美）

6

お付き合いの秘訣

★名前と呼び方★

日本人の名前が「姓・名」の二つに分かれるように、カンボジア人の名前も前半部分と後半部分の二つから構成されている。後半部分が個人の名前であるのは日本人の名前と同じだが、前半部分は家族が共通して持つ姓とは限らない。多くは、父親の名前の後半部分をつけてしりとりに似た方式にしたものである。チュオン・ナート（コラム1参照）の場合、父はプロム・チュオン、弟はチュオン・ヌットという名であるので、父の名前の後半部分（チュオン）を子どもたちの名前の前半部分につけており、この規則に当てはまる。

仮に、ある家族の名前を考えてみよう。

祖父「クン・プロム」祖母「ワン・ニアリー」

父「プロム・チュオン」母「カエプ・ニアン」

長男「チュオン・ナート」次男「チュオン・ヌット」長女「チュオン・スライ」三男「プロム・コン」次女「チュオン・パウ」

この家族の命名法は基本的に上述のしりとり方式に従っているが、時には子どもたちのうち一人（ここでは三男）だけに祖父の名（プロム）をつけることもある。その場合にはその子の名前の前半部分（プロム）は、父の名前の前半部分（プロム）と同じになる。また、婚姻によって姓が変更されることはないため、母はその父もしくは祖父の名を前半部分（カエプ）に持っており、父母と子どもという単位の中にも、三つの「姓」（プロム、チュオン、カエプ）がありうる。子どもたち全員に対して、祖父の名（プロム）を前半部分につけた場合には父親と子どもたちは同じ姓を持つかのように見える。さらに、あるとき以降しりとりをやめ、「プロム」一族として常に同じ前半部分を使うこともある。名前は、コン、トム、ティアウ、パウなどカンボジア語らしい一音節の短いもので、しりとり方式が可能なことからわかるように、姓と名のどちらにでも使えるものが多い。しかし、パーリ語、サンスクリット語風のワンナリーレアク、ソクンティアロアトなど長い名前や、近年はヘレンなど洋風の名前、クイエンなど中国風の名前を後半部分に持つ人もいる。

個人の名前はあくまでも後半部分にあるので、誰かの名前のどちらか一方だけを呼ぶときには、初対面であっても、あまり親しくなくても、後半部分を呼ばないと、相手の父親か祖父を呼ぶことになってしまう。丁寧に呼びたい場合には、この名前の前に「～さん」にあたる語をつける。この「～さん」は後で述べるように、話し相手を呼ぶ二人称としても使うことができる。「陛下」「閣下」など特殊な地位を表すものを除いて、日常的に使うものだけでも数多い。日本語でも「あなた」は単に話し相手を表すわけではなく、使い方によっては相手を威圧するようなニュアンスを含んだり、不快感を与えることもあり、姓に「～さん」をつけて呼ぶことが多い。しかし、カンボジア語には日本語の「～さん」ほど使用範囲が広い無色透明な語はない。

もちろん、「言わなくてもわかることは言わない」（2章参照）という規則に従って、「どちらへ」

「いかがですか」「ちょっとお寄りになりませんか」など、二人称の主語を避けて会話を続けることもできる。特に、こちらが外国人で、年齢も身分も判定し難いとそのように話しかけられることも多いが、一般には、親族名称を転用した呼称を用いる。日本語でも、血縁関係のない人に「おじいさん」「おばさん」と呼びかけることはあるが、たとえば二〇歳の若い女性が知らない人から「おばさん」と呼ばれることはめったにないだろう。しかし、カンボジア語では、自分の親族に相手の年齢をあてはめてみた呼び方をするので、幼稚園を訪問した二〇歳の女性は「おばちゃん、おばちゃん」と、かわいい子どもたちに囲まれることになる。三歳の子にとって、二〇歳の女性は自分の父母の妹と同年齢なのである。また、日本語では、目上の親族名称のみを呼称として用いるが、カンボジア語では、目下の親族を呼ぶ表現も用いる。母親は「子どもは、こっちへおいで」と言うし、祖父は「孫はこれを食べなさい」と言う。幼い子どもから「おばちゃん」と呼ばれたら「甥、姪」と呼び返すべきである。

この「相手をどう呼ぶか」という問題は、これから築こうとする人間関係の基礎を定めたり、相手のことをどう思っているかという本心を表しかねないものなので、その選択は重要である。カンボジア語では、「兄姉」にあたる語と「弟妹」にあたる語があり、性別も区別する場合には、それぞれの語の後に「男」「女」をつける。同年代か年下に見える人から「弟妹」と呼ばれたら、若く見てもらったと喜ぶのではなく、「こっちが年上だから偉いのだ、従いなさい」という宣言なのかと心配すべきかもしれない。また、この「兄姉」「弟妹」は、異性間で不用意に使うと恋愛感情の告白になりかねない。日本語と同じく、「〜先生」など職業名を使って呼ぶこともできる。政府高官が多くの人が集まった儀式で行うスピーチでは、話し手から見てさまざまな年齢や階層の人々に呼びかけないといけないので、「みなさま」と呼びかけるだけで、一、二分ほど費やすことは珍しくない。このようなさまざまな呼び方は、社会の極端な平等化を進めたポル・ポト時代には「同志」に統一されていた。しかしその中でも、「同志」に親族名称をつけて「兄姉同志」などと呼ぶこともあった。

カンボジア式の挨拶は、お辞儀の代わりに合掌をする。お辞儀の深さと同じく、合掌した手の高さが、胸、あご、鼻、眉、額と高くなるにつれ、目上の相手に対する丁寧な挨拶となる。「おはよう」「こんにちは」などにあたる挨拶の表現はあるが、それよりも「どこに行くの」「もう帰ってきたの」「ご飯食べた」などの質問と答えを挨拶としている。ことばをかわす際には、相手の目を見つめるのではなく、しかし、そっぽを向くのでもないあたりに視線を向けること、派手な身振り手振りをつけないこと、相手の話をさえぎらないこと、帽子などのかぶりものをとること、人の前を横切るときには身体をかがめることなどが礼儀正しい動作とされている。

婚礼の儀式で合掌する新郎新婦と祭司

こんな知識があると、カンボジア語があまり話せなくても人間関係が少しなめらかになるのではないだろうか。

（上田広美）

7

小さくともダイヤモンドの輝き

★ことわざとなぞなぞ★

ことばについてわかったところで、ものの考え方について挑戦してみよう。まずは初級のなぞなぞから。「とても大きくてとても高いけれど草よりも背が低いものは？」（答えは山。高くてもその頂上に生えている草よりは低い）「足はあるけど歩けなくて、翼はあるけど飛べなくて、口があるけど何も話せないものは？」（答えは高床式の家。足は柱、翼は屋根、口は戸口）「首を切っても血が出ず、腕を切っても指がなく、体を切っても肝がないものは？」（答えはシャツ）「若者が留守番して年寄りが遊び歩くものは？」（答えは木の葉）「小さい子のくせに、大きな人を歩くこともできなくし、泣かせるものは？」（答えは唐辛子）「羽のある動物で、王様より先にご飯を食べるものは？」（答えはハエ）「森から来た動物で里の人がその背中に家を建てるものは？」（答えはゾウ）。

初級をあっさり解いたとしても、中級はカンボジアの事物を知らないと難しいだろう。「ひと叩きすると岩にぶつかり、もうひと叩きすると白土にあたり、もうひと叩きすると海にぶつかるものは？」「ツルでも見つけられない水は？」上級は、ことばを知らないと解けないもので、「見ることのできない目は？」「聞くことのできない耳は？」答えは順に、ココナツ（硬い殻の中に白い果肉があり内部には汁がある）、ココナツの汁（鶴はわずかな水でも見つけてそこにいる魚を獲る動物）、くるぶし（「牛の目」と同音）、つぼの持ち手（「つぼの耳」という）。

なぞなぞよりは、ことわざの方がわかりやすいかもしれないが、同じ考え方を表すにも用いる事物は異なる。「ネコがいないとネズミが王座に上がる（鬼の居ぬ間に洗濯）」「鉤（かぎ）が向かうからプナウの実が

高床式の家

落ちる、溝があるから水が流れる、ごみがあるからイヌが排泄する、真実だから人が言う（火のないところに煙は立たぬ）」「ざるの上に座って、自分を持ち上げる（自画自賛する）」「水に入ればワニ、陸に上がればトラ（四面楚歌）」「鶏卵をカラスに預けに行く（ネコに鰹節）」など動物を用いたものが多い。大切な物を他人に預けると戻らないという最後のことわざには、「アリと砂糖、サルとバナナ、鬼と肉、人と金」などの組み合わせもある。

民話（コラム2参照）にはそれぞれの話の末尾に教訓的なことわざがつけられたものもある。「ケンコン蛇」には、「遠く離れると心も飽きる（去る者日々に疎し）」、「勇者コン」には「苗は土をひきあげ、女は男をひきあげる（男の人生は良い妻次第）」、「目の見えない男と足の悪い男の話」には「知恵の目は肉体の目に優る」である。他にも、知恵に関することわざが多く、貧しくて作法を知らない兄

が裕福な弟のする通りに食事しようとして失敗する話から「師の真似はするな、師の教えを聞け」、身体の大きなカラスを知恵で負かした青虫の話から「小さくともダイヤモンドの輝き」、人妻を横取りしようと悪知恵をはたらかせた若者がウサギに負ける話から「自らに知恵があれば、他人の知恵も恐れよ」、愚かな妻の話から「長いウナギに長い鍋を探す必要はない」などがある。

世の中を渡っていくには、「ゾウが争うと草が折れる」ように強者にはかなわないとする一方で、「水かさが増すと魚がアリを食い、水がひくとアリが魚を食う」ように強者と弱者は入れかわることもあるとしている。また「親切すぎると貧乏になる」「曲がった道を捨てるな、まっすぐな道を行くな」と、常に善行や正直を奨励しているわけではないが、「血は叫び、皮は呼ぶ」ように悪事をした者は必ず現場に戻り、「鶴は罠を忘れるが、罠は鶴を忘れない」ようにいつかは捕まるのだといさめている。「口には蓋、瓶(ビン)には栓」「森に耳あり」と不用意な発言に気をつけるよう教え、「流れる水が疲れたためしがないように、男が誓っても信じるな」と女性に警告する。

ことわざは現代小説のテーマとしても使われている。カンボジア文学初の散文小説『ソパート』は、「木の葉は根元から遠くに落ちたためしがない」ということわざの通り、優秀な父の息子は、父と離れて育ってもやはり優れた性質を持ってい

小学校の柱に書かれた標語「学習は成功を導く」

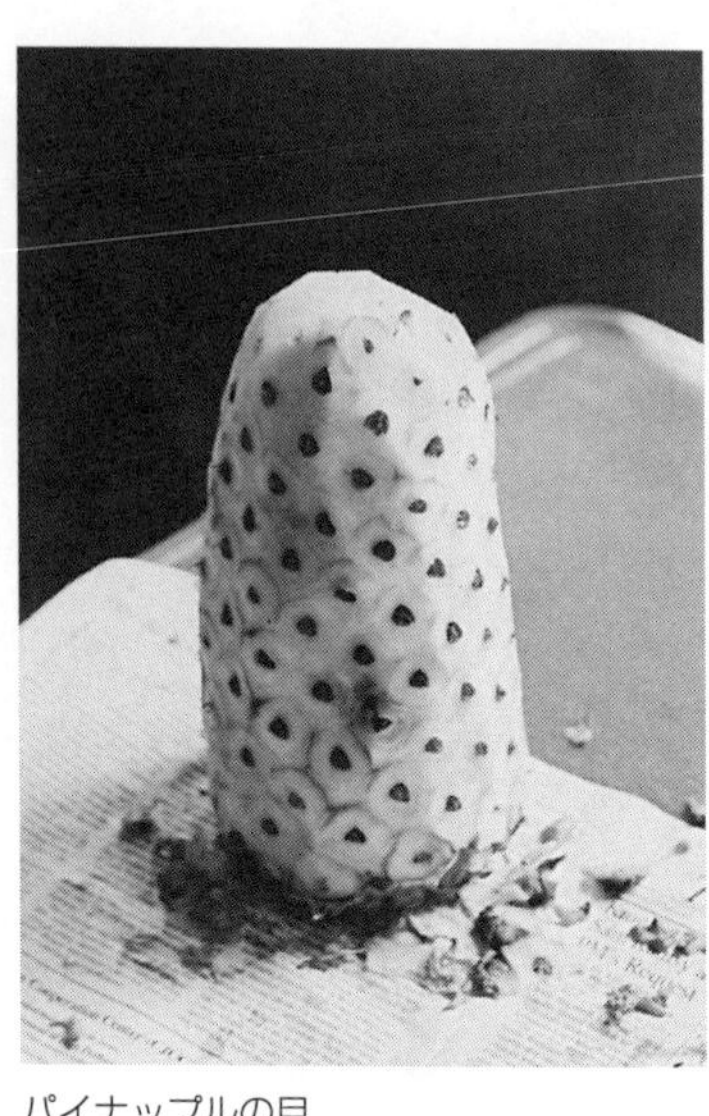
パイナップルの目

たという話だが、二〇〇四年のヌー・ハーイ文学賞受賞短編小説「木の葉」は同じことわざを逆に使い、汚職をかさねた政府高官の息子が倫理観、正義感の強い人間に育ったという、「木の葉は根元から遠くに落ちることもある」話とした。学校の教室に掲示されていることわざには、「知識は学習から、財産は勤労から」「知識は食物、知恵は武器」など学習を奨励するものや、「アンコールワットは民族の魂」など愛国心を高めるもの、そして教育機関を訪問した政府高官の演説には必ずといってよいほど登場する「たけのこは竹のあとを継ぐ」という次世代に期待するものもある。ことわざもなぞなぞも韻を踏んだものが多い。

慣用表現にもよく動物が登場する。悪役としては、「ワニの心（恩知らず）」「ワニの涙（空涙）」「トラの子を飼うようなもの（恩知らず）」「コブラ女（残酷な女）」などがある。賢いけれど信用してよいかわからない「ウサギの病気だ（仮病を使う）」もある。プリンの木の実をくわえた（舌に紫の斑点がある）イヌはヘビの毒にも負けない特別な力を持っているが、黒いイヌは薬にされてしまうことがある。三毛ネコは幸運と思われるが、足の一本だけ色が違うイヌやネコは好まれない。「主人に怒って、イヌを殴りに行く（八つ当たりする）」被害に遭うこともある。また、美人の形容の決まり文句として「ワニの卵形の顔の輪郭」もある。ワニの卵は鶏卵などより長く、面長を表すのに都合がいい。他に

「ワニの卵形の顔の輪郭」の女性が主人公の物語の表紙

「満月のように丸い」顔も美しい。「パイナップルの目」は、パイナップルにたくさんある芽の部分を何でも見ている「目」と考えたもので、もともと盗みや不貞をいさめるために使われていたが、ポル・ポト時代に「オンカー（革命組織）はパイナップルの目を持っている」として、人々の自由を奪い、恐れさせた。

身体部位を使った慣用表現としては、「心」を使ったものが多く、「心が壊れる（失恋する）」「心に入る（気にいる）」「心が尽きる（気がすむ）」「心を置く（信用する）」「心が暑い（怒る）」などがある。その他の部位では、「手を上げる（合掌する）」「足を持つ（味方する）」「足を折る（排泄する）」などがある。

（上田広美）

8

ウサギの裁判官

★人間社会を描く民話の数々★

野原にぽつりと見えるアリ塚。バナナを好物にしているウサギは、そこに上ってあたりの様子を伺いながら、動物や人間を救うために、あるいは逆に騙すために知恵を働かせる。知恵者であることから「裁判官」とも呼ばれる。トラはいつも獲物を狙い、力の強さから恐れられているが、愚かで失敗ばかりしている。ワニやヘビは恩を仇で返すし、キツネは食べることばかり、ヒキガエルは女のことばかり考えている。カラスやサルは賢そうだが、カメ、巻貝や小魚、青虫には勝てない。民話に登場する動物は、人間に飼いならされた動物よりも、森や沼に住む野生のものが多く、体の小さい生き物が体の大きな動物に、あるいは動作の遅い動物が敏捷な動物に知恵でもって勝つ。

人間を主人公とした民話はどうであろうか。賢い青年は美しい娘を妻にするために次々と親から出される難題を解決し、村の少年は両親ばかりか長者や王様までをもとんちでやりこめ、和尚は小僧に知恵では勝てず、狡猾な女性は悪知恵でもって夫や泥棒を打ち負かす。やはり社会的に目上の者に対して腕力でなく知恵で勝つのである。夫を支え、家事をこなし、家運を上げる完璧な妻と悪妻が対比的に描かれる「女性の美徳」をテーマにした話もよく見られる。

これらの話は人から人へと語り継がれてきた。二〇世紀になると、フランス人研究者エヴリーヌ・ポレ・マスペロがカンボジア人研究者とともに「クメール風俗習慣委員会」を設立し、民話の採集と編纂が始まった。仏教研究所がその活動を引継ぎ、同研究所の定期刊行物である『カンプチア・ソリヤー』に一九三二年から連載された。その後、全二四八話を収録した『クメール民話集（全九巻）』（一九五九〜七二）として刊行された。会話の多い平易な表現で書かれており、繰り返しが多いため、語り口そのままといった印象を受ける。何度も復刻版が出され、カンボジアの民話といえば誰もが参照するまでになっているが、すべての民話を網羅しているわけではない。

この『クメール民話集』は、テーマごとにまとめられている。第一、第二巻は動物や人間を登場人物としてカンボジアの社会や文化を描いた話を集めており、各話の終わりに編集委員会によって内容にふさわしいことわざがつけられている。その他、複数の登場人物が競い合い勝者を決定する話を集めた第三巻「裁きに関するもの」、川イルカ、蚊、雷などの起源の物語を集めた第四巻「ものの始まりにかかわるもの」、アンコールをはじめとする遺跡、地名、各地の山、池、沼にまつわる話を集めた第五、第六巻「歴史や地理にかかわるもの」、第七巻「動物と植物に関するもの」、全国各地にあるさまざまな土地神ネアク・ターにまつわる話を集めた第八巻「ネアク・ターの歴史に関するもの」、運気上昇、出家、結婚衣装、遺体の扱い方、ワニ型の旗、雨乞いの儀式などに関する話などを集めた第九巻「さまざまな習慣」となっている。

カンボジアの民話には、日本の民話に似た話がある。これはアラビアンナイト、ラ・フォンテーヌ

右:民話『ウサギの裁判官』(2002年、ドムライ・ソー出版)、左:とんち話『トネンチェイ』(書誌情報不明)

の『寓話集』にも大きな影響を及ぼした古代インドの説話集パンチャタントラや、ブッダの前世の物語である仏教説話ジャータカがカンボジアの民話にも影響を与え、一方、日本に対しては中国で漢文に訳されたものが仏典を通して入り、『今昔物語集』にも採り入れられたためである。

たとえば、小屋を作るために刈った草を背負ったトラにウサギが火をつける「ウサギの裁判官――韻文編」(第二巻第一一話、『今昔物語集』の「かちかち山」に類似)、「ウサギの裁判官」(第二巻第一二話)に含まれるウサギがワニを騙して背に乗り向こう岸に渡る話（「いなばの白ウサギ」に類似）、タニシの住む沼の水を飲もうとしたウサギがタニシに沼の周りを競争しようと持ちかけられ、沼の周りをびっしりと囲む大勢の仲間が一匹のタニシの振りをしたために負けたウサギの話（「ウサギとカメ」に類似）、目の見えない男が自分で勝手にでっち上げた獣の恐ろしさを村人に吹聴し、それを聞いたトラが驚いて逃げる「目の見えない男と足の悪い男の話」（第二巻第二話、「古屋の漏り」に類似）、木の上で開かれたサルの結婚披露宴に出席しようとしたカメが、ツタをくわえて引き上げてもらうが、途中で客に挨拶したために落ちる「カメとサル」（第一巻第二二話、「ガンとカメ」に類似）などがある。物語は伝わる過程で、分割されたり、また他のモチーフと結びついたりして、ストーリーも登場人物もインドのものとは変わっている。『パンチャタントラ』の多くが動物説話であり、またジャータカでは、ブッダが前世の姿として動物として登場することも多いため、カンボジアと日本の民話で類似したものには動物の話が多くなっているのだと考えられる。

（岡田知子）

コラム2

おすすめ民話

岡田知子

仏教研究所の『クメール民話集』からいくつかあらすじを紹介する。

「ケンコン蛇」（第一巻第三話）

昔、この大地には蛇といえば、ケンコン蛇しかいなかった。夫が数珠玉（じゅずだま）の行商に長く行っている間に、一人娘とともに森に薪拾いに行った妻は、斧をケンコン蛇の穴に落としてしまうが、ケンコン蛇を情夫とする約束と引換えに、返してもらう。行商から帰ってきた夫は娘の知らせによって妻がケンコン蛇と密通しており、子どもを宿していることを知る。夫はケンコン蛇を殺し、その肉で作った料理を妻に食べさせる。臨月になった妻に夫は髪を洗ってやると言って沼に誘い殺す。腹からは蛇の子どもがたくさん這い出してきて、それがさまざまな種類の蛇となった。

一九六〇年代に映画化され、最近ではリメイク版とその続編である『ケンコン蛇の子』、さらに『ケンコン蛇の孫』が作られ、大変な人気を呼んだ。

「勇者コン」（第一巻第四話）

臆病者のコンは二人の妻とともに森に行った。そこでトラに出くわし、二人の妻がトラを叩き殺すが、コンは自分の手柄だと言って村人に自慢する。その噂は王にまで届き、敵との戦いにコンは行くことになる。象に乗ったコンは、あまりの怖さに粗相をしてしまうが、象は前進の合図だと思い敵軍に突進し、そのおかげでコンの率いる軍は勝利する。さらにコンは沼に住む人食いワニの退治に行くことになる。コンは死を覚悟して沼に飛び込むが、飛び込んだ勢いにワニが驚いて沼から飛び出て木にひっかかる。見物に来ていた村人は、コンがワニを投げつけたと思い、勇者コンとして称えるようになる。

「籠編み男」（第二巻第一七話）

昔、籠編みが上手な男がいた。ヤシの木のてっぺんに登って、この籠を編んで儲けたら妻を娶って、子どもができたら召使いを雇って、と想像しながら籠を編んでいるうちに、過って木から落ち、枝に引っかかってしまう。そこへ象に乗った男が通りかかり、助けようとするが、象が歩き去ったので籠編み男にぶらさがったままになる。そこへはげ頭の四人の男が通りかかり、四人の男は布を広げて二人を助けようとするが、籠編み男と象使いの男の二人が飛び降りた瞬間に、四人の男は頭を互いにぶつけて死んでしまう。そこへ一人の老婆が通りかかったので、籠編み男と象使いの男は一生仕えるという約束と引換えに助けを求める。老婆は夫がちょうど畑に出ていて留守にしていたので、四人の男の遺体を布で巻き、一人の遺体を家の前に置いて夫が死んだと嘘をつく。村人は遺体を荼毘に付すが、何度やっても、遺体は家に戻ってきてしまう。一方、老婆の夫は畑から帰ってくると、ちょうど遺体を焼いていた村人たちに出くわす。村人は何度焼いても家に戻ってしまう夫の遺体に腹を立てていたので、夫を見ると生きたまま焼いてしまった。

この話から「籠を編む」といえば、日本でいうところの「獲らぬタヌキの皮算用」を意味する。

「目の見えない男と足の悪い男の話」（第二巻第二話）

あるところに目が見えない男と足の悪い男

がおり、アクバ、アクバンと呼ばれていた。二人はそれぞれ意地悪な主人に使われていたが、一緒に逃げ、人食いトラで有名な村にたどりつく。アクバは「トラ（カンボジア語でクラー）なんてクレーに比べれば怖くない」と村人に吹聴する。二人は夜、牛小屋から牛を盗み出そうとするが、そこには人食いトラが隠れていた。アクバはトラを触って角のない子牛だと思い込み、トラに鼻輪をつけようとするが、トラはあまりの痛さに逃げ出す。また旅の途中で、人食い鬼に差し出される姫が大きな太鼓に閉じ込められているのを見つける。アクバは、鬼の体と自分の体の大きさ比べをする。アクバがざる、カメ、縄を見せて、自分の肝、シラミ、足の毛だと言ったので、鬼は逃げ出す。姫からもらった褒美の分け方でアクバとアクバンは喧嘩になり、アクバは目を殴られアクバンが手足を殴られた拍子に、目は見えるようになり、歩けるようになった。王様はアクバを姫と結婚させ、王位に就け、またアクバンを副王とした。

「プノンペンの物語」（第五巻第二話）

一四世紀頃、ペンというお金持ちのおばあさんがいた。あるとき、大雨になり、大木が流れついたので、それを引き上げさせると、中に四体の仏像と神像が一体入っていた。ペンばあさんは、土を高く盛って丘を作りそこに寺院を建て、仏像をおさめた。これがプノンペン（ペン夫人の丘）である。

現在、首都プノンペンの中心地の小高い丘の上にワット・プノム寺院がある。寺院裏の祠（ほこら）にはペンばあさんの像が奉（まつ）られており、線香や蓮の花が常に供えられていて人々に親しまれている。

9

天界の喜びから農民の苦しみまで

★古典文学と伝統詩★

カンボジアを代表する古典文学作品といえば、インドの「ラーマーヤナ」のカンボジア版「リアムケー」、釈迦の前世の物語「ジャータカ」の最終話第五四七話「布施太子（モハーウェーサンドー）物語」、カンボジア、タイ、ラオス、ミャンマーにのみ残る「五〇のジャータカ」からの長編物語の数々であろう。「リアムケー」は、「リアム（ラーマ）王子の栄光」という意味で、アンコール遺跡の彫刻や、宮廷舞踊、影絵芝居、仮面劇などの古典芸能の題材、また王宮横の銀寺内の壁画にその物語を見ることができる。現存する最古のテキストは一七世紀ごろに書かれたものとされている。仏教研究所から出版されているテキストの他に、一九六〇年代にはシリーズものの劇画本、一九七〇年代にシアムリアプの古老の語りを綴ったものなどがあり、少しずつストーリーが異なっている。「布施太子物語」は、一般寺院の本堂内に信徒の浄財によって飾られた一三枚からなる絵画であらすじを追うことができる。

古典文学はどれも仏教的思想を反映しており、この世の運命はすべて前世の業（ごう）によるもので、善行を行う者にはよい報いが、悪行を行う者には悪い報いがあるという因果応報をテーマにしている。奇想天外な展開を繰り返し、「出会い」と「別れ」が重要なプロットとなっている。登場人物は、地上のみならず天界や地獄など時空を自由に超え、人間が空中を飛び、呪文によって魔法の武器が生み出される。数十の腕を持った鬼は、分身の術を使ったり、あるいは死んだ兵隊を生き返らせたりすることができる。腕力も権力もない弱い人間である主人公はさまざまな困難に遭遇するが、常に神や仙人といった第三者の助力によって救われ、最終的には王位に就く、あるいは王族と結婚するという幸福な結末で終わる。すべて韻文からなっており、サンスクリットやパーリ語語彙が豊富である。アンコール王朝時代から伝わるとされる詩形には五つあり、喜びを表現するプッチョンリリア、怒りを表現するポムノール、争いを表現するボントール・カーク、別れや哀しみを表現するプロムクット、語りや導入部分に使われるカーカテとなっている。

これら古典文学は、長い間語りとして楽しまれてきたため、物語は古いものであっても文字化されたのは一八、一九世紀になってからである。作者は不明の場合が多く、わかってもその経歴や書かれた日付は明らかではない。椰子の葉を加工し長方形にした貝多羅葉（ばいたらよう）に鉄の筆で文字を刻み、墨を染み

「布施太子物語」の一場面。バラモン僧に姿を変えたインドラ神がウェーサンドー（布施太子）に布施として妻を乞うところ（プノンペンのソンポウ・ミア寺院で）

貝多羅葉に鉄筆で物語を刻む

込ませ、これを何枚も重ねて綴じたものが書物であった。約一〇〇年は保存することができる。その形態から大量生産は困難であったため、書かれた文字は神聖化されていた。貝多羅葉から得た「知識」は、世俗と切り離された上座仏教界の僧侶の間で継承されており、当初、一般の人々への普及はままならなかった。王宮内や全国各地の寺院に残っていたものが、現在でも仏教研究所やフランスの研究機関に保管されている。

古典文学には、この他に「チバップ」と言われるジャンルがあり、内容は仏教的な教えを説いた道徳集である。女性を語る上でよく引用されるのが「チバップ・スライ」である。女子教訓書にあたるもので、一八三七年にアン・ドゥオン王によって記されたものと、同じく一九世紀初期にムン・マイによって書かれたものがある。前者では、良き女性が生まれつき備えている八つの良き条件、即ち、謙虚で、財産を守ることができ、勤勉で、親類付き合いや料理が上手く、夫に忠実、従順であることが挙げられている。また悪女については一〇〇種類もの例をあげている。また後者では、ナーガ（蛇神）の国から人間界に嫁ぐ娘に対して母親が、良妻としての教えを言い聞かせるという形をとっている。

一九世紀にはさらに詩形が増え、一句が七音節からなる七言歌、同じく八言歌、九言歌、一〇言歌、一一言歌ができた。その他、頭子音を揃えた詩形、日本のいろは歌に似て文字を一通り使う詩形や、押韻の仕方から「蛙が池の真ん中を飛び越している型」、「鹿が森を歩いている型」、「蓮の花が開いている型」、「冬瓜のつるが藤棚にのびている型」などユニークなネーミングの定型詩もでき、その種類は五〇種にも及ぶ。いずれも厳格なリズムと非常に複雑な押韻によって構成されている。また吟唱法も詩形によって複数決まっており、多いものでは一〇種類にのぼる。同じ詩を異なった吟唱法によって楽しむことができる。

二〇世紀に入るまで、文学作品は韻文形式で書かれ、作家といえば詩人のことであった。小説家は作品の中に登場人物の心情を謳った詩を挿入し、また新聞や雑誌には記事の隙間を埋めるように投稿詩が掲載されるようになっていった。定型詩によって、自分の気持ちを伝える、意見を述べるという行為は、若者にとっても日常的なことである。例えば、誕生日、送別の際の贈り物に添えられたり、旅行の思い出が語られたり、あるいは現代のごみ問題について解決方法を問うたりするなど、内容はさまざまである。二〇〇〇年代半ばごろから携帯電話が普及しインターネットへのアクセスが容易になるに従って、個人が自由に作品を公開する機会が格段に増えた。フェイスブックでも多くの愛好者によって長編の定型詩が日々、投稿され、シェアされている。

（岡田知子）

国民的詩人クロム・ゴイ

コラム３

調　邦行

近代カンボジアを代表する詩人といえば、まずクロム・ゴイ（一八六五〜一九三六）の名をあげる人が多い。即興で詩を作り、民族弦楽器サーディアウを自ら奏で、美しい声でそれを詠ったことで知られている。生まれ故郷やプノンペンには立派な銅像が建てられ、国語教科書には必ずゴイの詩が紹介されている。

ゴイはカンボジアがフランスと保護国条約を結んだ二年後にカンダール州プノンペン郡コンボール村で生まれた。本名はウク・ウーという。クロムという名は村役場で村長を補佐する者の役職名で、ゴイは通称である。父はコンボール村長で、母は近隣村長の娘であった。当時の一般的なカンボジアの男子がそうであったように、ゴイは学問のため子どものころ出家して寺に入った。親孝行のため、その数年後に還俗（げんぞく）して父の元で徴税役人の仕事に就いた。しかし、貧しい農民に同情して徴税の手を緩めたために、フランス人弁務官に叱られ殴ら

クロム・ゴイの像。手にしているのは伝統弦楽器サーディアウ（プノンペン）

れたという。その後、仏教の教えをさらに深く学ぶため、二一歳で再び寺に入って比丘（びく）となり修行を続けた。ゴイは仏教が苦しむ人々に生きる智慧を与え、自立を促す心の支えであるべきだと考えていたが、破戒僧の姿や仏教界の混乱を目にして自分が思い描く理想との乖離（かいり）に失望したのであろう。五年後に再び還俗して父の元に戻り法務担当の役人として働いた。当時カンボジアでは重税に苦しむ農民たちの暴動がしばしば勃発していた。農民暴動を目の当たりにしたゴイは、役人の仕事に見切りをつけ、その後は一人の農民として暮らした。

出家経験があり知識も豊富であったゴイは人々に敬愛され、農作業が一区切りする時期や祭りには村々に招かれて詩を披露した。大柄で腹がつき出、短髪で口ひげを蓄えたゴイは、チョーン・クバン（腰巻型のカンボジア式ズボン）に白い詰襟の上着を着てサンダルを履き、組み立て式の民族弦楽器を携えてどこへでも気軽に出かける人気者であった。報酬は受け取ろうとしなかったが、農民たちは米や果物をお礼として持ち寄ったという。人々は彼を「心に美しく響く・ゴイ」という意味の愛称でピロム・ゴイと呼び、彼自身もこの名前を好んだ。ゴイの朗詠の評判は首都プノンペンの王宮にまで響いた。ゴイの吟唱を聞いて大いに満足した国王は、賞金と「高貴な美しい響きの詞」を意味するプレア・ピロム・ピアサーという称号を与え、王宮楽団の一員にも加えた。

フランス人東洋学者ジョルジュ・セデスは、王立図書館長でもあり仏教研究所事務局長でもあったシュザンヌ・カルプレスにゴイを紹介した。彼女はゴイの詩の文化的な価値と人々への啓蒙の効果を認め、彼の即興詩を仏教研究所の学者に書き取らせ、四篇の詩集として編集出版した。その後、王立図書館が発行した雑誌『カ

国民的詩人クロム・ゴイ

ンプチア・ソリヤー』の誌上でも発表され、現在七篇の作品が残されている。ゴイの作品は五〇種類以上あるといわれるカンボジアの伝統的詩形の中でも、四言歌、プロムクット（五言と六言の連歌）、七言歌など代表的な韻律詩形で詠まれ、すべてが長篇である。

ゴイが生きた時代、多くの人は社会の底辺で苦しんでいた。一方で、人々の生活と密接に結びついていた仏教は、僧の持戒に対する姿勢も乱れ、旧仏法派と新仏法派に分裂して仏教徒同士が対立していた。旧仏法派は、伝統的な実践を重視し、聖典のことばであったパーリ語による仏典のみを尊重し、戒律には比較的甘かった。新仏法派は、パーリ語三蔵経典だけではなくカンボジア語に翻訳された経典をも重んじ、戒律に忠実に従った。

詩の内容はゴイ自身の経験から得られた仏教思想を色濃く反映している。彼は詩に託して、カンボジア人の貧困の原因である怠惰や無知のいましめ、役人の搾取や天災による農民の苦しみ、親孝行と夫婦相和した生活や仏教に帰依した誠実な生き方の訓えなどを詠った。一方で、僧に対する破戒の戒め、仏教界分裂への警告など、人々を正しく導くべき仏教のあり方を訴えた。

ゴイが安定した役人の職をあえて投げ捨てて農民の生活に身を投じた真の理由は明らかではない。しかし、農民たちの窮状から目を逸し地位に甘んじることは自らを欺くことになる。そのように考えた彼が、農民を啓蒙し仏教界や社会の覚醒を促すため声をあげたとしても不思議ではない。農民の幸せな暮らしを願い、自らが深く信仰する仏教が人々の心の拠り所となるように唱え続けたゴイは、惜しまれながら七一歳で生涯を閉じた。

おすすめ古典文学

コラム4

福富友子

カンボジア国内で広く知られている、古典文学のあらすじをいくつか紹介する。

「リアムケー」

その昔、アユティヤー国の王には三人の王妃がおり、それぞれの王妃との間には息子がいた。第一王妃の息子であるリアム王子は長男であり王位を継ぐはずだったが、王は第二王妃に恩があり、その息子に王位を譲ると約束を交わしていた。リアム王子は、弟が王位継承することに異を唱えず、妻のセダー妃と末の弟であるレアク王子を従えて一四年間、国を出て行くことにする。三人が森で隠遁生活をしているとき、ランカー島を統べる魔王がセダー妃の姿を見かけ、その美しさに惚れて連れ去ってしまう。リアム王子とレアク王子はセダー妃を追い、白猿のハヌマーンら猿の軍勢を味方につけ、海に橋をかけてランカー島へ攻め込む。魔物たちとの戦いの末に魔王を倒してセダー妃を取り戻したリアム王子はアユティヤー国へ凱旋し、兄の帰郷を待っていた弟に代わり王位に就いた。魔王の監視下に置かれていた間のセダー妃の貞操は火くぐりの儀式によって証明され、王子たちには平和な暮らしが訪れた。

この物語には、のちの時代に創作されたと思われる長い後日談が続く。王となったリアムは、セダー妃が実は魔王と関係をもったのではと疑い出し、死刑を宣告する。セダー妃はレアク王子の計らいで森へ逃げて仙人のもとで暮らし、やがてリアムの子どもを産む。数年ののちリアムは子どもと劇的な対面を果たし、セダー妃ともども国へ迎えようとするが、何度もあらぬ疑いをかけられたセダー妃は拒否する。ついにはリアムの手を逃れるため、大地の女神に庇護を求めて地中へと逃げ込む。妻を取り戻そうするリアムの願いは地上界においては叶わず、見かねた神々がふたりを天界に呼んでふたりを和解させるのである。

「布施太子物語（モハーウェーサンドー）」

シヴィ国の妃は「願い事を皆叶え、惜しむことなく皆与え、敵王から敬われ、天下にその誉れが鳴り響くような王子が欲しい」と願う。そのおかげで授かったウェーサンドー王子は、布施に喜びを見出す人物に育った。あるとき、飢饉に見舞われた隣国からバラモン僧が遣わされてくると、所望されるまま国の宝である白象までも与えてしまう。人々は怒って王に訴え、ウェーサンドー王子は国を追放される。王子は妻子を連れて森へ入り、行者として生活し始めた。すると今度は年老いたバラモン僧が、布施として子どもをくれと言ってきた。王子は、子どもを説き伏せバラモン僧についてゆかせる。インドラ神は、王子が不幸にならぬよう人間の姿に変わって現れ、布施として妻をくれと言う。快く差し出された妻を受け取った後、インドラはもとの姿に戻って王子に祝福を与え、妻を返してやる。一方のバラモン僧は子どもを連れて家へ帰ろうとしたが、神の意向に操られ王子の生国に行き着いていた。王は孫との再会に喜び、たくさんの褒美をバラモン僧に与えて子どもたちを引取る。そして、ウェーサンドー王子とその妻を森へ迎えに行き、国外追放にした自分の過ちを認めて王位を譲る。ウェーサンドーらは平穏に暮らし、その生涯を終えて天界へ旅立っていく。

「チンナボン」

チンナボン王子には、父王が三人の側室の間にもうけた三人の兄弟がいた。側室たちは王の寵愛を受けるチンナボンを妬んで殺害を試みたが、かえって自分の息子たちを死なせてしまう。チンナボンは兄弟殺しの濡れ衣で鉄の檻に入れられ海へ沈められたが、蛇の王に助けられ、魔物に襲われるなどしながらも王宮へ戻り着く。あるときインドラ神の思し召しで魔王の娘ボトムソリヤーを知って夜更けに館を訪ねたところ、寝室を間違えて彼女の妹と愛し合ってしまう。紆余曲折ののち姉妹二人ともを妻にしたチンナボンは、ボトムソリヤーだけを連れ、機械仕掛けの白鳥に乗って国へ帰ろうと旅立つ。強風にあおられ白鳥は海へ墜落、離ればなれになったふたりだったが、それぞれ森の生き物や魔物に助けられ再会に至る。チンナボンはその後、ボトムソリヤーの妹や森で知り合った魔物の娘を迎え入れ、それぞれとの間に子をもうけた。また冒険中に出会った半人半鳥の妖精や蛇王の娘との間にも子をなし、娘や息子たちが成長すると互いに結婚させた。こうして一族は繁栄し、みな幸せに暮らした。

「サンサリチェイ」

その昔、七人の王妃とたくさんの側室を持つ王がいた。王妃たちは姉妹同士であった。上の六人の王妃は一人ずつ息子をもうけたが、末の王妃は獅子を生み、第一側室が、聖剣と弓矢を持った男の子と巻貝を生んだ。男の子は「勝利の力をもつ巻貝」という意味でサンサリチェイと名づけられた。姉王妃たちは賢いサンサリチェイや獅子たちの能力を妬み、王に入れ知恵をして末の王妃と側室、その子らを国から追放させた。各王妃の息子たちが成長すると王は、魔物にさらわれた叔母を救い出せた王子に王位を譲ると宣言した。魔物と戦う勇気を持たぬ兄王子たちはサンサリチェイを探し出し、叔母を助けに行くよう仕向ける。サンサリチェイは獅子と巻貝を連れて叔母探しに出発する。果たして、魔物と対決して叔母を取り戻すと、蛇王に嫁いでいた叔母の娘も連れ出した。王位を狙う兄王子たちはあれこれとサンサリチェイ殺害を企てたが、サンサリチェイは獅子や巻貝の助けと徳の力で危機を脱する。そして、無事に都へ帰って王位を継ぎ、叔母の娘と結婚し幸せに暮らした。

「カーカイ」

一九世紀初頭に、アン・ドゥオン王がタイ語から翻訳した物語である。カーカイはその類いまれな美貌のために、妃として王宮に召された。王宮へは週に一度、見目麗しい青年が将棋をさしに来ていたが、この青年は鳥王クルット

小型影絵芝居で演じられる「サンサリチェイ」の登場人物たち。左からサンサリチェイ王子、獅子、巻貝

の変身した姿であった。侍女たちの噂で青年に興味を抱いたカーカイは将棋の場を覗きに行き、青年とカーカイは互いに一目惚れする。その夜、青年はカーカイをさらって自分の国へ連れて帰り、二人は我を忘れて愛し合う。王は、突然姿を消したカーカイを想って夜も眠れず悩み、王宮の歌い手に相談する。歌い手は青年を疑い、再び将棋をさしに来た青年がクルットの姿に戻って帰る際にダニに変身して羽にとりつく。そうしてクルットの館に入り込むと、歌い手は隙を狙ってカーカイを誘惑した。次の将棋の日、歌い手は王宮へ戻ると、青年と王の前でカーカイの情事をほのめかす詩を歌う。恥をかいたクルットは飛んで帰り、彼女を王のもとへ送り返す。カーカイは王に、自分は拉致されたのだと言い訳するが、王は彼女を筏に乗せて海に流してしまう。王宮での暮らしを名残惜しみ、夫だった王や歌い手の仕打ちを恨みながら、カーカイは一週間海を漂った末に海の藻屑となって死ぬ。

「モラナミアダー」

一九世紀後半に、僧によって書かれた物語である。モラナミアダーは、駆け落ちした夫婦の娘だった。懸命に働いて長者にまでなった両親だったが、父は金に余裕ができると二人の娘を持つ女を妾にもち、次第に金も尽きて細々と漁をする生活になる。父は妾にそそのかされて母を邪険に扱うようになり、ついには殺してしまう。だが母は生まれ変わって魚になった。母が魚になったことに気づいたモラナミアダーは、懸命に魚の面倒を見る。妾はそれを知って魚を調理してしまうが、アヒルがモラナミアダーのために魚のウロコをとっておいた。ウロコを土に埋めると立派なナスの木になった。その木も切り刻まれるが、今度は猫が根をとっておいた。

根を植えると美しいデイゴの木になり、モラナミアダーは安堵する。しばらくののち彼女は王に見初められ、王妃となった。しかし、父の妾はモラナミアダーをも妬み、罠をしかけて殺してしまう。天女の助けでムクドリとして生まれ変わったモラナミアダーは、その後、苦難に逢いながらも白ネズミの王やインドラ神に助けられ、ついに美しい娘の姿に戻る。森で行者の世話になりながら、行者が蓮の花の中から拾い上げた男の子を自分の子として育てる。男の子は成長すると王を訪ねて行き、母であるモラナミアダーの生い立ちを話す。王はモラナミアダーを迎えに行って息子ともども王宮に連れ帰り、そしてみな幸福に暮らした。

「トム・ティアウ」

一六世紀の実話をもとにした物語である。少年僧のトムは、寺の収入とするため木製の盆を売りに村を回っていた。美しい声で吟唱できることが評判となり、招かれた家の娘ティアウと恋に落ちる。僧正に反対されながらも、トムはティアウと一緒になることを決心して還俗する。しかし、美しいティアウは王の侍女として王宮に召し取られてしまう。のちにトムも吟唱者として王宮に入り、二人は王に仲を認められようやく結婚を許される。ところが、娘を貧しいトムの妻にすることを望まないティアウの母親が、州知事の息子との結婚を勝手に取り決め、ティアウを王宮から連れ戻した。トムは王の後押しを受けて婚礼の場へ行き、そこでティアウとの愛情を確認しあうが、州知事の雇った兵士に殺されてしまう。トムの亡骸を見つけたティアウは後を追って自殺する。州知事とその一族は、王の命によって死刑になる。

10

小説の誕生、復興そして発展

★近現代文学の諸相★

カンボジアに「現世の人の心を慰めるもの」、つまり「小説」といわれる散文形式の文学作品が登場したのは、二〇世紀初頭である。当時、カンボジアでも初めて中等教育機関が設けられ、そこでベトナム人や華人とともにフランス文学や哲学を学んだ学生たちは、新しいスタイルの文学作品を自分たちの民族のことばで生み出そうとした。またこの頃、印刷技術が導入されたことも読者層を広げる一因となった。カンボジア語の活字が初めて作られたのは一八七七年のパリで、その後、仏領インドシナに持ちこまれ、印刷はサイゴン（現ホーチミン）でされていた。その使用はヨーロッパ人による植民地行政、研究、キリスト教布教の目的に限られていた。だが、二〇世紀初頭になると、国内に印刷所が次々と設立されたのである。

古典文学が韻文で書かれ、華麗な宮廷や神々の住む天上の世界を舞台とした奇想天外な冒険物語が中心であったのに対し、新しい文学形式の「小説」は、現実世界に住む一般庶民の日常を描いた。『ソパート』（ルム・クン作、一九三八）は、未婚の母を亡くした少年ソパートが、母の形見の指輪をもとに実父を探すためにプノンペンへ上京し、さまざまな困難を乗り越えて実父と再会、その養女との恋を実らせる話である。貧しくも礼儀正しく、また教養のある等身大の主人公が人生の苦難を解決していく姿が読者の共感を得た。

一九五三年の独立後、教育制度や出版技術が整うにつれて、ジャーナリズムをはじめ、創作活動はますます活発となり、読者も増えていった。作家の創作活動の保護、奨励を目的として、作家たちによってクメール作家協会が設立され、数々の文学賞も催されるようになる。読者の需要に応えて書店や貸し本業者が街のあちこちに開店した。ジャンルも広がり、身分を越えた若い美男美女の恋愛を描いたもののみならず、資本家の搾取と闘った後、独立と繁栄を勝ち取るプロレタリア文学の先駆けともいえるものや、身よりのない少女が逆境に耐え忍んで都会で自活していく姿を描いた物語、ポスト・アンコール時代を舞台とした歴史冒険物語などが、人々の注目を浴びた。またフランス文学の影響を受けた作家も少なくなく、現代に生きるわれわれにとっても、味わい深い作品を残している。その他、『三国志演義』などの中国小説や、『真夏の夜の夢』（シェークスピア）、『動物農場』（オーウェル）、『ポールとヴィルジニー』（サンピエール）、『ボヴァリー夫人』（フローベール）、『異邦人』（カミュ）などフランス文学を中心として欧米文学も翻訳された。

ポル・ポト政権が崩壊した後の一九八〇年代は、ベトナム指導型社会主義国家となった。多くの知識人が命を落としたり、国外に脱出した中、カンボジア国内にとどまり活動を再開した作家もいた。文学作品は内戦以前にも劣らぬ勢いで数多く出版されたが、すべて当局の厳しい検閲を通過しなければならず、政治宣伝の手段として利用された。作家たちは、イデオロギー的テーマをもつ社会主義リアリズムという手法に基づく作品を量産することによって、体制に協力、奉仕する技術者、生産者と

バンコクで行われた2013年の東南アジア文学賞授賞式。カンボジアの受賞者は写真中央に立つ男性、ソック・チャンポル（提供：Sok Chanphal）

なった。国家と党に忠実な完全無欠の主人公は、男性なら人民革命軍兵士、女性なら看護師や教師という設定で、革命の敵であるポル・ポト派残党兵、米帝やタイに与する者たちを倒し、革命の素晴らしさを謳歌するという内容に終始した。そうした状況の中、当局の政治的意向とは無関係な娯楽小説が闇で取引された。ペンネームを使った作家が持ち込んだ原稿を貸し本業者が買い取り、それを手書きで写本して複製を何部も作って賃貸しした。当局の取締りをかいくぐって、これら手書き小説は口コミで伝わり、娯楽に飢えていた人々の間に出回った。地方の州都や遠くタイ・カンボジア国境の難民キャンプにまで持ち込まれることもあった。

　一九九三年にカンボジア王国となり政治情勢も安定してくると、文学の周辺も動き出すようになった。新聞や雑誌が創刊され、作品の発表場所ができ、クメール作家協会も復活した。さまざまな省庁や民間団体が主催する文学コンテストが開かれるようになり、文学活動が推進された。一九九九年からは、東南アジアで活躍する作家や詩人に毎年授与される東南アジア文学賞にも参加するようになった。

二一世紀に入ると、個人のインターネットへのアクセスが容易になった。作品は紙媒体のみならず、オンライン小説も登場した。内容は、殺人やスパイなどの推理小説、フランス統治時代を舞台にしたゴシック小説、近未来を舞台にしたSF、高校や大学を舞台とした学園小説、ボーイズラブなど、これまであまり見られなかった趣向で娯楽目的にしたものが増えている。

いずれの作品にも共通しているのは、一人称での語り、会話文が多い、説明描写が少ない、オノマトペや絵文字の多用、ページ内の文字のレイアウトや改ページ場所の工夫、など、日本のライトノベル的な構造である。表紙はアニメのキャラクター的なものはなく、有名俳優による実写化を思わせるデザインとなっている。読者はこれらの俳優を登場人物として想像しながら読むことになる。

カンボジア最大のメディア媒体であるＳａｂａｙでは、二〇一二年からウェブサイト上で、次々と新旧の作品を公開し、ダウンロード数などをもとに高評価を得たものについては、書籍化、ドラマ化し、メディアミックスを展開している。

かつては小説は作家が次の世代の若者である読者を啓蒙する、という立場で書かれてきたが、最近の若い作家による作品は、同世代感、同時代感が重視されるようになってきている。

（岡田知子）

コラム5

岡田知子

おすすめ現代文学

＊印はカンボジアの中等教育国語カリキュラムに入っている作品

＊『パイリンのばら』（ニョック・タエム、一九四三）

貧しくも聡明な青年チャットは、父の死後、宝石の採掘で有名なカンボジア北西部パイリンの宝石商のもとで奉公するようになる。その家の高慢な娘ニアリーとは対立するものの、いつしか惹かれ合うようになり、強盗事件を経て結婚に至る。

＊『萎れた花』（ヌー・ハーイ、一九四七）

プノンペンで勉学に励むブン・トゥアンはヴィティアヴィーと許婚（いいなずけ）の仲であったが、ブン・トゥアンの父親が事業に失敗すると、ヴィティアヴィーの母親は娘を強引に裕福な家の息子と結婚させようとする。ヴィティアヴィーはついに病死し、ブン・トゥアンとの純愛を貫く。カンボジアの誰もが薦める作品。

（邦訳『萎れた花・心の花輪』二〇一五、財団法人大同生命国際文化基金）

＊『泥棒社長』（ポウ・ユーレン／オム・チュン、一九五六）

運転手のホムは、社長の依頼で高額な謝礼金と引き換えに意図的に交通事故を起こし死傷者を出す。学のある社員の青年パニットは正論を述べていさめるが、貧困にあえぐホムは、実社会では理想通りに運ばないと語る。社長から賄賂を渡された警察はホムを犯人として捕らえる。戯曲作品であり、二一世紀になってからも複数回、劇場で公演されている。

＊『新しい太陽が古い大地に昇る』（スオン・ソルン、一九六一）

上京した貧しい青年ソムは学歴もなく、不当な差別を受けながら肉体労働者、工場労働者として生活する。ある時交通事故に遭い、国家元首シハヌークが率いる新政府の官僚に助けられたことで、故郷で現代的な農民として生きる道を見出していく。

＊『おぼしめしのままに』（ソット・ポーリン、一九六九）

女性に気後れする都会の男性たちを描いた短編集。人と上手くコミュニケーションがとれずに悩む生真面目な青年の心理を一九六〇年代の若者風俗を織り交ぜながら描いた「ひとづきあい」、妻に主導権を握られて右往左往する男の物語「おぼしめしのままに」など、現代の日本人読者も共感が持てる。

（邦訳『現代カンボジア短編集』二〇〇一、財団法人大同生命国際文化基金）

＊『獣の村』（ドアック・オム／ダク・キアム、一九七二）

フランス保護国時代の一九二五年、青年チュオンとナウは、コンポン・チナン州クラン・リアウ村の村人たちとともに徴税人であるフランス人弁務官バルデスを殺害した。それ以来、同村は、フランス側から「獣の村」と称さ

れるようになる。実話に基づいた小説。

＊『心の花輪』（ヌー・ハーイ、一九七二）

第二次世界大戦中のタイとの領土紛争を題材にしている。ティキアブットはプノンペンに向う列車の中で、タイ人女子学生チャンタマニーと知り合い、親しくなる。その後、タイ・仏戦争が勃発、前線にいたティキアブットは負傷兵として、タイで赤十字看護師となっていたチャンタマニーと再会するが、彼女と祖国への愛のはざまで揺れ動く。大戦後、互いの誤解は解け、二人は永遠の愛を確かめる。

（邦訳『萎れた花・心の花輪』二〇一五、財団法人大同生命国際文化基金）

『終の住処』（クン・スルン、一九七二）

数学教師、また「行動する知識人」として短い一生を送った著者の自伝的内容を含んだ短編集。サルトルの作品に影響を受けた「いなびかり」、若い男性使用人の目を通して描かれる崩壊しつつある都会の家族「ソックの家」、著者自身の幼年時代、学校生活を描いた「学校」などが収録されている。著者は理想郷を夢見て解放区でクメール・ルージュの一員として活動したが、ポル・ポト政権崩壊直前に家族とともに粛清された。その生涯を追ったドキュメンタリー『クン・スルンの墓標』もインターネットで公開されている。

（邦訳『現代カンボジア短編集』二〇〇一、財団法人大同生命国際文化基金）

『闇は去った』（パル・ヴァンナリーレアク、一九八九）

資産家の一人娘ミアルダイが過酷なポル・ポト時代を生き延び、自らを省みて自立していく姿を描いた作品。著者の経験を下敷きにして書かれており、ポル・ポト政権下での生活はもちろんのこと、一九七〇年代前半の親米政権時代、また冷戦下にあった一九八〇年代のカンボジア国内の様子が具体的にわかる。

（邦訳『カンボジア花のゆくえ』二〇一五、段々社）

『地獄の一三六六日』（オム・ソンバット、一九九九）

ポル・ポト政権下での体験を約七〇〇ページにわたって克明に綴った記録。政治情勢に鑑みて、執筆終了後二〇年たって出版された。同政権下の過酷な経験について語られた本は少なくないが、国内在住の一般市民がカンボジア語で書いたものは本書が初めてであろう。

（邦訳『地獄の一三六六日――ポル・ポト政権下での真実』二〇〇七、財団法人大同生命国際文化基金）

『寺の子ども』『フランス学校の子ども』『かわいい水牛の子』（チュット・カイ、一九九〇、一九九五、一九九〇）

フランスに移住した著者が、故郷カンボジアへの追憶を綴った三連作。メコン川沿いの村の僧院での幼少期、近代的な教育制度のもとで学ぶ子どもたちと個性豊かな教師たちの日常、ポル・ポト時代崩壊前後の著者と家族の経験が、それぞれユーモアを交えて語られている。いずれもＳＩＰＡＲ社から魅力的な挿絵入りで出版されている。

（邦訳『追憶のカンボジア』二〇一四、東京外国語大学出版会）

暮らしを知る

女：どうしていつもここにカオ・クチョル（硬貨など硬いもので身体をこすり血行をよくする民間療法）をしに来るの？奥さんがいないの？
男：いるんだけど、だんなを大事にしすぎて強くこすってくれないんだよ（©Em Sothya）
1999年2月3日付『リアスマイ・カンプチア』紙掲載

11

季節のリズム

★自然環境★

カンボジアの国土は総面積約一八万一〇三五平方キロメートル、日本の面積の半分弱ほどである。一九七〇年から一九九〇年頃までの内戦で減少した人口がその後回復し、二〇一九年国勢調査によれば総人口一五三〇万人、人口密度は八六人／平方キロメートルである。この人口密度の数字は、隣国のタイ、ベトナムの人口密度よりも一桁小さい。

インドシナ半島を俯瞰する地形図を見ると、首都プノンペンを含む中・南部の平地が実は巨大なメコンデルタのいわば延長地であることがわかる。このデルタを生み出すメコン川と支流のトンレサープ川、バサック川、そしてトンレサープ湖をとりかこむ中央平野部に人口が集中している。この中央平野部を、南部を除き、山岳地帯が取り囲んでいる。まず、東北部には、ラオス・ベトナム国境を形成するアンナン山脈に連なるモンドルキリ高地があり、北部のタイ東北部との国境付近には険しく切り立ったドンレーク山脈が、そして西部のタイ東部との国境からシャム湾に沿ってクロワーニュ山脈（通称カルダモン山脈）があり、カンボジア最高峰のアオラル山（一八一三メートル）はここに連なる。

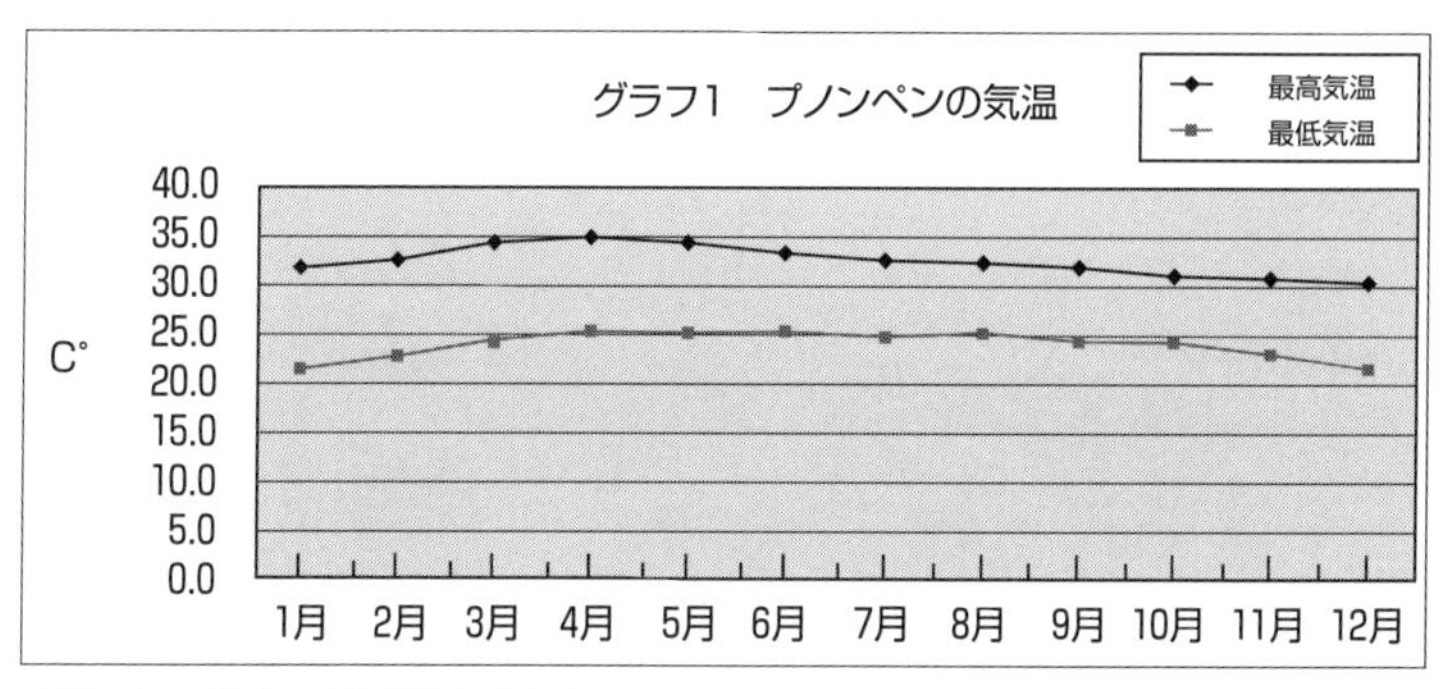

出所：カンボジア水資源気象省気象局
注：1985～2004年の平均値

カンボジアは北緯一一～一五度に位置し、モンスーン（季節風）の影響を非常に強く受ける、インドシナ半島地域に特徴的な熱帯モンスーン気候帯にある。大まかに述べれば、五月～一一月は、タイランド湾から吹きこむ暖かく湿った南西の季節風が大量の雨をもたらし雨季となり、一一月から五月は、逆に、乾いた北東風が吹き、乾季となる。気温は、プノンペンを例にとると、年間平均気温が二七度、降雨のピークは九月で、乾季と雨季の境目である四月が最も暑く、乾季の一月に最も低くなる（グラフ1）。

とは言え、図を見ると、降雨量には地域差がかなりあることがわかる。カンボジアの統計類では、カンボジアを次の四つに区分することが多い。すなわち、中南部の平野地域、トンレサープ湖を取り囲むトンレサープ地域、南西部の海岸地域、そして標高の高い高原山岳地域である。海岸地域で最も年間降雨量が大きいが、これはカルダモン山脈にぶつかったモンスーンが大量の雨を降らせるためである。また、高原山岳地域では、南シナ海を移動する台風の影響を間接的に受けるため、海岸地域ほどではないが、平野地域やトンレサープ地域に比べて雨量がやや多い（グラフ2）。

天水にたよる比重が高いカンボジアの農業においては、降雨量

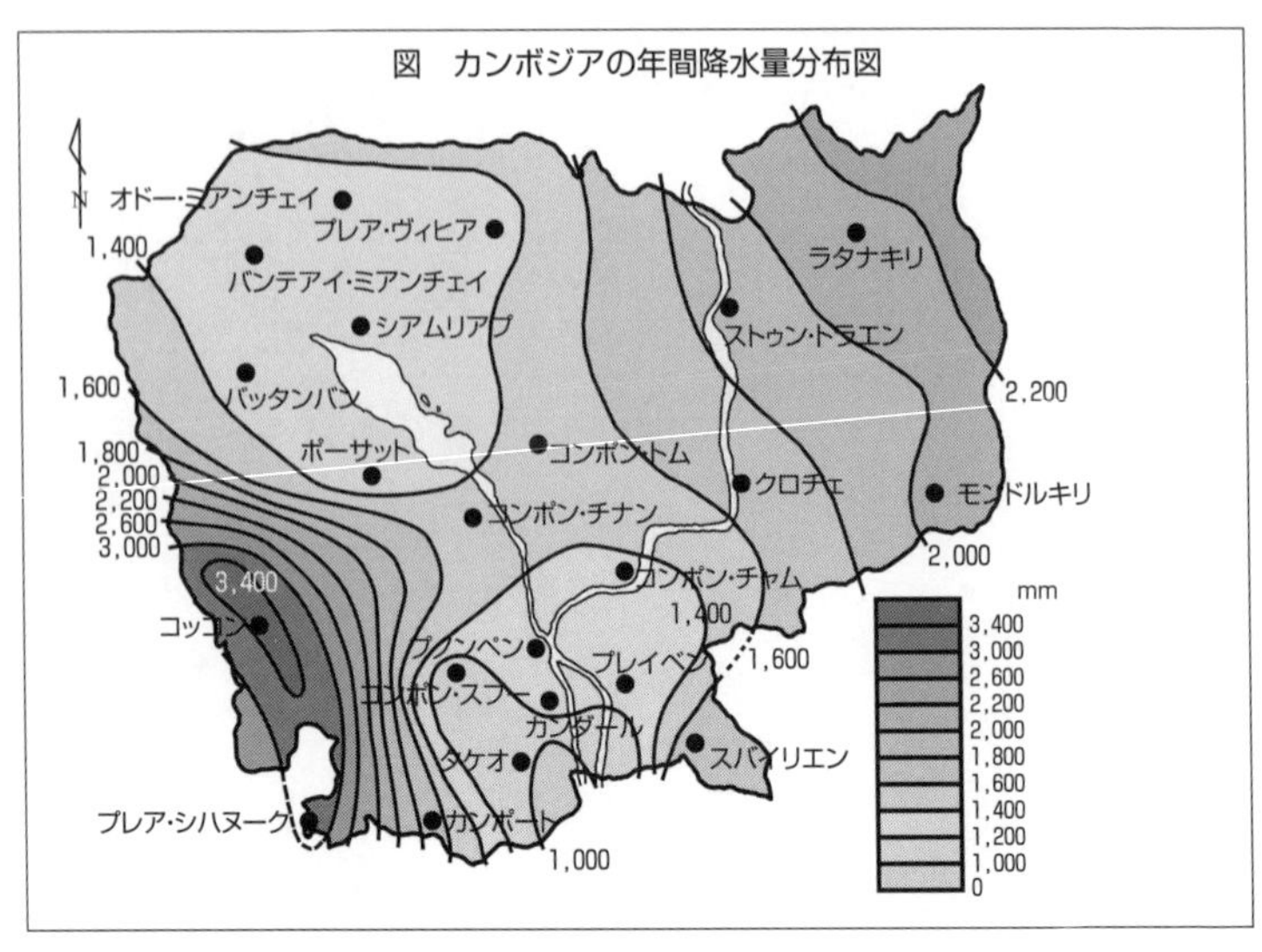

出所：カンボジア水資源気象省気象局
注：1981 ～ 2004 年の平均値

は農業生産を左右する最大の要因となる。しかし、年間降雨量が年によるむらが大きいのに伴い、カンボジアの農業収量も毎年かなり変動する。また、雨季が始まった後の七月から八月にかけて、一、二週間続けて雨が降らない、小乾季と呼ばれる期間が来ることがある。この時期は田植えの季節であり、小乾季がいつどのくらい続くかは稲の作付もしくは成育に大きな影響をもたらす。カンボジア気象局では、農業に役立たせるべく、小乾季の原因を明らかにし、できるだけ正確な予測をすることが課題となっている。

前述の四地域のうち、最も人口が多く人口密度が高いのが、平野地域である。首都プノンペンもここに位置する。メコン水系の水、そして氾濫によって肥沃になる土壌の恵みを最も受けている地域であると言えよう。

トンレサープ地域は、雨季の冠水地より標高の高い地域では稲作・畑作が行われ、湖岸の冠水地の一部では浮稲の栽培がなされる。また、季節毎に繰り返される湖水の増減と浸水林に産卵する魚の習性を巧みに利用した漁

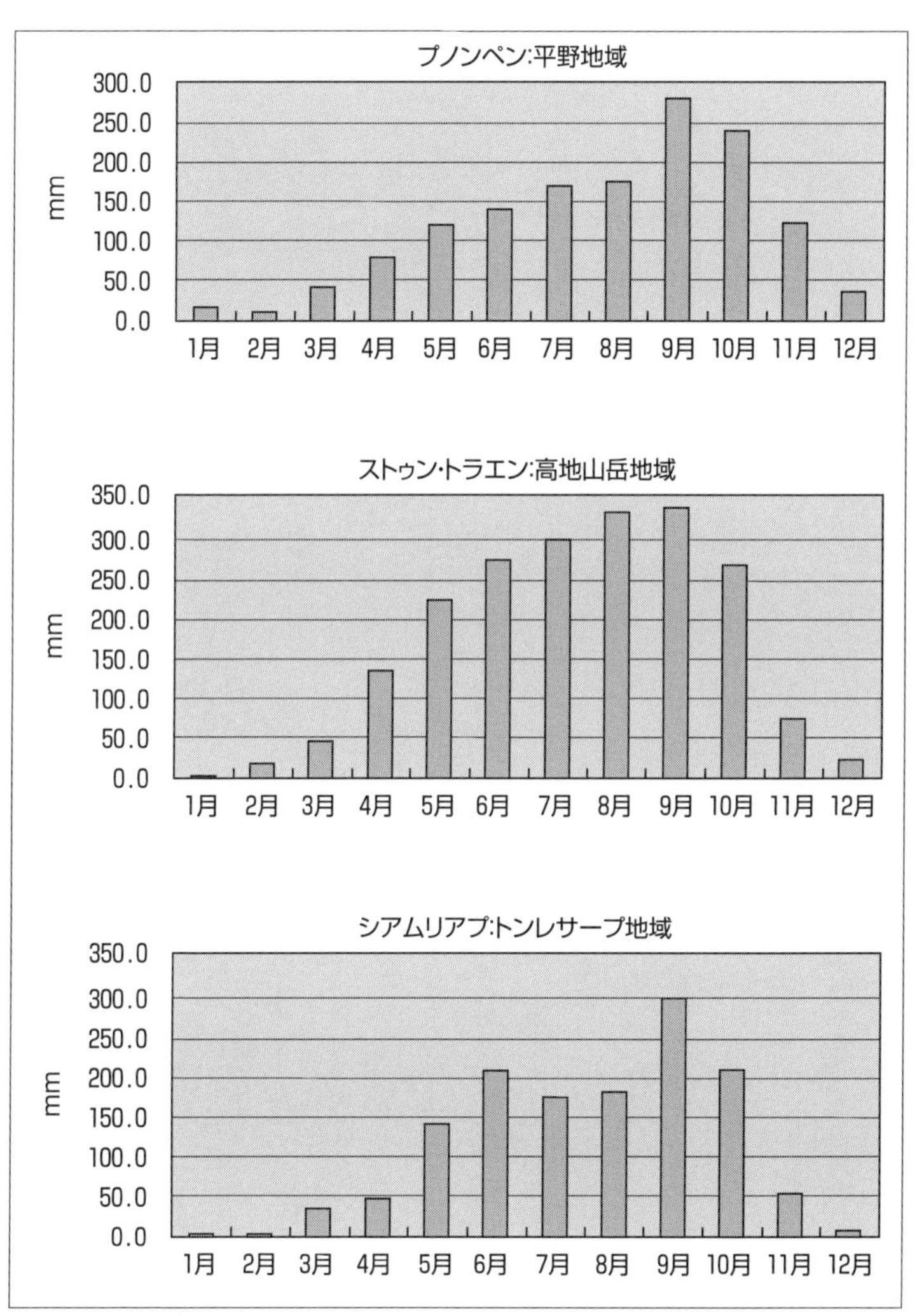

グラフ2-1　四地域の月別降水量（出所：カンボジア水資源気象省気象局）
注：ストゥン・トラエンのみ1985～2001年の平均値、その他は1985～2004年の平均値

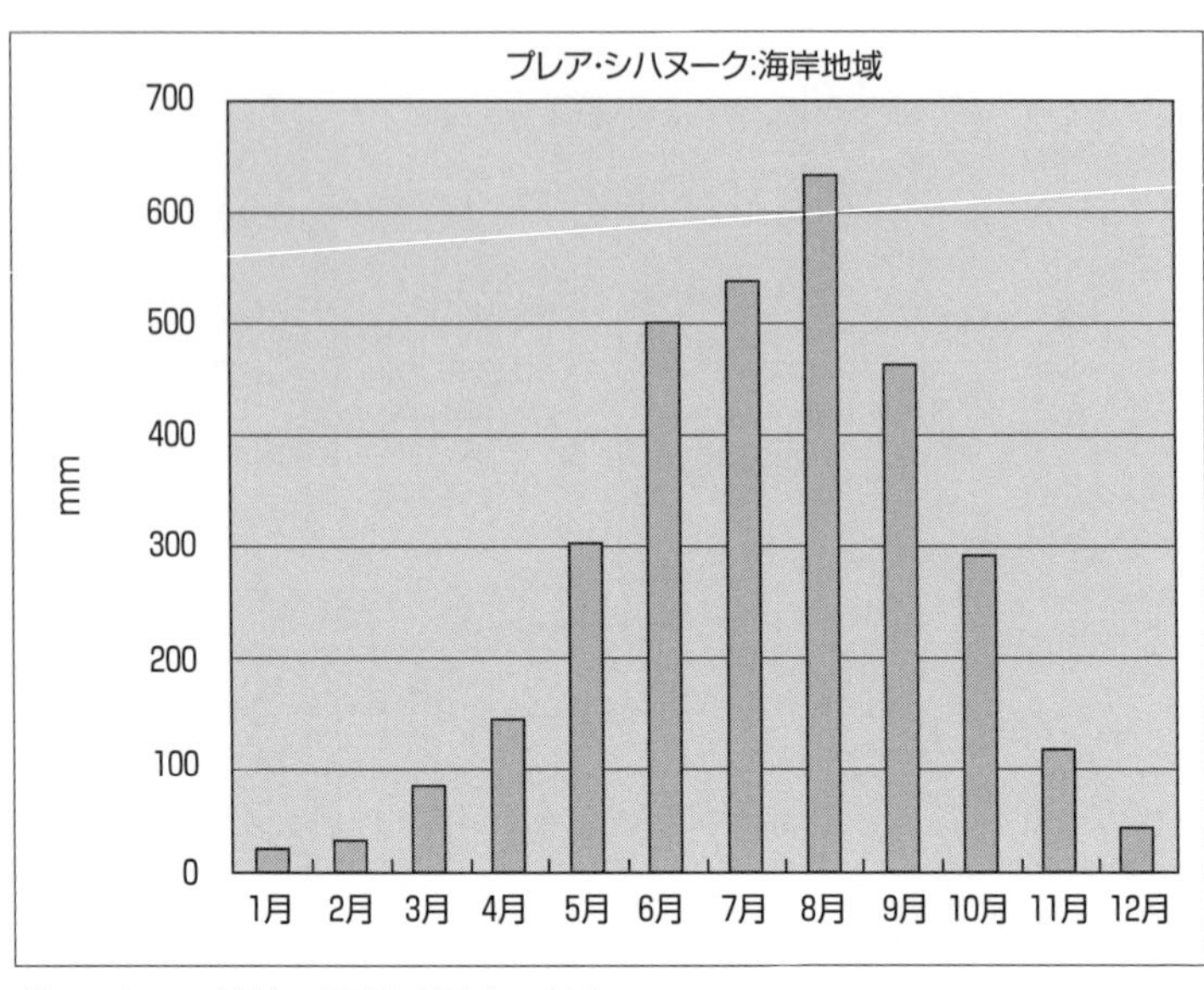

グラフ 2-2　四地域の月別降水量（つづき）

業が行われている。水深の浅い湖上に集落が形成されているところもあり、そこには水上の小学校や保健センターまである。トンレサープ湖はその漁獲高と魚の種類の豊富さで有名であるが、世界的に貴重な多くの種類の鳥類が生息することでも知られている。

海岸地域はその多雨気候を利用した、ゴム、胡椒、ドリアンなどの栽培が盛んな他、プレア・シハヌーク州、カンポート州、カエプ州には港町が形成され、特にプレア・シハヌーク州の風光明媚なビーチは人気のある行楽地となっている。

高原山岳地域は、森林資源に富み、少数民族諸集団が多く居住している地域である。しかし、特に東部のラタナキリ、モンドルキリ両州は、インフラ面において国内で最も遅れた地域であり、農業生産性が低く、人口密度も低い。一方、カルダモン山脈南部の一部は高原行楽地になっている。

平野地域の稲作農村を例にとって、一年の生活サイクルを見てみよう。

カンボジアでは最も暑さが厳しくなる四月中旬にカンボジア正月を迎える。マンゴーのおいしい季節でもある。正月を過ぎる頃から雨が時々少量ながら降り始める。雨季が始まると苗代作りをして稲作の準備に入る。七月頃には、雨安居（うあんご）と呼ばれる、仏暦における修行期間が始まる。これは一〇月頃まで三ヶ月ほど続き、仏教寺院で出家する男性や、寺院に籠って修行生活をする在家の中高年女性もいる。本格的な雨季に入ると、牛に犂を引かせて田の耕起と均しを行ない、八月頃に田植えをする。九月か一〇月にプチュム・バンという大きな祭りがあり、人々は寺院に集う。このころは雨季の真っ最中である。たいてい午後から夜にかけてスコールにみまわれる。時には一日中激しく降り続くこともある。村の道はぬかるみ、寺院に出かけるのも一苦労である。雨安居が明け、僧衣献上祭が終わった頃、気温がやや低くなり、雨季がほぼ終わる。乾季の前半は、少し涼しい乾いた風が吹く一一月から一月にかけての爽やかな季節であり、「風の吹く季節」または「寒季」と呼ばれる。刈り取りと脱穀で忙しい期間でもある。昼間は日本の夏同様、三〇度を超す程度に暑いが、朝晩は時に肌寒く、水浴びが少々辛くなる。収穫を終えた頃からカンボジア正月までは乾季が続く。この乾季後半は暑さが日増しに厳しくなる。一般に農閑期であり、寺院では布施儀礼、家庭では結婚式など、冠婚葬祭の機会が増える。「乾季はお金がかかってしょうがない」などとぼやく声も聞こえるが、これは、乾季に催し物が多いため、お祝い金などで現金の出費がかさむことを意味している。気温の変化と降雨の増減が暮らしにリズムを生みだし、こうしてカンボジアの季節は廻っていくのである。

（高橋美和）

12

復活した信仰

★内戦後の仏教の復興★

インド文明がカンボジアに伝播した古代においては、まずヒンドゥー教が、時代が下ってから大乗仏教が受容された。その後一三世紀頃までに、スリランカ大寺派の流れをくむ上座仏教が伝わったとされ、ミャンマー、タイ、ラオスとともに東南アジアの上座仏教文化圏の一翼を担うようになった。これらの国々では三蔵と呼ばれる同じパーリ語経典を共有している。

一五世紀以降、アンコール朝が衰退し隣国タイの政治的影響が増すのに伴い、カンボジアの仏教はタイの影響を受けた。現在カンボジア仏教には多数派のモハーニカイ派と王室と関係が深いトアンマユット派の二教派があるが（表1）、後者はモンクット（のちにラーマ四世としてタイ国王となる）が一八二八年より推進していた「タンマユット運動（パーリ仏典回帰を目指した仏教改革運動）」に起源がある。当時タイでタンマユット派の出家者として修行生活を送ったカンボジア人僧侶が帰国後、一八五四年に成立させたとされる。しかしフランス統治期になると、フランスは仏教界へのタイ仏教の影響を断ち切る政策を推進し、王立図書館と仏教研究所を設立してカンボジア語訳を付した三蔵編纂事業などを実施した。

表1　カンボジア仏教二教派の内訳（2021年）

モハーニカイ派			トアンマユット派		
寺院数	僧侶数		寺院数	僧侶数	
	比丘	沙弥		比丘	沙弥
4,843	20,886	47,590	261	567	1,862

出所：カンボジア宗教省

一九四七年に最初の憲法が採択されて以来、ポル・ポト政権による民主カンボジア憲法（一九七六年）とその後のカンボジア人民共和国憲法（一九八一年）を除いた全ての憲法において、仏教はカンボジアの国教と規定されてきた。国民の九五％が仏教徒であると言われる現在、大多数のカンボジア人にとって、仏教とは民族とその文化の中核であり、精神的な拠り所となっていると言えるだろう。

ポル・ポト時代、あらゆる既存の社会・経済制度は破壊されたが、仏教もまた例外でなく、僧侶は強制的に還俗（げんぞく）させられ、殺害されることもあった。寺院では仏像が破壊され、建造物は食糧貯蔵など他の目的に転用された。しかし、この時代が終わると一九八〇年代のかなり早い時期に、国全体が疲弊していた中ではあったが、人々は暮らしの再建とともに寺院の再建にも着手した。寺院に物理的な破壊が残る頃でさえ、人々は出家経験者などを招請し住職に迎え、仏教行事を再開したのであった。ただし、社会主義政権下であった当時、高齢者にのみ出家を許可する政策がとられたため、若者の出家慣行の断絶は続いた。今日、寺院数・僧侶数ともに、内戦直前の一九六八年時を上回っている（表2）。

上座仏教圏の社会は、戒律を厳格に守りつつ出家生活を送る僧侶およびその集合体であるサンガ（僧団）と在家とから構成される。サンガは全国組織化されている。二つの教派のトップそれぞれに僧王がおり、全国の州に州管区長と

表2　寺院数と僧侶数の変遷

年	寺院数	僧侶数
1968	3,508	67,446
1993	3,087	27,539
1998	3,677	50,087
2007	4,237	57,350
2018	4,985	70,853
2021	5,104	70,905

出所：カンボジア宗教省

その下位の郡に郡管区長をおき、各地方の寺院および寺院学校を統括している。宗教行政の方も州・郡宗教事務所を設置し、地方サンガを監督している。

僧侶は、在家のためのさまざまな儀礼になくてはならない存在である。在家は、布施行為を通じて僧侶と寺院を物質・金銭面で支えるが、その行為自体が功徳（くどく）を生み出す。午前中に托鉢する僧侶に食物の布施をする風景は全国で見られる。各寺院には在家から構成される寺院委員会が組織され、住職を支え寺院運営に関わる諸業務をこなす。戒律日の布施やその他の儀礼の進行係は、経文と儀式とを熟知する俗人の祭司が受け持つ。

功徳は、本人の現世利益や来世の幸福のために積むだけでなく、亡くなった近親者には回向（えこう）し、存命の親には産み育ててくれた恩を返すために送ることができる。

寺院は、出家者にとっては修行の場である。中心はもちろん僧侶であり、成年僧の比丘（びく）と未成年の沙弥（しゃみ）とがいる。比丘になるには、授戒師の資格を持つ比丘に具足戒を授けてもらう得度式を経る必要がある。カンボジアでは得度および還俗（げんぞく）は本人の意思次第であり、終身出家でなくてもかまわない。最初から短期の予定で出家する人も珍しくない。

なお、女性の僧侶すなわち比丘尼はカンボジアには存在しない。寺院によっては、僧侶の他に、在俗のまま剃髪して在家戒を遵守しつつ寺院の敷地内に住む修行者もいる（コラム6）。

かつて、出家は「出家の功徳によって親に恩返しをするため」にほとんどの若者が行う慣習的行為であったと同時に、寺院は古くから一般子弟が読み書きを習う寺子屋の機能を有していた。フランス統治期、寺院は公教育の場に改良され、フランス語を教授言語とする公立学校とともにカンボジア教育制度の土台を支えた。

今日、修行を主目的とする出家ももちろんあるが、経済的な理由で中等・高等教育を受けられない若者が依然多いことからみて、教育機会を得るための出家が多いと考えられる。寺院に居住する僧侶として学ぶ場合、金銭的負担がかなり軽減されるからである。特に、沙弥の大半は学生僧侶とみられ、教育機会の提供という側面が出家者数の維持に寄与している。

托鉢風景

仏教教育課程を学ぶ僧侶たち

前述のように、仏教復興以後も出家の年齢制限があったために、出家者のための教育制度は休止していた。しかし、一九九八年に制限が撤廃されると若者の出家が急増し、一九八九年に初等教育が、ついで一九九三年に中等教育が一

表3　仏教教育課程：学校数および学生数（2021年）

課程の名称	学校数	学生数
仏教教義基礎	455	8,856
仏教教育課程初等	969	24,032
仏教教育課程中等前半	39	6,302
仏教教育課程中等後半	13	2,347
仏教教育課程高等（大学）	3（5*）	3,717
仏教教育課程高等（大学院）		797

出所：カンボジア宗教省
*キャンパス数

部の寺院ではあるが再開され、一九九九年にはシハヌーク王立仏教大学も復活した。現在、出家者のための教育課程には仏教教義基礎と仏教教育課程とがある。前者が一年程度で修了する課程であるのに対し、後者は、仏教関係の科目に加え、数学や英語など一般科目をも組み込んだ学習期間の長いカリキュラムとなっている。過去のデータと比較すると、仏教教育課程の学校数は初等から高等までの全ての課程で学校数が増加している。なお、中等課程までの生徒のほとんどは僧侶であるが、高等課程では一般男子・女子学生も多く、僧侶だけの教育機関とはなっていない。

現在の僧侶の構成要員は、大まかにいって、ごくわずかな終身出家の高齢僧侶と、大多数を占める一〇～二〇代の僧侶からなり、中堅の壮年僧侶が少ない。そのせいか、一般の在家に仏法を啓蒙する役割は、むしろブット・サウォン（一九五九～）のような俗人説法家が担っている。二〇代の時に出身地のバッタンバン州で説法活動を始めた彼は、一九九〇年代以降、ラジオの説法番組や定期説法会、雨安居期（うあんご）の講義、著書により全国的に知られる存在となり、善男善女の尊敬を集めている。

（高橋美和）

寺院住まいの女性修行者

コラム6　高橋美和

「上座仏教圏では出家者は妻帯しない」と聞くと、仏教寺院は女人禁制の非常に厳しい場所というイメージをもたれるかもしれない。しかし、カンボジアの寺院は出家者たる僧侶が住む僧院であると同時に、近隣仏教徒男女が集う共用空間としての機能を兼ね備えている。現実に寺院を訪れてみると、出家者以外の人々をしばしば見かける。特に、都市部の大規模寺院であれば、農村部出身で一般の学校に通う男子学生をはじめとして、さまざまな俗人が寄宿している。住み込みの女性がいる寺院も数多い。僧侶の托鉢だけでは食が賄えない寺院の場合は、炊事を担当する奉仕者であるが、それ以外の大多数は俗人修行者であることが多い。

カンボジアの高齢者には、日常的に在家戒を意識し、陰暦でほぼ毎週巡ってくる戒律日に八斎戒を守るという慣習がある。雨安居（うあんご）になると、寺院に住み込んで期間中ずっと八斎戒を守る修行生活を送る敬虔な俗人男女がおり、女性の方が多い。八斎戒とは、在家戒の基本である五戒①不殺生、②不偸盗、③不邪淫、④不妄語、⑤不飲酒に、さらに⑥正午以降食事をしない、⑦歌舞音曲鑑賞をしたり装飾品や香水の類いを身につけたりしない、⑧高い寝台に寝ない、の三条項が加わったものである。

冒頭で述べた修行者は男女ともにいるが、男性は女性よりもずっと人数が少ない。修行をしたい男性には出家という選択肢があるからかもしれない。雨安居のみの修行者とは異なり、何年にもわたって、もしくは終身で寺院に住み込んでいる人々である。剃髪し全身白い衣をまとっているのが典型で、八斎戒を年中通して守

読経する女性修行者

り、寺院の一角に専用の小屋か集合住宅様の建物に住む。多くは七〇代を中心とする高齢女性である。有髪の短期修行者と異なるのは、一般家庭で執り行われる葬儀などの儀礼に僧侶とともに招聘されて読経し、布施を受け取ることである。正式出家者ではないが寺院構成員として遇されるのである。

一九九〇年代に筆者が調査をした時には、内戦中に夫や子を失い、老後に頼るべきものがないがために寺院に身を寄せたケースが多い印象だったが、今日では必ずしも肉親喪失体験が背景にあるとはかぎらない。念願の修行生活を老後のライフスタイルとして選択したという人々も今ではたいへん多い。子や孫がおり、定期的に食べ物や薬、現金を届けに来てもらえる人も少なくない。年齢的な理由で寡婦がやはり多いが、老後をしばらく寺院で過ごし、いずれは子ども夫婦との同居を予定している人、夫婦それぞれが円満に別々の寺院で修行生活を送るというものまで、さまざまである。

女性の学歴も次第に高くなっている昨今、仏教徒女性たちの実践内容にも少しずつ多様化が生じているようだ。たとえば、これまで在家者に共通する宗教活動は、出家者に対する金銭や食物の布施、仏教行事への参加と奉仕など、主として功徳を積むことにつながる行為および一部の人々が行う瞑想実践だと考えられていたが、昨今では仏教教学に勤しむ人々も徐々に増加している。

仏教教学に関しては、僧侶が学ぶ仏教教育課程とは別に、論蔵学（パーリ三蔵経に含まれる論蔵を学ぶ学問で、仏教教理の解釈学）の普及に努める女性修行者が出現したことも注目される。難解とされる論蔵学を一九九〇年代に隣国タイで修め、帰国後二〇〇〇年頃からこれを講じているオム・ソチア（一九六一〜）とパオ・ソマリー（一九六四〜）は、仏教を真に深く学びたいがゆえに若くして修行生活を選びとった人々である。論蔵学はカンボジアでは今のところ教学の主流ではないが、俗人学習者が少しずつ増えている他、一部の僧侶も関心を寄せている。二人は現在数ヶ所の寺院で講義しており、学習者の中には老若の僧侶の姿が見えることもある。今日では、この二人の教え子たちが、新たに論蔵学の教師として活躍中であり、学習者の広がりがうかがえる。女性の出家が制度上閉ざされているカンボジア仏教界において、女性の仏教の実践に変化が見え始めている。

論蔵教師に対する感謝と長寿祈願の儀礼

13

多様な民族・多様な文化

★民族と宗教★

カンボジア憲法では、上座仏教を国教と規定していると同時に、信教の自由が謳われている。宗教全般を管轄するのは宗教省である。上座仏教を含め、宗教施設の新設には宗教省の許可が必要である。上座仏教以外の宗教については表（次頁）のような資料がある。信者数が多い順に、イスラム教、大乗仏教、キリスト教、カオダイ教等、となっている。信者数が一万人を超える宗教で、一つの民族集団それ自体が信者母体であると考えられるのは、イスラム教（チャム人）のみであり、少数ながら一致が見られるのは、カオダイ教（ベトナム人）と各国系大乗仏教である。これらを除けば、民族系統に関わらず、現在のカンボジア国民の大部分が上座仏教徒であるとみなしてよいだろう。なお、一三世紀以前に王権の土台となっていたヒンドゥー教は、独立した宗教組織・信仰体系としてはカンボジアに今日存在しない。ただし、ヒンドゥーの神々は物語文学や舞台芸術に生きている。また、王宮で行われるさまざまな儀礼や、占星術などにヒンドゥーを含む古代インドの文化伝統が伝わっていると言われている。

カンボジアの民族構成は、クメール民族が人口の九割以上を

表　カンボジアにおける上座仏教以外の宗教の信者数と施設数（2022年）

宗教名	宗派名	信者数	教会・寺院・廟・モスク・礼拝所等	宗務所	学校
イスラム教		701,508	1,421		598
キリスト教	カトリック	13,165	66	42	58
	プロテスタント他	96,587	601	1,522	883
大乗仏教	弥勒、光世音、中国神、ベトナム仏教他	22,296	152	51	46
バハイ教		2,991	3	23	6
カオダイ教		460	2	1	

出所：カンボジア宗教省

占め、残りが少数諸民族である。主要民族が圧倒的多数であるという点は日本と同様であるが、少数民族の集団数はずっと多く、また文化も多様である。以下、主な集団ごとにその社会・文化的状況を概観してみよう。なお、各集団の人口については、国勢調査の項目に「民族」が無いため、数字は推計である。

山岳少数諸民族は、東北部のラタナキリ州、モンドルキリ州、ストゥン・トラエン州、クロチェ州やプレア・ヴィヒア州のタイ国境付近、カルダモン山脈の一部など、国土の周縁にある山岳地域に居住し、言語系統も文化も多様である。二〇〇八年国勢調査の母語統計に記載があるのは、プノーン、トゥムプーン、クオイ、チャラーイ、クルンの五大言語集団を含む二二の集団であり、これらを母語とする人口は約一八万人であった。伝統的に、採集狩猟もしくは焼畑移動耕作などの山地に適した生業を営む。精霊崇拝などの土着宗教、象の飼育など独自の生活様式をそれぞれ保持していると言われ、一部は観光資源ともなっている。

インドシナ半島の先住民族の一つチャム人は古代のチャンパー王国の末裔であるとされている。現在、カンボジア国内の

山岳少数民族（ウィンウィン記念塔開場セレモニー）

チャム人の大多数が、スンニ派のイスラム教徒である。ポル・ポト時代直前に七〇万とされた人口がその後の虐殺などで激減し、現在の人口は三〇～四〇万人程度である。伝統的な生業として漁業、水牛飼育、鍛冶、宝石加工などが知られているが、今日ではさまざまな職業についている。主な居住地はプノンペンのトンレサープ川、バサック川流域地域およびコンポン・チャム州で、後者ではカンボジア語とは系統を異にするチャム語を母語とする人々が暮らしている。ポル・ポト時代に壊滅状態にあったイスラム教は、一九八〇年代以降、仏教と同様、再興した。礼拝や豚肉を食さないなどの生活習慣の違いにより、他集団との通婚はそれほど盛んではないが、イスラム教への改宗を経て結婚する例も少なくないという。九〇年代半ばからは、国内最大のイスラム協会が主催するコーラン朗誦祭が大きなモスクで毎年開催されている。

カンボジアの少数民族で最も人口が多いと言われているのが、ベトナム系住民である。ベトナム系住民は、漁業や魚の加工業に携わる他、都市部で商業に従事する人々が多い。飲食店や美容室の一部にはベトナム語の看板が掛けられているのが見出せるが、あまり目立たない。ベトナム本国の宗教状況を反映して、上座仏教徒、大乗仏教徒の他、カオダイ教徒やキリスト教徒がいる。

カンボジアと隣国ベトナムとの歴史は、ポスト・アンコール期から、曲折を経てきている。内戦直前の一九七〇年頃までは四五万人ほどいたとされるベトナム系住民は、内戦が始まるとそのかなりの部分が国外に逃れた。ベトナムの支援を得たヘン・サムリンらがポル・ポト政権を崩壊させるが、その後一〇年にわたってベトナム軍はカンボジアに駐留した。この間、ベトナム語が学校教育における第一外国語だったこともあった。ベトナムとの国境・領土問題はカンボジア人の大きな関心事である。特に、南ベトナムのメコンデルタ地域は元々カンボジアの領土だったという失地の感覚が共有されており、クメール民族が多数住む同地を「下カンボジア」と通常呼ぶ。一般にカンボジア人はベトナムという国家に対して、親近感というよりは、脅威と不信が混じりあった複雑な感情を抱いている。

華人系住民（以下、華人）は、東南アジアの他の地域と同様、広東・福建両省を中心とする華南出身の華僑の子孫であり、移民が急増したのはフランス統治期である。内戦前後の人口激減期を経て、現在の人口は推定七〇万人余りである。方言・同郷集団として五大幇（ばん）（潮州・広肇・海南・客家・福建）が存在し、カンボジアでは潮州幇が約八割を占めるが、現在若い世代のほとんどがカンボジア語を

モスクにおけるコーラン朗誦祭（プノンペン）

母語としている。日常会話はカンボジア語でも、子どもに華人学校で華語（標準中国語）を習わせている華人はいる。家には中国式神棚が置かれている。中国正月には街のあちこちで龍舞が見られ、中国正月の他、清明節や中元節などの節句にも、一族が集まり中華料理を囲んで祝う。ヘン・サムリン政権下の一九八〇年代、華人敵視政策による迫害を避けて、華人系であることを隠すために名前をカンボジア風に変えた人もいたが、現在は反華人的な風潮はほぼなくなったと言ってよい。

華人はビジネス指向が強い。換金作物栽培に従事する農業従事者も少なくないが、華人が集住するのは都市部と農村部の商業地域である。商店の看板がカンボジア文字と漢字の両方で書かれていることは珍しくない。金融業、商業、運送業、工業など事業を興す人々が多く、これまで、国内の銀行を含む大規模ビジネスのほとんどが、外資系でなければ華人系であった。一九九〇年にカンボジア華人理事総会が設立され、現在その傘下に宗親会や、潮州会館など幇ごとの同郷会が組織され、それぞれの同郷会が華人学校、廟などの宗教施設や共同墓地といった文教ならびに互助・福利組織を運営している。

近年の大きな変化といえば、中国本土から来た中国人の増加である。カンボジアへの中国企業の投資が盛んになっていることが背景にある。プノンペンをはじめとする都市には、漢字のみで書かれた看板がずらりとならぶ地区がいくつもでき、中国人相手のビジネスも盛んになっていることがわかる。

（高橋美和）

14

寛容な社会の穏健な人々

★カンボジアのイスラム教徒★

コンポン・チャム州から船でプノンペンへ向けてメコン川を下ると、その途中、小さな舟の上で白い服を着た人々が礼拝を行っている姿を眼にすることがある。彼らは主にチャム人であり、その多くが漁業を営みイスラム教を信仰している。プノンペンから北東に位置するコンポン・チャム州（カンボジア語で「チャムの船着場」の意味）には、名前で表される通り国内で最も多くのチャム人が住んでいる。

カンボジアのイスラム教徒は、大部分がスンニ派のシャーフィー派に区分され、超自然的な崇拝や仏教などの影響を受けたイスラム教を信仰しているという特徴がある。最近では国民の約五～六％を占めるとされている。現在のベトナムに一四世紀頃存在していたチャンパー王国から移住したチャム人の末裔であると考えられている。プノンペンにも市庁舎の近くに大きなモスクが存在し、プノンペンから国道五号線を北上すると、道路沿いにいくつかのモスクが建ち、通りを歩く女性たちはスカーフを頭に被っている。その他、チャムの人々は、カンボジアのほぼ中央に位置するコンポン・チナン州や南部の海に面したカンポート州に多く、バッタンバン州やカンダール州などそ

コンポン・チナン州で。男性はモスクに隣接する学校の先生

の他の州でも川沿いにモスクを中心としてまとまって居住している。

チャムの人々が住む地域の市場は、ハラールの食材を扱っている。イスラム教徒が食べることを許されない豚肉を全く販売していない市場もある。クイティアウ（米粉麺）屋では牛肉のクイティアウのみを売っている。彼らは「カンボジア・イスラム青年協会」「カンボジア・ムスリム開発基金」などいくつかのイスラム教団体を結成しており、少数派としての団結を深め国内での地位向上を求めつつ自らのコミュニティーの社会経済開発のための活動を行っている。

カンボジアのチャム人は概して穏健なイスラム教徒である。他の宗教との衝突は全くといってよいほど見られない。カンボジア国内の仏教徒にチャム人について尋ねると「同じ国民である」という認識が一般的に強いことがわかる。ポル・ポト時代には、寺院と同じく多くのモスクも破壊され、多くのイスラム教聖職者たちが殺害された。現在、国際社会から多くの支援を受けているカンボジアでは、イスラム教徒の生活も海外からの支援に頼るところがある。イスラム教学校であるマドラサやモスクの建設はマレーシアや中東の国々などからの支援を受けている。また、イスラム教を学ぶためにマレーシアへ留学する学生たちも多い。イスラム教徒にとって重要なメッカへの巡礼もサウジアラビアから招聘される形で行われてきた。

他方で、二〇〇三年には、サウジアラビアなどの支援を受けたプノンペン近郊のイスラム教学校ウム・アルクラの外国人教師数名が、東南アジアを拠点とするイスラム過激派組織に関係しているとして逮捕され、学校が一時閉鎖される事件が起こった。過激派組織に属するカンボジア人がいるとの情報はこれまでにないが、海外からの支援を通して過激なイスラム思想がカンボジア国内へ伝えられることを危惧する見方もある。二〇〇一年には、国内のイスラム教徒の秩序維持のために、政府が海外のイスラム教徒との接触や宗教活動を規制したが、これはすぐに撤回された。このようにイスラム教徒への極端な対応によって人権や信仰の自由が脅かされているとの反発も出てきている。カンボジアはテロの温床になる危険性があると国際社会が注意を促す中で、カンボジア政府もテロとの闘いに協力するとの姿勢を示している。

簡易礼拝所スラウを示す看板

モスク（国道５号線沿い）

　チャム人でも、内陸部に住む人々は農業を営んでいたり、最近では川沿いに住む人々でも起業するなど職業は多様化しているが、経済的に余裕があると住民の寄進によってモスクが建て直されたりと信仰心に変わりはないようである。異なる宗教が共存するカンボジアの寛容な社会も変わらずにいて欲しいものである。

（井手直子）

15

厄除けと占い

★日常に残る民間信仰★

年中行事の多くが仏教の文脈で執り行われる一方で、人々の日常生活は、さまざまな、そして豊かな霊的な存在に取り巻かれている。ここでは、こうした多様な民間信仰の一端をご紹介するために、まずは人の一生をたどってみたい。

新生児の生命力はまだ充分に強くない。時には「前世の母」が子への執着を捨てきれず、現世に生まれたこの子を連れ去ってしまうことがある。子どもが高熱でひきつけを起こし、その挙句に死んでしまった場合、前世の母のところへ行った、とも言う。

赤ん坊が、激しく長時間泣くことが続くと、額に黒い十字の文様を書きつけることがある。悪霊除けである。この悪霊は非業の死を遂げた人の霊と信じられている。長泣きが続く場合は、呪医か、呪術に長けた仏教僧侶に呪文や聖水で治してもらう。

呪医とは、大抵の村に必ず一人はいる伝統的な民間療法を施す知識と能力を持った人で、薬、呪文、お灸、縁結びなど得意分野別のさまざまな呪医が存在する。大多数は中高年男性で、先輩呪医に弟子入りして技術を継承した人たちである。呪医は字義的には教師、専門家と言う意味であり、病院の医師や学校教師などと区別したい時にはクルー・クマエ（呪医）とも呼ばれる。

初潮儀礼として、かつては「日陰籠り」と呼ばれる習慣が知られていた。初潮を迎えた少女は他人に姿を見られたり陽にあたったりするのを避け、数週間から数ヶ月、屋内の部屋に籠り、菜食する。この期間を経ると、その少女は肌が白く美しくなると信じられている。日陰籠りが終わると、お披露目のお祝いをする。この習慣は、限られた地域のみではあるが現在も存続している。

やがて結婚である。結婚式の日取りは、占い師のところに行って吉日を選んでもらう。新郎新婦の干支、生まれた時刻などで占うのである。

女性が妊娠し、いわゆる安定期にさしかかると、呪医もしくは仏教僧侶が呪文を刻みつけた金属片を巻いたベルトを腹に巻くという習慣がある。家庭分娩の場合、高床式の家の土間の一角を布で仕切った内側にベッドを置いて産むが、壁・仕切り布に棘のある植物を貼り付け、呪医が呪（まじな）いの文様を墨で書くなどの魔除けを施す。

感染についての医学的知識がなかった頃は、産後の産褥熱は悪霊によって起こされた熱病だとされており、呪医が呪術的な治療にあたった。家庭分娩が主流の地域では、分娩をしたベッドの下に炭火を置き、産婦の身体を数日にわたって温めるという養生法が実施されている。血液循環をよくし出産の疲れを取るだけでなく、美肌効果があると言われている。これが終わると「火落としの儀礼」が行われる。産婦の健康と新生児の誕生を祝い、また助産師、産婆へのお礼をする儀式である。新生児の皮膚の健康に影響力があると信じられている後産（胎盤）を保存しておき、この日にしかるべき場所に埋めるという地域もある。こうした養生法や儀礼は、病院等での分娩が増加するにつれ、明らかに廃れる傾向にあるが、赤ん坊の誕生祝いの部分だけは、都市部も含め広く行われる。

一方、長患いの人に対しても、何らかの悪霊が取りついていると解釈し、さまざまな治療儀礼が行われる。一例を挙げれば、四角いお盆に食物や線香・蝋燭、そしてバナナの木と葉で作った依り代を載せたものを用意し、呪医に悪霊除けの儀礼をしてもらうというのがある。悪霊は供物に引き寄せられて出て行く。

ネアク・ター（プノンペン郊外）

やがて人は死ぬ。カンボジア語の「死体」という単語は多義的な語で、遺体そのものも指すが、同時に死霊、幽霊、妖怪、お化け、なども意味し、具体的なイメージを伴うさまざまなものがある。たとえば、腐った死体や血まみれの胎盤などを好んで食らうアープは、空を飛ぶことができる女のお化けである。プラエトは生前の罪のために成仏できないでさまよっており、常に飢えているのに口が小さくて充分に食べられない。プリアイは人に取りつく怖れがあり危険である。

一方、人生の諸段階を守るというよりも、コミュニティーや家族を常に守ってくれる霊的存在もある。たとえば、土地や場所の守護霊信仰がそれである。森には森の守護霊アレアクが、家族や親族には子孫を見守る祖先アレアクがいる。守護霊であるが、人々が正しい行ないをしないと怒るとも信じられている。

人里には、祠に土地神ネアク・ターが安置されている。土地神は地域の農業生産と安寧を護る。土地神の姿形には、大きな石が一つ置かれただけのものから、赤い布を首に巻いた男性像、男女一対の木彫りの像など、非常に多様である。カンダール州のメコン川沿いの村で行われた土地神ネアク・ターのための儀礼は以下のようであった。仏教僧侶たちが祝福の誦経を終えて去ると、霊媒が現れネ

ティンモーン（バッタンバン州）

アク・ターの前で憑依状態になる。ネアク・ターが霊媒に憑依したのである。村人は、用意した舟のミニチュアに食べ物を盛り、たくさんの紙幣をあたかも帆のように飾りつける。これを数名が担ぎメコン川まで運ぶのに村人も行列してついて行く。川岸に着くと、本物の舟にこのミニチュアを乗せ、村人が川の中央まで漕いで行き、ミニチュアを川に流す。ネアク・ターの力により、供物に悪霊が引き寄せられて遠くに追いやられるのである。

必要に応じて何かしらの呪力や霊験に頼りたい時もある。災厄から身を護るためには、小さな仏像や、呪文や文様が書いてある布や薄い金属の護符などを身に着けたり身近に置いたりする。また、古い文献によれば、産褥死し土葬された女性の遺体（その死霊は非常に危険であるとされる）から取り出した胎児を黒焼きにしたものに強力な守護力が宿るという信仰がかつてあった。日本の案山子に似たティンモーンという手作りの厄除けもある。流行り病や泥棒からその家に住む家族を護るために屋敷地の入り口に置く。日本の案山子とは異なり、一本足ではない。

特定の場所や物が霊験あらたかであると見なされる地域信仰もある。たとえば、バッタンバン市郊外にある軍病院のレンガ造りの古い外門は、道路拡張のために撤去される予定だったが、この門を解体しようとすると、その関係者が事故や病気で死ぬということが続いた、という。結果として、解体は断念され、その門は今もとの場所にある。怖がる住民がいる一方で、この門の霊力にあやかり、宝くじが当たるように供物を捧げに行く人々もいる。

（高橋美和）

コラム7

国難を予言するお化け

上田広美

カンボジア人とおしゃべりしていると、いろいろなお化けが登場する。もちろん、人を脅かす怖いお化けもいるが、そうではないお化けもいる。プノンペン在住のソバタナさん（一九六〇年代生まれ）が自分や家族の実際に体験したことを語ってくれた。

殺人事件の被害者や、不慮の事故で亡くなった方は、おそろしい幽霊になると言われています。ホテルに泊まったら幽霊が出たので、翌朝いろいろ調べてみたら、そこは殺人事件があった部屋だった、という話はよく聞きます。寝ているベッドを譲るよう幽霊に脅されたという話もあれば、夜中にテレビを何度消しても自動的にまたついてしまうのは、テレビドラマの続きを見たかった幽霊のしわざという話もあります。また、ある村の菩提樹の根元に埋葬された女性が、話し相手がほしいばかりに、子どもを抱いた姿で化けてでて、道行く人に話しかけたところ、多くの人が病気になって髪が抜けたり、体力が落ちて働けなくなったという話もあります。

お化けが出る話では、たいてい犬が遠吠えすることになっています。存在しないはずの猫の鳴き声が聞こえることもあります。幽霊が出ないようにするには、明かりをつけたまま寝るといいそうです。

亡くなった人の幽霊の他に、座敷童のようなお化けもいます。小さな子どもの姿をしていると信じられていて、子どもの目には見えたり、足音が聞こえたりするそうです。一人で遊んでいる子どもが、まるで誰かと一緒に遊んでいるかのように、はしゃいで夢中になっていると、座敷童と遊んでいるかもしれないので、親はもうその場所で遊ばせないようにします。

一方、役に立つお化けもいます。家についている霊に毎日線香をたいてお供えしておくと、戸締りを忘れて寝てしまった時、わざわざ起こして知らせてくれることもあります。また、暑い夜に酔っ払って帰り道で線路を枕にして寝込んでしまった男性は、知らない女性に起こされましたが、目が覚めてそこから移動してすぐに汽車が来たので、お化けに起こされなかったら、汽車に轢かれて死んでいたそうです。毎晩、せっせと病院の庭を掃除をしていた老人が、実在していなかったという話もあります。

小さな子どもの姿をしたお化けへの供え物

最後に、国難を予言するお化けの話を紹介します。そのお化けアークロックは、とても背が高く、寺の本堂に住んでいると言われています。静かな夜には、泣きやまないとアークロックが捕まえに来るよ、と言って、子どもたちは脅かされたものです。

コンポン・チャム州にいた私の母の回想です。まだ幼い頃、満月の夜、家の近くの野原でかくれんぼをしていました。親たちはおしゃべりしながら、子どもたちを見ていたところ、突然、一天にわかにかき曇り、あたりが真っ暗になりました。子どもたちが泣きだしたので、大人たちは子どもたちを連れて家に駆け上がり、扉と窓をぴしゃっと閉めて閉じこもりました。

お母さんと並ぶソバタナさん（提供：Van Sovathana）

しかし、外に残って空を見ていた人によると、実際には、雲が月を覆ったのではなく、南の方向へ向かって歩みを進めている大きな影が見えたそうです。ほんの一〇分ぐらいで、空はもと通り明るくなりましたが、大人たちは、アークロックが自分の影で月を見えなくしたのだと話していたそうです。

その後、私の母は大人になって教職につき、仕事のために実家を離れ、州都の川辺の近くの家を借りて一人暮らしをしていました。毎晩、寝る前に窓辺に座って景色を眺めると、家族から遠く離れて一人で暮らす寂しさが軽くなるような気がしていました。ところが、ある夜、突然、大きな影がひとつ歩いて来て自分の家の屋根をまたいでいくのを目にしたのです。彼女は、大急ぎで窓を閉めました。朝になると、近所の人たちが、昨夜アークロックが歩いてきて村をまたぎ越したと話していました。古くからの言い伝えによれば、大きな災いが起こるとき、アークロックの影が西に歩いて行くのが見られるといいます。それは、カンボジアが長い内戦に突入する直前のことでした。

16

暦を彩る祭り

★休日と年中行事★

カンボジアで売られているごく普通のカレンダーを見ると、その上部に、西暦のほか仏暦、大暦、そして小暦と、全部で四つの年号が記載され、十二支を表わす挿絵が描かれている。このうち、大暦と小暦は現代カンボジアではほとんど使用されない。日常ならびに公式に使用される年は西暦で数え、仏教に関係する文書や記録には通常、仏暦が併記される。

現代カンボジアのカレンダーは、太陽暦を基本としながらも、太陰暦の月の名と月齢に基づく日も併記されているのが普通である。表が示すように、カンボジアの祝日は太陽暦で日付が定まっているものと、太陰暦に従うものとがある。国家的・国際的な記念日と王族の誕生日や即位記念日は太陽暦の日付で固定されているのに対し、それ以外の祝日は太陰暦にしたがうため、太陽暦上では毎年必ずしも同じ日付とならない。太陰暦の月の名は、特に農村部において農作業の時期に言及する時に使用される他、結婚式や布施儀礼の招待状に太陰暦の月日を併記することが多い。

祝日のうち、太陰暦に従うものは、仏教に直接由来するものと、季節や農業サイクルとの関わりなどで伝統的に行われてき

カンボジアの祝日（2023年）

1月1日	元日
1月7日	虐殺政権に対する勝利記念日
3月8日	国際女性デー
4月14～16日*	カンボジア新年祭
5月1日	国際労働デー
5月4日** （陰暦6月の満月の日）	釈迦誕生節
5月8日** （陰暦6月下弦4日）	王室始耕祭
5月14日	シハモニ国王誕生日
6月18日	国王母君誕生日
9月24日	憲法記念日
10月13・14・15** （陰暦10月末日を中日とする3日間）	プチュム・バン
10月15日	シハヌーク前国王記念日（命日）
10月29日	シハモニ国王即位記念日
11月9日	独立記念日
11月26・27・28日** （陰暦12月の満月の日を中日とする3日間）	水祭り

出所：カンボジア政府発表
注1：*　4月13～15日の年もある
注2：**　太陰暦に従うので、太陽暦における日付は変動する
注3：経済活動への支障を軽減するため、2019年まで祝日であった万仏節、追悼の日、国際児童デー、国王父君誕生日、世界人権デーがはずされ、三連休であったシハモニ国王誕生日は一日に短縮された

た行事とがある。いずれの場合もそのほとんどにおいて、仏教寺院が祝いや祭りの主たる場であり、人々は寺院に足を運んで布施をし、功徳（くどく）を積む大きな機会と考えている。祝日とはなっていないが、仏教徒にとって修行期間として重要な雨安居（うあんご）が始まる日（陰暦八月下弦一日）と終わる日（陰暦一一月の満月の日）、そして雨安居が明けて一ヶ月以内に行われる僧衣献上祭もまた盛大な仏教祭で、多くの人出がある。

ただし、雨季の始まり頃に行われる王室始耕祭は寺院を舞台としない行事である。王宮前広場にて儀礼的な耕起が行われ、王室の牛が七種の食物（米、トウモロコシ、豆、胡麻、酒、水、草）のうち、どれを食するかによってその年の農業および社会全般の安寧を占う。牛が米、トウモロコシ、豆を食した場合、その年は豊作が予想されるという結果となる。

伝統的な行事の中でも、三連休となる大きな祝日は、四月のカンボジア新年祭、九月〜一〇月頃のプチュム・バン、一一月頃の水祭りの三つである。こうした連休は、普段親と離れて暮らしている人も帰省し、家族親族が集まって食事をしたり、旅行に出かけたり、近隣の人々と伝統的な遊びや踊りを楽しんだりなど、行楽や団欒（だんらん）の機会となっている。

カンボジアの一年はもともと陰暦一月に始まったが、現在は太陽暦の四月中旬に固定されている。仏暦も干支もこの日に改まる。この時期は農閑期であり、一年で最も暑い季節でもある。寺院への布施の他、仏塔をかたどった小さな砂の山を形作って功徳（くどく）を積む。寺院では仏像に、家では椅子に腰掛けた高齢者に水を静かに注ぎ掛ける習慣がある。また、地方によっては互いに水を掛け合い、まもなく到来する雨季の豊かな降雨を願う。

プチュム・バン

雨季まっただなかに行われるプチュム・バンは、仏教徒カンボジア人にとって最も重要な祭りの一つである。プチュム・バンという語には、本来「集める」という意味がある。かつてポル・ポト時代に一旦壊滅状態になった仏教が復興し始めた時代、まさに文字通り人々の団結心を集め、まずはプチュム・バンを復活させることによって、人々は仏教徒共同体を再建したのであった。プチュム・バンという行事自体は陰暦一〇月満月以降の一五日間にわたって寺院に布施をする一大祭日期間であり、最終日が最も盛り上がる。暦上で祝日となっているのは、最終日の前後三日間である。各寺院を支える世帯住民があらかじめ一五日間の担当日を割り振り、当日の布施に責任を持つ。当番の家族は前日から材料を仕込み、当日は暗いうちから調理に取り掛かる。寺院に運ぶ代表的な料理はカンボジア風カレーで、フランスパンか素麺のような米粉の柔らかい細い麺と食す。この期間、在家信徒が持ち寄った料理の他、果物、バナナや豚肉を巻き込んだ俵型のちまきや三角形の蒸し菓子など伝統的な菓子類も寺院にあふれる。人々は地元の寺院のみならず、普段なら行かない遠くの寺院まで、晴れ着を着て出かけ、布施をし、またそこで一緒に食事をする。多くの寺院と僧侶を物質的に支えることにより大きな功徳を得る機会であると同時に、楽しい物見遊山の機会でもあるのだ。プチュム・バンは本来的には、日本のお盆（盂蘭盆会）と同様の、祖先祭祀の儀礼であり、積んだ功徳を祖先に回向するという意味合いがある。さらに期間中、夜明け前の暗いうちに、人々は寺院に出かけ、暗闇に漂っている、生前の罪のためにまだ成仏できない無数の霊に炊いたもち米を団子状に丸めたものを投げ与える。

雨季の終わり頃の陰暦一二月に行われる水祭りとは、川で行われる競漕祭で、プノンペンの王宮前付近で行われるものが有名である。似たような長形ボートの競漕はタイや中国、西南日本にも見られ、水の神信仰と関連があると言われる。メコン・トンレサープ水系から多大な恩恵を受けているカンボジアのも同様であると考えられるが、かつてアンコール王朝時代にトンレサープを攻めのぼってきたチャムの水軍をカンボジア人が討ち破った史実にもとづくとも、悪霊払いの要素があるとも言われている。中日の満月の夜には、収穫したての米を煎って搗いた菓子を食べ、月を拝むという習慣がある。水と月の両方が祭りの対象となっており、複数の信仰体系の混合ではないかと考えられる。

カンボジアの伝統行事の他に、華人系住民の行事も広く受け入れられている。年に数回祝われる節句の中でも、特

競漕祭

に一月末か二月初めの春節の祝いは盛大で、暦では祝日ではないが記載がある。プノンペンの街を龍舞が練り歩き、ホテルの中庭などでちょっとしたアクロバットを披露し、ご祝儀をもらう。九月の中秋節前後には月餅があちこちで売られる。

クリスマス・イブに大きなカトリック教会に行けば、信徒が大勢集まっているのを目にするだろう。カンボジアの古典演劇かと見まがう衣装をまとった演者が、伝統的なカンボジア音楽の伴奏を背に、にわか仕立ての舞台上で演じているのは、キリスト降誕劇だ。一方、都市部のショッピングモールや高級スーパーにはクリスマスらしいイルミネーションが輝き、子ども用のサンタクロース衣装があちこちで売られる。宗教的意味はさておき、クリスマスは、都会に住むカンボジア人にとって一つの楽しみの機会として認識されつつある。

（高橋美和）

17

家族のつながり方

★婚姻と世帯★

一九九〇年代後半、筆者が知り合った王立プノンペン大学の若い講師と学生三人（全員男性）が、揃いも揃って皆「末っ子」であるということがある時判明して驚いたことがある。これは全くの偶然とは言えず、ある意味でカンボジアの家族の一側面を表している。当時は、地方出身者の大学進学率が低く、進学したとしても一家族でせいぜい一人か二人だったのだ。一九八〇年前後生まれの当時の大学生たちの世代はきょうだいが多かった。末っ子たちの親は高齢であるかすでに死亡しており、長兄姉は親ほどに年が離れている。兄や姉に経済的な余裕が多少ある場合には、家に寄宿させてもらい、学費や生活費の面倒をみてもらうという選択肢があるわけである。進学先の都合でおじ・おば宅に寄宿するケースもごく一般的である。

国勢調査によれば、カンボジアで最も多い世帯構成はいわゆる核家族であり、その点では日本の家族のあり方に似ている。しかし、その他の世帯構成は非常に多様であり、実際に調査してみると、世帯メンバーが柔軟に変化すること、つまり流動的であるという点でだいぶ違う。日本では、家族すなわち世帯であるのに対して、カンボジアの場合は日本社会で通常「親戚」

に分類される人が世帯に入ったり抜けたりすることが非常に多いのだ。

このことは、カンボジア語の家族関係の語彙にも表れている。日本語では家族と親戚は区別されるのに対し、カンボジア語には日本語の「家族」と「親戚」にぴったりと当てはまる日常語が無い。同居する親子や兄弟姉妹、つまり日本語で言う家族をカンボジア語で同様に使うことは一応できるが、文脈によっては配偶者もしくは配偶者と子を意味する。「あなたには家族がもういますか」という質問は、「あなたは結婚して所帯を持っていますか」に相当する。だから、もしあなたが独身なら、「いいえ、まだです」と答えなければならない。一方、よく耳にする語に「きょうだい」という語がある。狭義では兄弟姉妹を意味するのだが、親兄弟や姻戚関係にある人々も含む親戚という意味でもしばしば用いられる。「私たちは互いに『きょうだい』だ」という表現には、いざというときには頼りにできる、温かみのある人間関係が示唆される。さきほど、世帯の構成が流動的と書いたのは、こうした「きょうだい」が一定期間同居することがしばしばある、という意味である。

結婚後の夫婦の居住場所は、①妻方に住む、②夫方に住む、③新居に住む、の三通りがある。まず①か②を選択し、お金がたまったら新居を建てて③、という方法もある。最初から③であっても、その村は妻方の村である場合が多い。農村部で話を聞くと、「この家は私の母の家です」と話してくれる女性によく会う。つまり、カンボジアでは、結婚後に夫が妻方に移って妻の両親らと同居する、①の妻方居住婚が優勢であることを示す。結婚後どこに住むかは他の家族成員の人数や農地などの状況次第であり、拘束的な規範があるわけではない。とはいえ、やはり妻方居住の傾向は強いようで、娘の父親が求婚者に無理難題をふっかけて将来の婿を厳しく選別しようとする「義父の婿選び」なる民話があるくらいである。

伝統的には、当人同士で相手を選ぶ恋愛結婚は少なく、親や親戚を仲介者とする紹介婚が圧倒的に多かった。紹介婚では、イトコ、ハトコ、その他の親族間結婚も珍しくなく、この点は今日も同様である。

年越しパーティーに集まった親戚たち

タケオ州における筆者の調査村で夫婦の出身地を調べたところ（二〇二二年）、村内出身者同士の村内婚が最も多いが、村外者との結婚に関しては、夫が村外出身者である結婚がその逆よりも圧倒的に多く、しかも州外など遠方出身者もかなり多い。つまり、男性の結婚による移動範囲は概して女性よりも大きい。これまで、カンボジアの親たちは、進学、就職、結婚等で息子が実家を遠く離れることをよしとしていたが、娘がそうすることには抵抗感が強かった。その結果、娘たちは結婚後も親と同居するか親の近所に住み続け、母や姉妹といった女性親族との繋がりを保ちながら一生暮らしていくことが多かったと言える。

しかし、近年、状況は大きく変化しつつある。都会での就労や進学で故郷を離れる若い男女が増えている。移動の増加は男女の出会いの機会を増やすだけでなく、結婚に対する価値観を変えていくだろう。筆者の前述調査でも、二〇代の夫婦のみ、紹介婚よりも恋愛婚が数で上回っていた。

ところで、カンボジアには「家名を継ぐ」という考え方は、少なくとも一般庶民の間には存在しない。現代のカンボジア人は姓を持つが、父系か母系で代々継承するような「一族の名」ではなく、何々家自体がないのである。親と同居し老後を見るのは末っ子であることが比較的多い。農地に関しては原則として均分相続で、子どもが結婚する際に親から分与されることが多い。このように一系的な系譜意識が非常に希薄である一方で、傍系親族の認識幅は日本などと比べると非常に広い。イトコ、ハトコの他、ハトコの子ども世代同士を意味する親族名称もあるほどだ。

高齢者は敬いの対象である。カンボジアでは、子世代がお金を出し合って、老親に対して長寿祈願の盛大な儀式を行う習慣がある。僧侶を数名自宅に招き、多くの布施をすることで多くの功徳（くどく）を積み、この功徳を親に贈ることによって、敬老と感謝を形にし、親の長命を願う。親にとっては、子孫に恵まれた幸せな老後をかみしめる儀式でもある。しかし、今後は儀礼の規模縮小を余儀なくされるかもしれない。

というのも、二〇〇〇年に四・〇であったカンボジアの合計特殊出生率が二〇二一年には二・七となり、少子化が明瞭であるからである。これに伴い高齢者比率も徐々に上昇している。こうした人口学的変化は家族のあり方全体に大きな影響をもたらす。公的な社会福祉・保障システムが脆弱な中、これまでは家族や親戚の相互扶助がセーフティーネットとして機能してきたが、今後の機能不全が憂慮される。この状況下、カンボジア政府の「高齢化に対する国家政策」が、二〇一八年に始動したところである。

（高橋美和）

暮らしのマナーのうつりかわり

コラム8

上田広美

日々の暮らしで気を付けるべき点は、内戦前から現在に至るまでどのように変化してきたのか、プノンペン在住のマロムさん（一九六〇年代生まれ）の体験をうかがってみた。

問　お寺にお参りする時には、どんなことに注意すればいいですか？

答　とくに女性は、露出の多い服装は避けてください。また、僧侶の体に触れないようにしてください。男性も女性も、僧侶より身を低くしていてください。寺院に入るときは帽子をとってください。また、本堂にあがるときには、履物を脱いで階段においてください。高価だったり新品の靴の場合には、なくなるといけませんから、同行した人が交代で番をするか、そこにいる下足番の子どもに番を頼んでおき、帰りにはチップを渡すとよいでしょう。

問　托鉢には、どうやってお布施をしたらいいですか？

答　朝の一一時頃までは、僧侶が托鉢に歩いています。トアンマユット派の僧侶は門前までおいでになることはないので、もしお布施したい場合には、待ちかまえておき、僧侶が近づいたら駆けつけてお布施をしましょう。モハーニカイ派の僧侶は家ごとに門前で立ち止まって

お寺に行くために正装する（提供：Pov Seyha）

朝の托鉢の様子

くださるので、慌てずにお布施ができます。

どちらの派の僧侶に対しても、お布施をする際には、まず履物を脱ぎます。鉢にご飯を入れ、頭陀袋（肩下げ袋）におかずの入ったビニールの小袋を入れます。小坊主がついている場合には、その子の頭陀袋に入れます。現金をお布施することもできます。

お布施をすると、僧侶が祝福のお経を唱えてくださいます。お経が終わり僧侶が立ち去るまで、跪いて合掌したままでいてください。僧侶が玄関口にいらしてもお布施できない場合もあると思いますが、その時は、「まだなんです、お坊様」と言えば大丈夫です。

問　道を歩くとき、何に注意すればいいですか？

答　おしゃべりしながら歩いてはいけません。たいへん危険です。そもそもカンボジア人は歩くのが好きではないので、歩きやすさは重視されていません。歩道は、物売りの屋台が商売する場所、車を駐車する場所、鉢植えを置く場所になっています。

人と会って話すなら、屋台カフェや飯屋がいいでしょう。とくに朝食はビジネスの場所になっています。昼食は家族としっかり食べる時間、夕食は普段会えない友人たちと楽しく食べる時間です。

朝食は、コーヒーのおともとして、最新ニュースを交換する時間です。話題は政治から地域の犯罪まで多岐にわたり、とくに汚職や不正の話は盛り上がります。九時半以降の朝食の場は、いろいろな問題解決の商談の場になります。各種申請や商売に必要な承認のサインをもらおうと交渉している人が多いです。

問　知人のお宅を訪問する場合、手土産には何を持っていったらいいでしょうか？

答　一九六〇年代は、知人のお宅を訪問するのは、目上の人に敬意を表するものでした。手土産はバター、酒、ビスケット、リンゴなど舶来ものが人気でした。一方、田舎からくる親戚は、手作りのちまきや菓子を持ってきたものでした。若い人の誕生会などでは、香水、仕立てるための布が手土産でした。

現代では、法事やお祝いなどにお呼ばれしたら、金一封を持っていくのが大事です。その家に病人がいるとわかっていたらリンゴなどの果物や牛乳でもよいでしょう。田舎ではサム

朝、コーヒーとともに出勤前のひととき

ロー（カンボジア風スープ）をつくって鍋ごと持っていくこともあります。

今のカンボジアでは海外に親戚がいることが一般的なので、そういう家にお呼ばれすると逆にお土産をもらうこともあります。また、記念日などのお祝いごとは、自宅ではなくレストランで行うことが多くなりました。

問 カンボジア人にとって食事はどんなものでしょう？

答 私が子どもだった頃、自宅で食べるのは昼食と夕食だけでした。朝は、学校に行く子どもにお小遣いをあげて、粥やパンを買い食いさせていました。子どもも現金をもらった方がお菓子やアイスを買えるので喜んだものです。

前の晩の米飯があまっていたら、醤油や魚醤で炒めて食べることもありましたが、それは外出しないで家にいる主婦やお手伝いさんだけでした。日曜の朝食は父とクイティアウ（米粉麺）屋に行ったものでした。母は節約したいのかあまり同行しませんでした。

かつて昼食は家族の大切な食事でした。子どもは学校から、父は職場から帰宅し、二時までの昼休みには、みんなで食卓を囲みました。一家の主人である父が水浴びして部屋着に着替えてゴザに座るまで、他の家族はごちそうを並べて座って待っていました。父は、飯とおかずを少しとりわけて先祖にお供えし、それから食事を始めました。あまりおいしくなかったり、代わり映えがしない料理だと、父は、もっと他の材料を買って、レシピを見て作るように助言したものでした。

父が食べ終わって昼寝をしに自室にひきこもると、母は子どもたちに食べ終わらせてから、お手伝いさんにあれこれ買い物を言いつけたものでした。母は、父の前ではあまり話しませんが、子どもの教育に責任をもっていました。食

コラム８

暮らしのマナーのうつりかわり

事のときも、父は「もっとたくさん食べなさい」しか言いませんが、母は「サムローをかきまわして、肉を探すんじゃない」「口にものをいれたまましゃべるんじゃない」「音を立てて噛むんじゃない」「スプーンを噛むんじゃない」などしつけにきびしかったです。食事の前後に合掌するのは、来客がある時だけです。

お客としては、あまりたくさん食べてはいけません。がつがつとしているように見えて品位にかかわります。夕食は家族がそろうことはあまりありませんでした。

その後戦争になり、ポル・ポト時代には、全員が合同食堂で薄い粥を食べました。

現在では、以前と異なり昼食も一緒に食べることはありません。職場に弁当を持って行ったりしますし、ゴザに座ることもありません。口にものをいれたまましゃべるし、椅子に座って脚を組んだり、貧乏ゆすりしながら食べることもあります。全員がそろわなくてもばらばらに食べます。要するに、家庭の食事の重要性が減ったということです。外食の方が価値があるのです。

問　どういう場合に奢らないといけないのでしょうか？

答　誘った人が奢るのが原則です。しかし、外国人、海外から帰ってきたカンボジア人、土地を売ったり、くじにあたったり何か特別な収入があったと知られている人がいたら例外で、そういった人は奢ることを期待されます。外国人は、自分から食事に誘う場合には奢るつもりでいた方がいいでしょう。

上司に誘われたら、あなたが奢ることが期待されています。食事の量が少なくて安く済んでも、二次会のカラオケの支払いが期待されていることもありますので、注意しましょう。

問　タブーはどんなものがありますか？

答　護符として刺青をしている人にとっては、ひょうたんはタブーです。せっかくの霊験あらたかな刺青の効能が消えてしまいます。外で食べる炒め物に、冬瓜ではなくひょうたんが混じっていないかよく注意しましょう。

頭は常に注意が必要です。他人の頭の上を通るようにして、ものを手渡してはいけません。

バナナの木を窓の近くに植えてはいけません。バナナの木経由でお化けが家に侵入する可能性があります。

寝ながら刺繍してはいけません。

夜に掃除してはいけません。

火曜日に葬式をしてはいけません。

問　お見舞いにはいくべきでしょうか？

答　病人のお見舞いにいくのはとても大切です。入院している場合には、見舞い客が多いと、医者がその病人に心を配ってくれます。自宅療養の場合にも、病人は見舞い客が来ることで力づけられるものです。経済的に余裕のない人やお年寄りには現金を、そうでない場合には、果物を持って行きましょう。あなたがお見舞いにいったかどうか、病人もその家族も決して忘れません。

問　夢を気にする人が多いのでしょうか？

答　宝くじを買う人は夢をとても気にします。それ以外にも、本人や家族が入試や昇進の試験や大きな取引や大事な計画や結婚をひかえていたら気にします。宝くじが得意だという人によると、夢に線路が出たら一一、メガネが出たら〇〇か八、バイクタクシーが出たら倍数、アヒルが出たら2（アヒルは2に似ているから）という意味だそうです。

18

人生における二大儀礼

★婚礼と葬儀★

カンボジア人は、人生の節目となる儀礼を盛大に行う。中でも婚礼と葬儀はとても重要だ。

結婚は伝統的には、親戚が縁談話をもちかけ、双方の親が承諾して話を進め、当人同士はそれに従うもの、ということが常識としてあった。年齢も、とくに女性であればなおさら、一七、八歳になれば親は結婚相手について考え始めたものであった。現代の青年たちは、男女ともに高校、大学まで進学を目指したり、長く働ける仕事を見つけたりと生き方の選択肢を広げており、結婚年齢にしても結婚相手の見つけ方にしても自らの意志で決める傾向にある。地方はより伝統が残っていると思われがちだが、都市部の工場等へ働きに行くことが増えていることもあり、職場で出会って恋愛から結婚に至ることも多いと聞く。また、アメリカやオーストラリアなど海外に親族がいる場合は、その地に移住したカンボジア人との縁談話もしばしば持ち上がる。

結婚についての考え方が多様化しても、相手が決まってから婚礼に至るまでの手順は、伝統的に行うことが好まれている。それはまず、男性側の口利き役（親族の女性であることが多い）

新郎新婦とそれぞれの付き添い人（提供：Lao Sokheng）

が、女性側に挨拶をしに行くことから始まる。そして、結婚式の半年から一年前には結納式が行われる。このときに、当人同士の意思を確認し、親族同士が顔を合わせ、結納金の額を相談する。同時に、指輪の交換を行う場合もある。結納金は、男性側にかなりの負担を強いる。地方でも八〇〇〇ドル程度、都市部では二万ドルを超えることもあるという。年々上がっていく結納金の相場は、いわゆる適齢期の息子がいる家庭には頭の痛い問題だ。

婚礼の儀は通常、雨季の明ける一一月からカンボジア正月にあたる四月中旬までの間に行われる。僧侶も招くため、僧侶が寺にこもる雨安居（七月中旬から一〇月中旬）にはあまり行わない。会場は多くの場合、新婦側の家である。新郎は、式の前日に新婦の家の近くに場所を確保し、花婿行列の準備をする。そして婚礼の当日、アチャーと呼ばれる祭司、新郎の付き添い人、胡弓に似た楽器トローと銅鑼をならす楽士らに先導され、菓子や果物などの贈り物を載せた盆を捧げ持つ親族や知人とともに、新婦の家まで列をなして歩いていく。新婦側が新郎側を迎え入れると、先祖の霊へのお供え、僧侶の読経、悪霊や災いを祓うための「髪切りの儀式」、その他、子孫繁栄を願う数々の儀式が執り行われる。

伝統的な婚礼は三日間を要し、儀式の合間には参列者に対して食事がふるまわれるのがしきたりであったが、現在では、儀式と披露宴を一日にまとめて行うことが多い。披露宴の会場も独特で、新婦の家の敷地内か、そうでなければ家の前の道路にはみ出すようにテントを張って会場を設営し、八人程度が座れる円卓を並べる。会場脇にはいくつも大鍋が並び、雇われた調理人が大量の食事を作っていく。招待客は、会場に入ると順に円卓に座り、円卓の椅子が埋まったところで運ばれてくる料理を食べ、ご祝儀を渡して帰る。余興や祝辞があるわけではなく、気軽な食事会といったところだ。親族や親しい友人に限らず、近隣の人も招くし、招かれた人が知人を連れて行ってもよいなど招待の仕方がとても自由だ。食事がひととおり終わると、みなで輪になって踊ることもある。道路で行う場合には地元当局の許可は得るものの、しばしば渋滞を引き起こしている。だが、婚礼による渋滞に腹を立てる人がいないのは「お互いさま」という感覚だろうか。カンボジア人のおおらかなところだ。都市部では結婚式場も次々とできており、こうした式場やホテルの会場等を借り切っての披露宴も流行してきている。また、プロのカメラマンに依頼し、儀式から披露宴を撮影、婚礼衣装姿で公園や遺跡での記念撮影を行って、豪華なフォトアルバムやBGMつきのDVDに編集することも好まれている。

一方で、華やかな結婚式はせず、親族や親しい近隣の人だけで集まりささやかに婚礼の儀を行う場合もある。この場合も新婦側の家で行い、儀礼は祭司が取り仕切る。僧侶を招いて経をあげてもらい、先祖の霊に供物を捧げる。祭司は新郎新婦の手首に吉祥糸を巻いて祝福し、檳榔樹（びんろうじゅ）の白い花を撒いて将来の幸せを願う。ひとつの房にたくさんのつぼみを含んだ檳榔樹は、子孫繁栄の印でもある。儀式が終わると、近隣の女性たちによって準備された料理をみなで食べる。派手なところのない、身内に見守られての婚礼は穏やかで温かみがあるものだ。こうした婚礼の儀は、カンボジア語で「ご先祖に

寺院の敷地内に建てられた個人の墓

高僧の火葬式で、棺を載せた巨大な乗り物が行く

供える」という呼び方をし、新郎行列から始まるいわゆる「結婚式」を示す言い方とは区別される。

人が亡くなる際にも、さまざまなしきたりがある。自宅で家族が看取る場合には、祭司が経を上げ、いまわの際にある人に聞かせるということをする。この世の煩悩を引きずることなくあの世へ旅立てるよう説くのだ。そのようなときに、家族がむやみに声をかけて呼び止めるのはよくないという。魂が迷ってしまうからだ。呼吸が止まったのを確認すると、遺体の目を閉じ、手を胸の前に合わせてやる。口に硬貨を一枚入れて送り出すという風習があり、これは、故人の口に入れた金銀が神聖なものとなって何か危機が起きたときに残された家族を助けてくれるという、故事に基づく言い伝えによるものだ。今はカンボジアでは紙幣しか流通していないので、このために金や銀で作られた硬貨が売られている。

多くの人が信仰する仏教では葬儀は火葬で、死後数日以内に行われる。家の前にはワニ旗と呼ばれる白い旗が家の前に立てられる。遺体は、大きな蛇の装飾を施したトラックに乗せられ、親族や故人に縁のある人々の行列とともにゆっくりと火葬場へ向かう。火葬が済むと、骨はココナツの汁で洗われ骨壺に収められる。骨壺は、寺の敷地に仏塔を建てて納めて置くこともあるし、家に持ち帰ってもよいし、寺に預けてもよい。葬儀に際して遺族の誰かひとりが髪を剃り、男子の場合には一日あるいは数日間出家する。

葬儀の後は初七日があり、その後は一〇〇日目の法要と、一周忌を行う。これらの法要でも僧侶を招いて経を上げてもらい、親族や近隣の人々に食事をふるまってひとときを過ごす。一周忌が終われば、その後は、故人の霊も先祖の霊も一緒に毎年の盆に戻ってくるのをお迎えすることとなる。

火葬でも特別なのは、高位にある僧侶が亡くなった場合である。棺に納めた遺体はレンガで作った安置所に納めておき、一～三年後にあらためて火葬儀礼を行う。金色に塗られた棺は、鳥のような姿をした神話上の動物を模して作った乗り物に載せられ、大勢の僧侶の行列とともに火葬場へ向かい、村人たちがそれに続く。火葬台も鮮やかに彩色された特設のもので、そのまわりでは芝居や音楽、踊りなどが催され、屋台も出る。神様に似せた人形の着火装置を使って棺に火がつけられると、花火が上がり、賑やかさは最高潮に。一週間ほどかけて執り行う大々的な祭りである。

婚礼や葬儀で家族の構成が変われば役所に届け出をするのだが、こちらはつい後回しになりがちだ。人生の節目に大切なのは、先祖の恩を思い起こし、家族を見守ってくれるようお願いすること。それは、カンボジア人の暮らしを精神的に支える大切なことである。

（福富友子）

19

布のマジック

★衣服の変遷★

暑い気候の土地だからといって、いつでもどこでも軽装が許されるとは限らない。冷房完備とは限らない職場では、ネクタイや背広こそ珍しいが、ぴしっとアイロンのかかった白いシャツ、女性は長いスカートが一般で、Tシャツにジーンズ、襟が大きく開いたブラウスに短いスカート、女性のパンツスーツといった服装はあまり見られない。学校では、小学生から大学生まで白か薄青のシャツに黒か紺のズボンかスカートの制服を身につけている。祭りがあれば、寺には白いレースのブラウスに伝統的なスカートの女性たちがあふれる。古典舞踊など伝統芸能の舞台に限らず、雑誌のグラビアで微笑む若い歌手や俳優も、一般の結婚式の新郎新婦も、スーツやドレスではなく、色鮮やかな絹で身体にぴったり合わせて作られた華やかな伝統衣装に身を包んでいることが多い。

一三世紀末、元朝からの使節に随行した周達観は、アンコール期の社会の様子を『真臘(しんろう)風土記』に記している。人々が身分に応じた品質の布を身にまとい、頭にまげを結い、国王は頭に金冠を、手足に猫目石をはめた金の輪をつけている様子が描かれている。このような姿は、アンコール遺跡群に残る浮彫りに

シアムリアプ州のボー寺院壁画にある昔の女性の身だしなみ

も見られるが、現在の「伝統的な正装」は、より後代にフランスの影響も受けたと考えられる。

一九世紀以降の衣装についての聞き取り調査をまとめたレイヨム出版の『装いの変遷』(二〇〇三)によれば、男女とも日常的に身につけていた布は、あらかじめ切ったり縫ったりして形を作るより、着る際に巻いたり折りたたむことで個々の体形に合わせて調節していた。おもな着用方法は、端を縫い合わせて長方形の輪にした布をはき、腰のサイズに合わせて余りを折りたたみ、スカート状にそのまま下に垂らすか、縫い合わせていない一枚の布を腰に巻いてから、身体の前面で両端を合わせ細長く巻いた後、股の下をくぐらせズボンのようにして(チョーン・クバン)いた。それぞれ着用方法に合った布の柄が決まっているが、いずれの方法も布の種類によっては普段着にも高級な外出着にもなり、チョーン・クバンは後述する詰襟シャツと合わせて王族に謁見する場合などの正装ともなる。また、フランス

クロマーの使い方さまざま

統治期に洋風のズボンが入る前は中華風ズボンが着用されており、五つの縫い目があるものは五縫いズボンとも呼ばれている。上半身用の衣服としては、仕事着、部屋着、外出着として年齢を問わず着用できる筒形シャツ、祭事用の服として流行したマレー風シャツ、脇にスリットが入った丸首の中華風シャツ、フランス風のマティネー服などが次々と現れては時代遅れとなっていった。また、長袖、腰までの長さで厚い生地で作られた詰襟シャツもチョーン・クバンと合わせて役人が着用するようになり、のちに白い帽子、靴も加わった。

フランスの保護国になってから、都市住民やフランス人のもとで働く人などを中心に開襟のシャツやブラウス、ワンピース、洋風の長ズボンなどを着る者も現れたが、国内での仕立てが可能になるまでは、カタログを見てフランスから船便で取り寄せていた。布を測るための基準もフランスの度量衡が採用されたがすぐには定着せず、布の売買では、肘から指先、握った手の幅、手を広げた指先の長さなどを利用して測っていた。

仕事着としては汚れが目立たず、稲の生長にも縁起がよいとされた黒い服が好まれていたが、正月、盆などの祭りには赤、黄、青、緑など明るい色の服を身にまとう人々の姿が見られた。また、日曜は赤、月曜は橙色といったように曜日ごとに決まった色があり、祭りのときだけではなく運気を上げるためにその日の色の服を着ることが好まれた。一九五一年の新聞『カンボジア』の「黒は伝統的に好まれなかった不幸の色」と題した記事は、黒は喪に服すための色あるいは宗教的な色と理解されやすく、光を吸収するため暑い気候には向かず、汚れが目立たないため不潔になりやすい色であることを理由に、独立を果たしこれから発展しようとする文明国の国民の衣装としてはふさわしくないとし、着用しないよう勧めた。この記事は外国人の目を気にしたものであったが、その後、雑誌『ニアリー』は黒いスカートはどんな色のブラウスにも合わせることができ、汚れを気にせず働くことができ、洗濯を繰り返してもあまり落ちない色だとして実用的な面から黒を擁護し、逆に白については、葬儀で用いる布の色であることから死を連想させる特別な色だと反論している。

　他にも日常的に身につける布として、クロマーという格子柄の布がある。たった一枚の布ながら用途は実に幅広く、風呂敷のように荷物を包んだり、ヤシの木に登るときなど両手を空けて物を運ぶためのベルトにしたり、日除けの帽子代わりにしたり、子どもを寝かせるハンモックにしたり、男性が家のまわりでの仕事や水浴びのときに衣服として着ることもできる。過去の伝統や文化が否定されたポル・ポト政権期には、特別な式典などの場合を除き全身黒ずくめの服を着用していたが、クロマーは赤と白など色のついたものを首に巻いていたようである。

　今でも年配者には愛好者がいるが、かつての既婚女性は歯を丈夫にするといって檳榔樹（びんろうじゅ）の実をキンマの葉に包んで噛んでいたため、歯が黒く、口が赤くなっていた。また、二〇世紀初頭まで既婚女性は短髪が多く、長い髪を結っている女性は未婚とわかった。一九四〇年代から都市の人々はパーマもかけるようになり新しい髪形も増えたが、伝統的に髪は人生の節目の象徴とされ、子どもが生まれてから一定の間隔で髪を切ったり剃ったりする儀式があった。結婚式にも髪を切る儀式があり、今では形を真似るだけのことが多いがかつては実際に切っていた。他にも神仏に願掛けをするときには、普通の願いごとの場合には果物やアヒルを供えるが、特別の大事な願いごとの場合には髪を切ったり剃ったりして供物としたり、家族が亡くなったときに、その亡くなった人に近い家族が弔いの炎の前で髪を剃り、喪に服すとともに、亡くなった人に対する供物として捧げる。寺院にはその形からワニ旗と呼ばれる幡（ばん）が飾られているが、白い幡が出ているのは葬儀を行っているしるしである。


（上田広美）

20

自然をおいしく食べる

★食生活の基本★

カンボジアの食生活の基本は米だ。米がなくては始まらない。おかずは少なくてもかまわないが、主食となる白いご飯は十二分に必要である。カンボジアにおける米の消費量は世界的にも知られており、一ヶ月に大人ひとりあたり一四～一五キロは食べているようだ。米はインディカ米の長粒種で、「ジャスミンの花」「ショウガの花」など、花の名をつけた品種が多く、芳ばしい香りが人気だ。沸騰した湯に入れて煮て、ゆで汁を捨てる従来の湯とり法で炊くと粘り気の少ないぱらりとした食感だが、昨今では炊飯器が普及してふっくらと炊けるようになり、それもカンボジア人の好みになってきたようだ。もち米は普段の食事には用いず、お盆の時期にお供えとして作るちまきや、菓子に使う。

朝は、食堂や屋台へ行くとカンボジア定番の朝食を知ることができる。まずは粥。干物と一緒に食べる白粥と、肉や野菜を入れて炊いた具沢山の粥がある。米麺クイティアウは、練った米粉を蒸して作った麺で、豚肉入りや鶏肉入りなど、具を選んで注文する。焼き豚、または焼き鶏をのせた白飯とスープのセットは、仕事前にしっかり腹ごしらえするのに人気がある。

トンレサープ湖の魚を中心とした食事

こうした食堂で、コンデンスミルクを入れた濃いコーヒーを飲みながらゆっくり時間を過ごす人を多く見かけるのも朝の風景だ。

昼食と夕食は家庭で、カンボジアならではの素材を利用した料理を作って食べる。カンボジア人の大多数を占める上座仏教では食べ物についての制約がないので、魚、肉、卵なんでも食べる。食材の代表は、なんといっても魚だ。市場には、トンレサープ湖やメコン川で獲れたばかりの種類豊富な淡水魚が売られている。沼や水の引きかけた田んぼで魚を捕まえることもよくある。魚は、野菜や香草と合わせてさまざまなスープに、また、焼き魚や揚げ魚、蒸し物にもする。日常的にもお客を迎えるときにも好まれるのが、焼いた魚をすりつぶして作るつけ汁にさまざまな野菜を合わせて供する料理だ。焼き魚の身をほぐし、魚の発酵食品であるプロホックや、ニンニク、タマリンドの果実などをつぶして混ぜて水でのばしたつけ汁を、ナスやインゲン、キュウリ、苦みや酸味のある木の若葉、食用の花などたっぷりの野菜にかけて食べる。色鮮やかな野菜や花で目にも楽しい一品である。

鶏は、羽をむしっただけの丸鶏が市場に並んでいる。買うと決めると、内臓を外し、レバーや心臓など食べられるところをお腹に戻し、渡してくれる。持ち帰ったら、腿肉、手羽など部位ごとに切り分けることから調理は始まる。生姜炒めやカレーなど鶏料理もさまざまだ。牛肉や豚肉は、大きく部位ごとに切り分けた塊で売られている。それを一キロとか半キロというように注文して買う。薄切りにしたり刻んだりしたりするのは、家に持ち帰ってからだ。豚肉については、日本ではなかなか見られない光景がある。市場には頭も並べて売っているのだ。これは結婚式や大きな法事の際に供えられる縁起もので、口には切り取った尻尾をくわえさせてあり、これで丸々一頭ということを表している。宴会や儀礼に供した後にはゆでて食べる。カンボジア料理ではいずれの肉も一口大に切るか、みじん切りにするのが普通で、ステーキのような大きな切り身を各自で食べるということはしない。

野菜には、キャベツやカラシナなどの葉物、トマトやキュウリ、カリフラワー、カボチャといった日本でもおなじみの野菜もあれば、ナガササゲや白や緑のナス、睡蓮の茎など東南アジア独特の野菜もある。タマネギやジャガイモ、ピーマンといった西洋野菜は都市部やレストランではよく使われるが、一般家庭ではあまり食べないようだ。郊外や農村部であれば、家のまわりに生えている植物を野菜として利用することも多い。たとえば、マンゴーやセンダンの新芽は生で、野生のランブータンやヤムイモは葉をゆでて食べる。他にも、酸味や苦みがあって「胸やけにいい」「利尿効果がある」などと知られる木の葉など、身近にある「野菜」はとても多い。食用の花も日常食としてあり、薄紫色が美しいホテイアオイの花、白や黄色のマメ科の花などが食卓の彩りを華やかにしてくれる。バナナの花のつぼみ（苞（ホウ）の部分）も、和え物やスープとなる。こうした花や木の芽は買うことももちろんあるが、野原や水辺で摘むこともあるし、庭があれば育てておく。近所同士で「ちょっと新芽を摘ませて」というやりとりもよくあることだ。果物も野菜と同様に扱うことが多々ある。マンゴーやパパイヤ、ジャックフルーツは、熟していない状態のものをスープの具にするし、熟したマンゴーやスイカを塩気のある干物の付け合わせとして食事時に出すこともある。初めて見ると、おかずとして果物をご飯にのせて食べることに驚くかもしれない。

特徴的な調味料は、魚を塩漬けにして発酵させたプロホックだ。塩味とともに出汁の役目も果たし、カンボジア料理には欠かせない。ただ独特の強い臭みをもつので、同じく魚から作る調味料でもくせの少ない魚醤で代用することを好む人もいる。

つぶしながら混ぜて和え物を作る

一般的にカンボジア料理は辛くはなく、どちらかというと甘みが強い。炒め物や煮物でコクのある甘みを出すのは、オオギヤシの花芽から出る蜜を煮詰めたヤシ砂糖である。どろりとした液状のものが日常的に使われる他、持ち運びしやすいよう丸く固めたもの、最近では粉末状のものも生産されている。魚のココナツミルク煮や鶏肉カレーのように、ココナツの実の中にある胚乳を削って絞ったココナツミルクを使う、まろやかな甘みの料理もある。また、暑い気候に合うためか、酸味を効かせた料理も多い。酸味の材料は、一年を通して手に入るライムの他、タマリンドの実や若葉、熟す前の固いマンゴー、柑橘類で実にぎっしりつまった種を利用するクロサンなど、季節ごとに香りの異なるものが手に入る。塩漬けライムを入れる鶏肉のスープ、クロサンの種をナガササゲや唐辛子、ニンニクと合わせた和え物などが代表的な料理だ。風味のアクセントには香草を用いる。バジルやミント、コリアンダー他さまざまあり、料理によって使い分けている。

煮る、焼く、炒める、和えるなどの調理法の中で、基本となる作業は「つぶす」ことである。石製の突き臼を使って、ニンニクや唐辛子、胡椒などをそれぞれつぶすという初歩的なことから、プロホックや酸味の素材、野菜などをつぶしながら混ぜて複雑な味を作り出すなど、つぶすことは味を作り出す大事な工程だ。そのための道具はどこの家庭の台所にも備えられている。

カンボジア料理の魅力は、自然から得られる豊富な食材によるところが大きい。それとともに、人々が自分たちの身のまわりにどんな食材がどのように存在しているかをよく知っていることからも生まれている。知恵に裏打ちされた食生活は精神的な豊かさでもあり、多少の困難があっても生活を支えられる強さでもある。

（福富友子）

コラム9

食のことば

上田広美

最も味の良い（甘い）もの、悪い（酸っぱい）ものとは何か、最も香りの良いもの、悪いものとは何か、という謎かけを題材にした民話がある。その答えは、砂糖や蜂蜜よりも誠実にかわすことばの方が甘く、ライムやタマリンドや酢よりも品のない残酷なことばの方が酸っぱく、糞や死体よりも悪名の方が臭い、ジャスミンや香水より善行の名誉の方が香り高いというものである。この謎かけのように、「甘い」「酸っぱい」は慣用表現としても多用されるが、「甘いことば」とは他人を騙すためではなく本当に優しいことばをいい、「酸っぱい顔」といえば顔をしかめた様子を指す。「甘い」「酸っぱい」以外の味覚を表すことばとしては、「渋い」「塩辛い」「辛い」「苦い」も区別され、これらを組み合わせて表現することもあるが、「うまい」に対する「まずい」がなく、「うまくない」「味がない」という。

食事は米が中心であり、日本語と同じように、稲（スラウ）、米（オンコー）、飯（バーイ）、粥（ボボー）にはそれぞれ違う語彙がある。メニューを検討すると、大きく分けて、スープ（サムロー）を代表とする熱を加えた料理と、サラダ（ニョアム）を代表とする熱を加えない料理に分けられる。熱を加えた料理は、さらに汁ものと汁のないものに分けられるが、種類の豊富さからいっても汁ものの方がカンボジア料理の中心であろう。加熱調理の語彙は、「炊く（ダム）」「ゆでる・煮る（スガオ）」「スープを作る（スロー）」の三つが中心で、「スープを作る」は「料理する」という意味でも用いられる。他に、「煎る」「焼く」「揚げる」「蒸す」「炒める」なども区別する。一方、非加熱調理の語彙は、「和える（ニョアム）」「つぶし混ぜる（ボック）」「漬ける（チロークー）」の三つが中心である。このような調理用語としての動詞はそのまま「煮もの」「和え物」といった料理名となっていることが多いが、例外は「スープを作る（スロー）」で、「スープ（サムロー）」という名詞が派生している。

レシピ集は数多く出版されているが、その多くは内戦前のものの復刻版で、単なる料理の

香味、酸味、辛味の材料

作り方というよりも、近代的な主婦学という観点から書かれており、洋風の料理のレシピや食事のマナー、テーブルの整え方なども紹介されている。掲載されているカンボジア料理の大半は、加熱された汁もの（スープか煮もの）である。しかし、レシピに従って作ってみようとすると、調味料の分量は厳密さに欠け、手順も省略が多いことがわかる。また、どこまでが「生（チャウ）」なのかという定義などもなかなか難しく、一見「生肉サラダ」に思えるレシピをよく読むと肉はさっと湯に通すことになっており、熱を加えても「完全に火が通った調理済（チアン）」の状態になるまでは「生」とみなされるらしい。

「食べる」語彙も日本語と同じく「食う」「食べる」「召し上がる」など丁寧さに応じて複数の語彙がある他、液体だけに用いる「飲む」や、薬などに用いる「丸のみする」もある。ポ

ル・ポト政権期にはこういった「食べる」語彙の使い分けは、打破すべき社会階級を表すものだとして「食べる（ホープ）」一語に簡略化されたという。そのため、日常的によく使うごく基本的な語彙ではあるが、年代によって、どの「食べる」が通常用いるもので、どの「食べる」が丁寧なものか、あるいは家庭内でのみ用いられる幼児語かという理解も異なっている。

段重ねの弁当箱に入れた供物は寺院の台所に集められる

21

伝統的な家、近代的な家

★変化する住宅事情★

カンボジアでは今、住宅事情が急速に変化している。

農村に多い伝統的なカンボジアの家屋は、木造の高床式だ。内部は板敷きの一間か、中を仕切っていくつかの個室を作っていることもある。こうした家屋では床に座って食事をするのが習慣なので、テーブルや椅子は置いていない。家具は、棚がいくつかと寝台があるぐらいだ。台所は家の中には作らず、家から張り出すように差し掛け屋根を作ってその下にかまどを置くか、単に外で調理する。敷地に余裕があれば、台所用の小屋を建てる場合もある。基本的に家屋内で火を焚かないのは、火事になることを防ぐためだ。水浴び場やトイレも、家屋とは別に屋外に設置していることが多い。高床で、地面から床までの高さが十分なら、床下を農機具置き場にしたり、縁台を置いたりハンモックを吊ったり、機織りが盛んな村であれば織り機を置いて作業場にする。適度な日陰で風も通る床下は、家の中よりも日中過ごしやすいのである。だが、今では材木の値段が高いため、家を建て直したり新築したりするときには木造よりも工費が低く済むという理由でレンガ造りの家にする人が多くなっている。

木造高床式の家

生活感にあふれる都市部のロヴェーン

ロヴェーンと呼ばれるタイプの建物は、フランス保護国時代に建てられ普及したアパートメントタイプの集合住宅で、都市部に多い。一軒はおおむね四メートルの間口に対して奥行きが一五メートルと細長いつくりだ。正面は、全体が入り口として開くよう大きな折り戸となっている。そして、入り口から居間、寝室、浴室、キッチンと奥に向かって並んでいるのが一般的だ。ロヴェーンは中二階を備えていることも多い。上階にはバルコニーや外廊下がある。内階段で上階まで通じていて縦割りの住居になっていることもあれば、各階の各部屋が個別の住居になっていることもある。奥行きのあるつくりは日差しが奥まで差し込まず、暑さの厳しい気候に適していると言える。

同じくフランス保護国時代の名残が見られるのはヴィラと呼ばれる戸建ての住宅だ。クリーム色の壁に赤い瓦屋根を載せ、アーチ型の窓、装飾の施されたバルコニーの手すりや柱が特徴的だ。自分の土地を持ちヴィラを建てて住むのは、ロヴェーンの一棟に住むよりも金銭的なハードルは高い。

こうした昔ながらの家々とは別に、この数年で都市近郊にはボライと呼ばれる新しいタイプの住宅群が急速に増えた。ボライはサンスクリット語を語源とする「都」という意味の古いことばだが、今では民間企業が売り出す近代的な建売住宅群を含む地所を示す名称となっている。ボライの敷地には、現代的なデザインの瀟洒なヴィラやロヴェーンが整然と立ち並んでいる。それぞれの建物の内部には、家具や空調、ＷｉＦｉ設備まで整えられ、調理台やシンクが一体化したシステムキッチンが備わっている。公園やスポーツジムを併設している場合もある。警備員を配置し、安心して暮らせるコミュニティーとしての機能があることも売りである。ボライは首都プノンペン郊外で開発が始まり、次いで観光地として発展を続けるシアムリアプ州や地方都市にも流行し始めた。販売価格帯は建物の種類や立地で異なるが、二～三階建ての一棟で三万ドルから一〇万ドル、あるい

新しく分譲する予定のボライの看板

は三〇万ドル以上の物件など高額ながらも幅があり、経済の発展とともに増加する中流階級層や若い世代の家庭からの人気を集めている。難を言えば、近代的で機能的という面は目立つものの、傾斜の急な階段やすべりやすいタイルの床など、子どもや高齢者に安心とは言い難い面もある。バリアフリーへの配慮が足りないように見えるのは、多世代同居が一般的であるために誰かがいつでも介助できるはずという固定観念があるからかもしれないが、今後の課題にもなりそうだ。

電気や水の供給と需要の様子も変わってきた。一九九〇年代には停電が日常茶飯事だったが、国内での水力発電と火力発電による供給、加えてタイ、ベトナム、ラオスからの輸入が進み、電力事情は格段によくなった。生活の中に電化製品が増えていくのを見ると、人々が電気を待ちかねていたことがわかる。電化製品といえば部屋の蛍光灯と扇風機、テレビぐらいだったところに、冷蔵庫や炊飯器、湯沸かしポットなどが徐々に加わり、最近では全自動洗濯機をもつ家庭も増えてきた。水も、プノンペンや地方都市では水道水の普及が急速に進んでいる。井戸水を家庭用水にしていた家では、水道を引いて炊事や洗濯、水浴などに使用し、井戸水は庭や草木への水撒きに……と使い分けている。また、飲用には20リットル入りの

室内に祀られている家の守り神

詰め替え型ウォーターボトルの利用も好まれている。都市部ではそのように水を使い分けられる一方で、農村地帯では衛生的な水を得るのに苦労し、井戸やため池、川の水に頼っている地域も多い。

生活の中で、ごみ処理はまだまだ大きな問題となっている。プノンペンでは、市から委託を受けた民間業者が市内の清掃、ごみの収集、運搬を一手に行う。各家庭では指定された曜日に家の前にごみを出しておけば決まった日に回収されることになっているが、作業が追いつかないためか、収集車が何日も現れないということがある。回収が及ばない場所では、町中の水路や空き地がごみ捨て場と化したままだ。地方でも自治体ごとの収集業者による回収が行われているが、十分には機能していないようだ。家庭ごみの量が増えた原因で顕著なのはモノを包む素材の変化だろう。市場で食料を買うと、バナナの葉や蓮の葉で包んで渡されていたのはもはや過去のことで、今ではすべてビニール袋だ。大型のスーパーマーケットでは肉や魚がプラスチックトレーに入っているし、屋台でも食堂でもテイクアウトにすれば使い捨て容器に入れてくれる。ただ、これらの容器が使われ始めた頃、食べ終わればバナナの葉同様に地面に投げ捨てられていたのが、今ではとりあえずごみはごみ箱へという意識が広まっているように見える。

カンボジアの人々は、社会の目まぐるしい変化の中で新しいものを積極的に取り入れている。そのような中で、土地や気候にあった暮らしの知恵や近所づきあいはどのように引き継がれていくだろうか。ちょっとやそっとの停電などにも動じず臨機応変に切り抜ける術は残ってほしいものである。

（福富友子）

市民の乗り物

コラム10

佐伯風土

　経済成長と所得向上による需要の増加に伴い、国内の車輌数は近年急速に増加している。公共事業運輸省によると、登録済車輌台数はこの十年間（二〇一二年～二一年）で、四輪自動車が八二％増、二輪車（バイク）が六五％増と国民所得の増加と連動して台数は伸びており、その約八割をバイクが占める。特にプノンペンでは膨れ上がった交通量を吸収できず、渋滞の悪化が年々顕著になっている。

　二〇〇〇年代から信号が導入されたもののいまだに大通りに限られ、点灯していない時は警官の交通整理に頼る。ドライバーの運転姿勢は「我先に」が基本で、少しでも隙間があれば車もバイクも間を詰める。交通事故は近年確実に増えている。国家警察によると、二〇二一／二二年比で、事故件数は二六七〇件から二九九四件、死亡者数は一四九七人から一七三九人、負傷者数は三六一五人から四〇四五人と深刻な増加傾向にある。

プノンペンの交通渋滞

　二〇一六年以降、都市部ではスマホのタク

シーアプリの普及により、タクシーの利用環境が飛躍的に向上した。自動車、カゴ型の客車をバイクで牽引するタクシーであるトゥクトゥク（タイ型かインド型）、バイクタクシーを選べる。アプリはGPS機能により、目的地を入力すれ

客待ちするインド型トゥクトゥク

ば現在地からの道順、料金、所要時間、ドライバー情報が表示され、目の前に来てくれるため場所の説明や料金交渉も一切不要だ。アプリの登場は運転手側にも変化をもたらした。以前の彼らは、人通りの多い木陰で寝そべりながら客を待つ受け身のスタイルが主流であったが、最近は地図を読みこなし、アプリを駆使して絶え間なく客を乗せることで、以前の倍以上の稼ぎを得る者もいる。利用客からの評価システムがあり、呼び出し取り消しボタンもあるため、到着が遅れる際にきちんと連絡を寄越す運転手も増えた。その一方で、三輪自転車型のタクシーで、前方に人や物を載せて後ろの運転手が人力で漕ぐシクロはバイクの普及や運転手の高齢化によって現在では激減した。

公共交通機関としては、次に述べるように整備が進んできていたが、新型コロナウイルス感染症の流行の影響で運用が休止されているも

のも多い。JICAはプノンペンの公共バス路線整備に取り組み、市内一三路線を日本援助による青色車輌と中国援助のベージュ車輌が走っている。五時半〜二〇時半まで、五〜二〇分間隔で運行し時刻表はない。運賃は大人一五〇〇リエルで、高齢者や子ども、学生、僧侶などは無料となっている。バス停が続々と整備され、プリペイドの乗車カードやバス停検索アプリも登場して利便性が向上したおかげで、徐々に利用者が増している。その他、プノンペンの川沿いを運行する水上タクシーは、二〇一八年から交通渋滞緩和策として中心部と郊外を南北に結んで運行している。トンレサープ川〜バサック川間に五つの停留所があり、毎日五時半〜一八時半に六〇人乗りのエアコン付きボートが一日往復一〇便ほど運行している。運賃は〇・五ドルである。さらに二〇一九年からモノレールや地下鉄の建設可能性が調査されている。

プノンペン駅構内

一方、地方への移動手段としては、地方空港も二つあるが、一般には長距離のバスやタクシーが使われている。バスは都市部と各地を結ぶ定期便があり、路線によっては普通仕様だけでなく観光客仕様の車輌も運行している。プノンペン―シアムリアプ路線は多くのバス会社が運行する人気路線だ。それ以外の路線では地元利用者が大半で、個人のニーズに柔軟に対応して運行される。道中、たびたび個人宅前に停車しては客の乗降や荷物の受け渡しがある。長距離タクシーは、バンなどによる少人数制で、定時または客が集まれば出発する。物流システムが未整備のカンボジアでは、長距離バスやタクシーが地方間の個人荷物の運搬や郵便類の配達を有料で担っている。生きた鶏と一緒に乗車することもあれば、誰かのバイクが車体後方に吊るされていることもある。スピードボートはトンレサープ川のプノンペン―シアムリアプ間のみ、一日一便運航されている。約三五ドルで片道約六時間。バスとほぼ同じ所要時間だが、トンレサープ湖の水上生活や田園風景を眺めることができ、観光目的でも好まれる。

また鉄道は、プノンペン駅を起点として北線（ポイペト方面）が約三九〇キロ、南線（シハヌークビル方面）が約二六〇キロ運行している。北線はフランス統治期に、南線は一九六〇年代に物資の輸送を目的に建設されたが、内戦のあった一九七〇年代に設備が破壊され荒廃した。本格的な復旧事業が国際援助により二〇〇七年から始まり、現在、旅客列車は北線が週一往復、南線が週四往復で運行している。北線は二〇一九年にタイ側のアランヤプラテートまで延伸され、内戦時代以来、プノンペン―バンコク間が鉄道で接続されるに至った。北線・南線の国内終点まで七〜八ドルでオンライン予約可能である。

歴史をたどる

左：ひいてますよ
右：まだまだ。腹の奥までくいこませてからひきあげてこそおいしいんだよ（©Em Sothya）
1999年3月15日付『リアスマイ・カンプチア』紙掲載

22

カンボジアのはじまり

★先史期からアンコール王朝の展開★

カンボジアの歴史は、先史期、プレ・アンコール期、アンコール期（八〇二～一四三一頃）、ポスト・アンコール期（一四三一頃～一八六三）、そしてフランス統治期（一八六三～一九五三）という時代区分によって捉えることができる。

先史期の人々の生活は、洞穴、環状土塁、低地野外集落、貝塚などに痕跡が見られる。カンボジア東部に分布する環状土塁遺跡群では、王立芸術大学考古学部による発掘調査が進められている。考古学者の新田栄治は、出土した豊富な土器群や磨製有肩石斧などを比較、分析した結果、これら環状土塁遺跡が築かれ機能していた年代を、紀元前二〇〇〇年紀に相当するとしている。またトンレサープ川流域中部にあるサムロン・セン貝塚遺跡を一九九九年～二〇〇一年にかけて発掘調査した考古学者リー・ワンナによれば、この地に人々が定住し始めたのが紀元前三〇〇〇年初頭頃で、狩猟採集、漁労活動、浮稲作などを営んでいたという。さらに一〇〇〇年後、人々は金属器製作技術を学び、紀元前五〇〇年前後からは鉄器やガラスビーズ等を生産するようになった。

プレ・アンコール期では、扶南（ふなん）と真臘（しんろう）という二つの勢力が知

文化芸術省が運営するアンコール・ボレイ博物館

られている。ベトナム南部に位置するアンザン省にあるオケオ遺跡からは、レンガ製の宗教建造物が多数確認され、後漢鏡、仏像、ヒンドゥー教の神像、そして二世紀のローマ金貨を改造したメダルなどが出土している。このオケオ遺跡から八〇キロ北方に向かって掘られた運河は、アンコール・ボレイ遺跡や神殿遺構プノム・ダーをつなぐものであることが航空写真によって確認されている。これらは中国史料『梁書』や『南斉書』に伝えられている扶南の遺構であると解釈されている。扶南は一世紀頃~七世紀前半までメコン川デルタ地帯を領域として栄えた古代王国であり、多くのインド文化を受容し、海上交易によって栄えた。オケオ遺跡はその外港として東西からの交易品を出土した。やがて七世紀になると、それまでの南海交易ルートがマラッカ海峡経由にとってかわられたことを契機とし、扶南の勢力は急激に凋落していく。一方、トンレサープ湖北側では、『隋書』によればその扶南の属国であった真臘が七世紀初頭に勃興した。イシャナバルマン王の都イシャナプラはコンポン・トム州サンボー・プレイ・クック遺跡群に比定されており、焼成レンガを積み上げた祠堂が多数建造された。この真臘は八世紀頃には、その交易ネットワークの違いから、河川を掌握していた水真臘と、陸路を押さえていた陸真臘とに勢力が二分されたようで、これをまとめたのが、次に登場するアンコール王朝である。

アンコール期に盛んに建立されたレンガ、砂岩、ラテライト等を主材料とするヒンドゥー教や大乗仏教の寺院は、高度約四〇〇メートルの卓状山地であるプノム・クレンおよび隣接するクバル・スピアン等北部山地を水源とするシアムリアプ川等によって形成された、南西に緩やかに下がる扇状地に立地している。プノム・クレンをはじめとして、平地上に点在する小丘はアンコール期の聖山として崇められてきた。アンコール期の開始および王の出自については諸説ある。マレーシア方面に囚われの身となっていたカンボジア王家の血筋を引く男子が、カンボジア南東部に戻り七九〇年に王として独立する。これがジャヤバルマン二世である。勢力を拡大しアンコール地域に到達、八〇二年にプノム・クレンにて自らを「世界の王」であると宣言した。これをもって一般にアンコール期の開朝としている。プノム・クレンにはレンガ造りの寺院が多数残り、前アンコールからアンコールへの過渡期を示す建築様式がうかがえる。

九世紀後半には、インドラバルマン一世（在位八七七～八八九）がアンコール最初の都城であるハリハラーラヤを築造した。アンコールの王たちは、人工的に自然の河川や天水を管理し利用するために巨大な貯水池バライを築堤する。インドラタターカ（インドラバルマンの貯水池）が最初のそれであっ

仏像破壊が確認されたバンテアイ・クデイ遺跡

た。

続いて、ヤショバルマン一世（在位八八九～九一〇頃）が、小丘プノム・バケンを中心に一辺四キロ四方の環濠に囲まれた都城ヤショダラプラを造営する。アンコール聖山の一つプノム・バケンには、頂上を利用したピラミッド式の寺院が立っている。都城を囲む環濠は巨大な貯水池と結ばれており、この貯水池はヤショダラタターカ（ヤショダラの貯水池）という名で碑刻文に現われ、現在の東バライ遺跡に相当する。東バライは現在では貯水池としての機能は失しているが、東西約七・五キロ、南北約一・八キロ、堤の幅は五〇～一〇〇メートル、高さは一〇メートル前後の規模を誇る。

貯水池の水は、アンコールの都市人口を支える農業および生活用水としても活用されていたのであろう。アンコールの人口は、巨大寺院の建設に携わった人員の試算から推定され、スールヤバルマン二世（在位一一一三～五〇頃）の治世下に建造されたアンコールワットは、その建造にあたって毎日九〇〇〇人～一万五〇〇〇人が労働し、それを支えるためには更に五〇～六〇万の人口が必要であったと考えられている。同寺院は、ヒンドゥー教ヴィシュヌ神に捧げられた宗教建築で、南北一・三キロ、東西一・四キロ、幅一九〇メートルの巨大な環濠を備える。スールヤバルマン二世は積極的な遠征と進出を繰り返し、東北タイ、カンボジア西北平原、チャオプラヤー流域、メコン下流域を結びつけて、国際交易市場におけるアンコールの位置を確立した。その強権の象徴が、アンコールワットだったのである。王の没後、ただちに各地の勢力が蜂起し、独立の戦いを開始した。王位は簒奪され、さらにチャンパーはトンレサープ湖を遡ってその簒奪王を殺害しアンコールを占領してしまった。そこにジャヤバルマン七世（在位一一八一～一二二〇頃）が登場し、チャンパーと壮絶な戦いを繰り広げた。トンレサープ湖での水上戦の様子は王が建造したバイヨン寺院の回廊に隙間なく彫り込まれている。王はアンコールをふたたび平定し王国の繁栄を取り戻したとされている。大乗仏教に帰依し、多くの仏教寺院を建造した。これらの寺院には、仏像が奉られ、また壁面にも仏像などが浮き彫りされていたはずであるが、現在それらは悉く削り取られ原形を留めていない。王の没後、ふたたびヒンドゥー教を信奉する簒奪王が即位し、その命によって大規模な仏像破壊が実施されたためだと理解されている。これは単にヒンドゥー教対大乗仏教という宗教対立だけではなく、ジャヤバルマン七世の偉業に傷をつけることによって、これから即位する新王の優越性を見せつけようとしたのではないか、とも考えられている。

（丸井雅子）

23

祇園精舎への巡礼

★アンコールのたどった歴史★

アンコールワットは、スールヤバルマン二世が一一一三年頃から三十数年かけて建立した、ヒンドゥー教の思想にのっとった宗教建築である。現在、アンコールワット内には二つの上座仏教寺院があり、さまざまな宗教儀式が執り行われている。もともとヒンドゥー教寺院であったここが、いったいどのような歴史をたどって、上座仏教の信仰対象になったのであろうか。

アンコールワットに残されたある二つの中世碑文は、後世の王による興味深い事跡について触れている。一つは、その年代が一五四六年に比定されているもので、「モハー・プスヌロークはこれらの壁面を未完成なままで終わらせている。プレア・リアチ・オンカー・ボーロム・リアチア・ティリアチ・リアム・ティパダイ・ボーロム・チャクラバール・ティリアチは即位にあたり、この壁の彫刻を仕上げるように王国の芸術家たちに命令した」と記す。碑文中のモハー・プスヌロークはスールヤバルマン二世、彫刻の命令を出した王はロンベークに都城を造営したアン・チャンである、と解釈されている。そしてもう一つの碑文では、この王命が一五六四年に完了したことを報告している。ここで彫刻を加えたのは、第一回廊（中央祠堂から外に向かって数えて三つ目の回廊）東面北半分と北面東半分部分のことである。

アンコールワットにはさらに王の手が加えられた。一五七七年の年号を刻む碑文には、（先のアン・チャンの孫にあたる）王の母が「プレア・プスヌロークで執り行われた儀式に際し、自らの神聖なる頭髪を燃やした。その灰を漆に混ぜて、バカンの仏像再建のために役立てた」ことが記されている。プレア・プスヌロークとは、われわれが現在アンコールワットと呼んでいるこの大寺院のことを指し、バカンとはその中央祠堂最上部分を土地の人たちが今も呼んでいる名前である。一五七九年の碑文では、このアン・チャンの孫なる王が「偉大なる寺院プレア・プスヌロークの最上部（すなわちバカン）を修復し、四つの仏像に奉げ物をした」と記録されている。この四つの仏像とは、現在のバ

アンコールワットのバカンには、ポスト・アンコール期に改造された痕跡と仏陀立像の浮彫が残る

線香や供え物が絶えないター・リアチ像

カン、すなわち東西南北の壁面に彫刻されている上座仏教の仏陀立像に間違いない。ここは、石の積み方を見ると、後世に柱と柱の間を塞いで壁を作ったことがはっきりとわかる。碑文を検証すると、一五八〇年頃に集中して、この中央塔バカンあたりで繰り返し王室の儀式が執り行われている。すでにこの頃、ここは上座仏教の非常に重要な聖域として機能していたのである。ちなみに、このバカンと呼ばれている中央祠堂中心部分には、アンコールワット建造当初はヒンドゥーの神像が奉られていたのではないかと想像されている。そして上座仏教の仏塔へと姿を変えたのを契機に、その神像は別の場所に運ばれた。現在、アンコールワット西側回廊に高さ四メートル近いヴィシュヌ神像が立っている。ター・リアチと名づけられたその像には、参詣する人が絶えない。

アンコールワットにある上座仏教の仏塔

ポスト・アンコール期の王たちは上座仏教の信徒でありながらも、アンコールワット建設という偉業を成し遂げたヒンドゥー教の王モハー・プスヌローク（すなわちスールヤバルマン二世）に畏敬の念を払い、一方で自分こそがこの王の正統なる後継者であることを宣言するために、アンコールワットにあえて戻ってきた。アンコール期のヒンドゥー教そして王権の頂点であった聖域にあえて手を加え、ヒンドゥー寺院から上座仏教寺院へ作り変える。この行為の裏には、「アンコール王朝を超えた権力」を見せつけようという意図が読み取れる。

ポスト・アンコール期の王たちによって、アンコールワットが「再生」されたその頃、大勢のアジアの仏教徒が巡礼の到着地としてここを訪れていた。アンコールワット内十字形回廊には一四点に上る墨書がある。そのうち一つは森本右近太夫一房なる人物によるもので、寛永九年（一六三二年）、ここに仏像四体を奉納したことを書き残していた。右近太夫の墨書が残るこの場所は、カンボジアの人たちからプレア・ポアンと呼ばれている。二〇世紀初頭にこのプレア・ポアンを撮影した写真があるが、石造そして木彫からなる大きさも時代も異なるさまざまな仏像が、所狭しと置き並べられている様子がうかがえる。一九二〇年代の遺跡整備事業の際、これらの仏像はほとんどがアンコール保存事務所に移動させられた。これらの仏像の中に、右近太夫の仏像四体もあったのかもしれない。茨城県水戸市にある水府明徳会彰考館には、一枚の絵図面が残っている。祇園精舎図、とされるこの図面は長崎の通辞である島野兼了が作成し、一七世紀前半に複製されたと考えられているが、この祇園精舎は実はアンコールワットそのものを描いた平面図であることがわかっている。

プレア・ポアンで僧侶の占いを受ける参詣者

（丸井雅子）

西バライ遺跡にまつわる伝承

西バライ遺跡と七色に輝く姫のお話

コラム11

丸井雅子

昔むかし、いつの頃のことだったか、カンボジアの王に一人の娘がいた。姫は、「七色に輝く玉の姫」と呼ばれていた。あるとき姫は、森を散歩中に一つの卵を拾った。それはとても不思議な卵で、どうしても持って帰りたいと望んだ。温めて孵化させると、中からワニが生まれた。王は、姫がワニを育てることができるよう、西バライの中央にあった屋敷に池を作った。姫はワニをトンと呼び、自分でえさをやって大変かわいがった。トンが成長するとその背中に乗り、西バライの水面を散歩することもしばしばあった。

さて、姫が年頃になると近隣諸国から結婚の申し込みがあった。王は、自分の娘の花婿として中国から来た王子をふさわしいと見なし、結婚の話を進めた。姫は、結婚と同時にこの地を離れて王子とともに遠くへ行くことになっていた。そのことを知ったトンは大変落胆し食欲がなくなった。トンは姫を愛し始めていたのである。

ある日、とうとう嫁ぐというその朝、姫は自ら最後のえさをトンにやることにした。姫はトンに別れを告げながらえさをやろうとした。そのときである、トンは大口を開いて姫をいっきに丸呑みしてしまった。そうして姫を呑み込んだまま、西バライの堤防を突き破った。そうしてはるか南にあるトンレサープ湖めがけて逃走した。今でも西バライの南側堤防には、「決壊した堤」という場所が残っている。

それを知った王は国中の猛者を集めて、ワニ捕獲の王命を下した。ワニが隠れていそうな溜池の水をすっかり汲み上げたり、川に杭を打って通行止めにしたりとあらゆる手段を講じた。ついに、ワニを捕らえることに成功したのである。ワニの腹を切ったとき、姫はまだわずかながら息をしていた。しかし、宮殿へ連れて帰られる途中で亡くなり、暑さのためかその亡骸はすぐに悪臭を放ち始めた。この場所は、「臭い森」と土地の人から呼ばれている。

姫の遺体は宮殿に戻らずにトンレサープ湖近くで火葬され、手厚く葬られた。ワット・チェダイ（仏塔の寺）と呼ばれる寺院には、いまでもこの姫が埋葬されていると信じられている仏塔が建っている。

ワット・チェダイの仏塔

男女の競争のお話

西バライにはこれとは別に、築造にまつわる昔話も語り継がれている。

男組と女組が勝ち負けを競うことにした。そこで一つの大きな貯水池を一緒に作ることにし、それぞれ反対側から同時に堤を作り始めた。ただし、夜明けの一番星が輝くとき、どちらの組がより長く土を積んでいるかで勝敗を決めることにし、作業が開始された。そこで女組は、気球を白い紙で作り、その中に蝋燭（ろうそく）をともして空へ打ち上げた。それを見た男組は夜明けの一番星が出たと勘違いし、作業を止めて休んだ。男組が休んでいる間に女組はせっせと土を積み上げ、本当の一番星が輝く頃には、男組をはるか引き離し、勝利を手に入れた。

山・宮殿などの築造にまつわるこういった男女の競争は、昔話の道具としてよく現われる。やはり同じアンコール地域にある東バライは、同じバライでありながら現在は貯水機能を果たしていない。その現状が昔話によって語られると、次のようになる。

昔むかし、男組と女組があった。二組が勝敗を競うためにそれぞれが別の貯水池を作ることにした……。その後の話の展開はほとんど一緒である。女組が西の場所で、男組が東で、作業を開始し、結局男組は途中で寝てしまい、女組が勝った。だから西バライは完成し水が溜まっているけれど、東バライは未完成なので貯水能力がない。

この他にも、タケオ州のタ・プロム遺跡建立、コンポン・チャム州の「男山と女山」築山に、男女の競争が使われ、いずれも女性がその知恵によって勝つのである。

24

歴代の王の記録　王の年代記

★ポスト・アンコール期★

一八世紀末～二〇世紀初頭にかけて編纂された『王の年代記』は、ポスト・アンコール期と呼ばれる、アンコールの都を放棄してからフランスの保護国になるまでの期間の数少ない歴史資料の一つである。ポスト・アンコール期のカンボジアでは、タイに始まり、ラオス、マレー、チャム、欧州、ベトナム、華人の各勢力の介入が続き、王室の内紛も繰り返された後、一七世紀後半からは、ベトナム、タイの二大勢力の支援をそれぞれ受けて東西に分裂していた。一七世紀の交易の時代には日本人町など外国人居留地もでき商業が栄えたものの再び長い内乱が続いた後、一九世紀には互いにカンボジアを属国と考えるタイとベトナムの激しい対立の末に、アン・ドゥオン王を即位させることで講和が結ばれた。この間に、西部三州はタイに併合され、東部はベトナム領となった。カンボジアを舞台に繰り広げられた国際社会のさまざまな勢力の争い、国内政治の混乱、国土の荒廃は、現代の内戦にも通じるものがあるといわれている。

歴代の王の記録である『王の年代記』には複数のテキストがあり、中には翻訳のみが残り原本が失われたものもある。いずれも王家の正統性を述べるため後代に編纂されたものであり、写本によって年号や王の名前、出来事の記述が一致しないこともある。ポスト・アンコール期についてはまだ研究の余地が大きく残されており、年代記のみではなく、東南アジア、中国、欧州の資料も含めて語るべきであろうが、ここではカンボジア語で書かれた資料の一例として、一九世紀末に編纂され多数の写本が残されているノッパロアト版（タイ国立図書館所蔵）の内容を紹介する。

年代記は神話と歴史の二部構成になっており、第一部は建国神話から始まる。まず、舌が二つに割れたオオトカゲが釈迦の説法を聞いた善行の力で天国に生まれ変わり、その後、王子として人間界に生まれ、ナーガ（蛇神）の王が建設した王都カンボジアを統治するが、この地に住む人は舌が二つに割れたものの子孫であるので言うことがあまり誠実ではない、という釈迦の予言が紹介される。次にその予言通り、カンブ王子が天の舞姫の姿で砂浜に上がってきたナーガの王女に恋をし、ナーガの王が神通力で海水を吸い込み城壁を備えた完全な都を出現させ、季節ごとの宮殿も建てて、結婚の贈り物としたという話が続く。

神話部分の最後に現れる王は、一般にも有名なマクワウリ（トロソック・プアエム）王である。これは、大変美味なマクワウリを作っていた男が、王の命令で畑の番をしていたところ、畑に忍び入った王を泥棒と見誤って殺してしまい、その後、役人たち

1969年頃の古都ウドンの寺院（提供：吹抜悠子）

年代記を素材とした映画のDVD（左がマクワウリ王、右がロンポン・リアチア王 ©Borphann YEM）

に請われて王になったという話である。神話部分では、歴史上偉大な三王はいずれも神通力を持っていたとされている。

第二部では、アンコールの王都を出た後の王たちの歴史を中心に語られる。王位に就いて三年後に、王都をタイに攻め落とされて没し、数万人の国民がタイに連れ去られることになった（プレア・リアチア・プレア・ボーロム・）ロンポン・リアチア王は、前述のマクワウリ王と同じくよく知られており映画の題材にもなっている。タイ王の子が統治者となっていた王都を一度は奪還した（プレア・リアチア・オンカー・プレア・ボーロム・リアチア・チャウ・プニア・）ヤート王は、結局アンコールを捨ててバサンに移り、その後さらにプノンペンに移った。その後、王室内で起こった争いにタイ軍の力を借りたり、謀反が起きたために王がタイに逃れたりという出来事が語られる。都はロンベークに移ったが内紛やタイとの争いは続き、ロンベークも陥落した。この時期、ラオス王と象の試合をし、カンボジア側の象が勝ったため象とともに来たラオス兵を帰国させず、ラオス王が水路、陸路から攻めてきたことも書かれている。続いて西洋人、チャム人、マレー人、ベトナム人の介入、またタイやベトナムの王室との婚姻関係も語られる。中心地もスライサントー、ウドンと移り、政情は不安定だった。

年代記の中で最も記述が多いのは一九世紀のアン・ドゥオン王（アンは称号の一部）についてである。タイとベトナムが激しい戦闘を繰り広げた後、相互友好に同意し、両勢力に認められてタイから帰国し即位したアン・ドゥオン王は、十数年の在位期間に、州を編成し国司を定め、貨幣を鋳造し、砦を建設し、債権法典を改定し、裁判制度を整備した。また仏教の保護に努め、寺院を建立し、熱心に三蔵経を学ぶよう僧侶に経済援助をし、宮廷の人々や国民にも寄進や戒律を守ること、三蔵経を学ぶこと、施し所での喜捨を奨励した。道路に石の里程標を置き、僧や在家が往来する際の休憩所も作り、魚を獲るための仕掛け、王に仕える者の飲酒、王の供をする奴隷による鳥獣狩を禁止した。文化面でも、学識者を養い、宮殿のしきたりや服装を定めた。始耕式、盆、雨安居（うあんご）明け、新年などその多くは現在も行われている年中行事もこのときに定められたものである。やがてフランスからの大使が派遣され、フランスの介入も加わった。この年代記は、アン・ドゥオン王の子（ソムダチ・プレア・）ノロドム（・ボーロム・ボープット）王の治世の記述で終わっており、ノロドム王の崩御とシソワット王の即位が追記されている。

年代記は、王の系統だけではなく、それぞれの治世ごとに定められた、位階によって身につけるべき布や飾りの形や色、王の使うヤシの扇や長柄の傘蓋のついた輿（こし）の形状、王への呼びかけや返答の語についても述べている。また、イスラム教に改宗した王もいたものの、アン・ドゥオン王に限らず歴代の王が出家や還俗（げんぞく）をしたこと、王宮内に寺院の本堂を建てたこと、仏像を建立したり戒律日に説法を聞いたことなど、この期間の王族が上座仏教に帰依した姿を描いており、アンコール期とは宗教が変わったことがわかる。

（上田広美）

25

王宮に屁を落としたら

★伝統法に見る法原理★

ポスト・アンコール期の社会を知るための資料としては、一六九二年にチェイチェスター王（資料中の記載では、プレア・バート・ソムダチ・スダチ・プレア・オンカー・プレア・チェイチェスター・リアミア・アイソー・ボーロム・ソーラン・リアチア・ティリアチ・アートゥップダイ・ボーロム・ニアト・ボーロム・ボープット王であるが、固有の名前はチェイチェスターのみで他の部分は称号）の命によって編纂された判例集もある。この判例集は、法の基盤を整備すべく王に任命された編纂者が故王の妃のもとにおもむき、その要請に応えて故王の妃が慣習を一つひとつ語っていくという形式で綴られている。判例の大部分は、訴えがあり、担当の調査官によって必要な調査が行われ、王の命で法廷が開かれ、判事たちが審議するという手順である。判例の中には、より以前の判例を探し出し、それに基づいて判決を下しているものもある。ここに含まれる五一の判例は王族に対する犯罪に関する判例が中心であるが、当時の社会制度や法概念についてもある程度推測する根拠となる。

この判例集を分析した「フランスによるインドシナ植民地化以前のカンボジア伝統法にみるクメール人の法観念」（飯泉華

子、一九九八年）の研究によれば、罰金刑の定め方は、被害者の身分に応じた基本額に、罪の重さに応じた倍数をかけて科すという方法であった。王、王妃、その他の王族、庶民には、それぞれの身分に応じた罰金の基本額と最高額とがあったと考えられる。基本額が科される罪としては、命令に対する不服従や違反、誹謗中傷など王を軽視した罪、二倍になるものは王の命令を全く聞こうとしなかった罪など、三倍になるものは暴行、所有権を勝手に私物化した罪など、四倍になるものは誘拐、一〇倍になるものは王の奴隷を隠した罪が挙げられている。また、罰金刑の最高限度額が科されるものは、王族の使用人に勝手に首かせをかけ、その主人のもとに返したり、王妃を不貞であるとして誹謗中傷した罪である。罰金刑以外の刑としては、窃盗と殺人は死刑になり、王族の名で馬を騙し取ったり拘留中の容疑者の身柄を引き取ったりした公文書偽造は禁固刑になり、暴行は鞭打ちの刑になり、一時的に没収された財産を預かっていた官吏がその一部を私物化して職務を追放された例がある。

判例集

どのような行為が王族に対する罪とされるかというと、直接的な非礼（王宮近くでの不品行、王の命令を無視、王を誹謗中傷など）のみならず、王の使者に対する無礼な行為（暴言で侮辱、誹謗中傷、事実無根の非難など）や王の命じた法廷に対する侮辱も王への犯罪とみなされている。また、過失であっても結果的に王の心を乱した行為（王が就寝中、王宮の寝室の屋根に爪を落として王を起こした、王の前に連れ出された象がラッパの音に驚き暴れて逃げてしまった、王宮に侵入して門の飾りをこわした薪売りが、「何のために商売をしているのか」という王の問いに対し「二つ貸し、二つ返し、泥棒を一人養っている」と答え、そのなぞかけを解くために王を悩ませたなど）も犯罪とされた。庶民に対する罪としては、他人が担いでいる天秤棒に、自分が水浴びした後の洗濯物をいたずらして引っかけて笑いの的にした、自分の田に侵入した他人の水牛を殺してから、つっかえ棒をして立たせておき、生きているかのように見せかけた、自由民を撲殺したなどが挙げられている。

この判例に見られる法原理としては、まず、罰金刑の定め方から、王族、王族の私的な使用人、自由民、奴隷などがはっきり区別された身分制の社会を反映していたこと、使用人に対する違法行為がその主人に対する罪とされたことから、使用人の人格を認めていなかったことがわかる。呼ばれた証人がしかるべき証言を提供できなかった場合の扱いや、動物除けの願掛けをしておいた場所を荒らされたために願掛けが破られ動物に稲を食べられた場合、再三頼まれたにもかかわらず病気の原因である霊を拝みに行かず、結局病人が死んでしまったので殺人罪に問われた場合など俗信のみが証拠になっている罪の扱いから、被告が無罪を立証できないと有罪とされたこともわかる。また、馬に蹴られて負傷した子どもの親に罰金の一部を与えたりしたことから、罰金は賠償金の性格を持っていたと考えられる。

一方で現代の法にも通じる合理的な考え方としては、子どもであるからまだものごとの判断がつかないとして未成年者への減刑が行われたり、死体の損傷は罪になるなど死者の尊厳が認められていたこと、一事不再理の原則があったこと、直接証拠と俗信などの間接証拠は区別されていたことがある。判例は少ないものの、王族の近習に暴行している人に向かって「殴り殺してしまえ、そうすれば代わりに王宮にあがれるから」と殺人を教唆した悪口雑言に対し口裂きの刑、石板を使った占いを失敗した占い師に対して、七日間石板を首にかける刑、串刺しの魚を盗んだので串刺しの刑、金・銀でできた仏像を盗み溶かして売ったので火刑という報復刑の思想も見られる。イスラム教に改宗した王も登場するが、全体を通じて上座仏教の影響が見られ、一度王の財産になった物や奴隷は買い戻すことができないことは、一度仏陀に寄進されたものは取り戻すことができないという考え方からであろう。他にも、窃盗や殺人は死刑という大変重い罪とされたことも仏教的なものと思われる。王が自らと同じ服装を許すほど気に入って召しかかえていた西洋人であっても、未成年僧を殴ったことで仏教を冒涜する重罪とされ、鞭打ちおよび財産没収の刑となっている。

串刺しの魚。伝統法では、串刺しの魚を盗んだ者は同じように串刺しの刑にされた

他に、公務遂行中であっても農地に入り作物を荒らした

責任は重いとされたように田畑が重要と考えられていたこと、他人に害をなす呪術師であると疑われ、水に投げ込まれて沈まなかったために捕らえられたりあるいは私刑にされたりと呪術が禁止されていたことなど、当時の社会の様子がわかる。また、守るべき法はわかっていても、王宮におらず一人で森を歩いていた王を王と気づかなかったために普通に話しかけてしまった水牛飼いの無知による罪を許したり、本来ならば鞭打ちの刑になる者を踊りの師匠であるから身体に傷をつけるのはかわいそうだと罰金刑のみに減刑したり、判決後、情状酌量の余地があると王が考えた場合にも、判決をくつがえして罰金を免除するのではなく、自身の金を与えて罰金を払わせるなど、法を守り法廷の判決を尊重しつつ慈悲深く振舞う王の様子も記されている。

（上田広美）

26

インドシナの枠組みの中で

★フランス統治期★

プノンペンには、現在でもレモン色のコロニアル風の建物が残る。早朝から焼きたてのフランスパンが山積みにして売られ、ピクルスやパテをはさんだサンドイッチは街角で食べられる。王宮内には、フランスから贈られたナポレオン三世の像の頭部をノロドム王に替えた騎馬像や、一八六九年のスエズ運河開通式の際に使用され移築されたフランス風あずま屋が見られる。

カンボジアに最初にやってきた西欧人はポルトガルの商人や宣教師でおそらく一六世紀頃のことだったと考えられる。大航海の航路から外れていて、魅力的な商品もなかったカンボジアへの到着は、他の東南アジア諸国よりも遅かった。続いてスペイン人、オランダ人、そして一七世紀半ばからは主としてフランス人がやってきた。

フランスは一九世紀になると、頻繁に変化する国内情勢とは裏腹に、海外進出、植民地形成を着々と進めていった。イギリスが植民地化した地域の文化や言語には興味を持たず、管理する方法に関心を持ったのに対して、フランスは同化政策をとった。フランスがカンボジアを含むインドシナ半島に目をつけたのは、メコン川を利用して巨大な中国市場を手に入れるため

1869年にスエズ運河開通式の際に使用され、王宮内に移築されたあずま屋（左手前）

だった。インドシナ総督を務め、のちに大統領にまでなったポール・ドゥメールは、「メコンは地理的、歴史的にもフランスの河である」とし、インドシナ支配を当然視していた。

カンボジアは、アンコール王朝が崩壊してから、王家内の勢力争いなどの内紛で味方をタイ、ベトナム各王朝に求めたことから、両国に対して従属関係にあった。一九世紀半ばに、アン・ドゥオン王が両隣国からの侵略を回避するためフランスに保護を要請したことが、フランスの介入を容易にした。

一八六〇年、アンリ・ムオーがアンコールワットを探険し世界に紹介したのをはじめ、宣教師たちがカンボジアを訪れるようになり、フランスはカンボジアに関する情報を収集し始めていた。アン・ドゥオン王没後、長男であるノロドムが王位に就き、一八六三年にはフランスは鉱石と木材の輸出と引換えに、カンボジアに弁務官を派遣し、保護するという保護国条約を締結した。ノロドム王から常々頼られていたタイは、このことを知らされていなかったので遺憾であるとしたが、フランスとタイの協議の結果、当時の首都ウドンでフランスによって戴冠式が行われたのだった。だが、この即位をおもしろく思わない者もいた。アン・ドゥオンの三番目の息子であったシボタは、王位を狙って謀反を起こした。また、ノロドム王の身の回りの世話をしていた男が王族の子孫と偽り、スワーと名乗って兵を挙げ、南部各地で支持を得たが、フランス軍に支援された王政府軍は、彼を逮捕し、島流しにした。またクロチェ地方で民間医療を施していた農民がポー・コンバオと名乗って兵を挙げ、勢力は膨れ上がり一万人にもなったが、フランス軍に捕まり処刑された。

一八六七年、フランスはタイと条約を結び、タイはフランスがカンボジアを保護国にすることを認め、またフランスは、バッタンバン、シアムリアプ、シソポンがタイの領土であることを認めた。王都はウドンからプノンペンに移された。フランス側は、さらに保護国政策を強化させる必要があるとし、一八八四年、軍艦を王宮近くに停泊させ軍事力を見せつけながら、国王の統治権をフランス人高等弁務官に委ねさせ、各州には弁務官を置き、奴隷制廃止、土地の私有許可などを盛り込んだフランス・カンボジア協約が調印された。政府高官であったコンはこれを不服として反乱を起こし、農民や僧侶から支持されたが、フランス側に捕まり、見せしめとして船の蒸気で焼き殺された。フランスは、この反乱をノロドム王の指図したことだと疑い、弟のシソワットを信用するようになった。シソワットもフランスの良き協力者となって統治を助けた。

結局フランスは二〇世紀に入る前に、植民地としてのコーチシナ、保護下にあるカンボジア、アンナン、トンキン、ラオスを持つようになり、インドシナというフランス領土を形成し、対アジア政策の拠点とした。カンボジアは、インドシナという政治的地域の枠組みに入れられたことで、両隣国から介入を受けることはなくなったが、政治と経済の自治権を

ワット・プノムにある1907年のタイからの3州返還記念碑。右側の3人の女性は3州を象徴している。中央はシソワット王

王宮内にあるノロドム王の乗馬像

失い、さらにはベトナムを中心とするインドシナの中で、影の薄い存在となってしまった。経済面では、米をはじめとする農水産物は中国人によって買い付けられ、輸出され、広大なゴムのプランテーションはフランス人が経営し、労働力や行政官吏はベトナム人、と自国内であるにもかかわらずカンボジア人の居場所は少なかった。

一九〇四年、六四歳のシソワットが王位についた。このときから、王位継承の典範は、アン・ドゥオン王の血筋を引く二つの家系、すなわち、ノロドム家とシソワット家のどちらか一方の家系の者となった。一九〇六年、シソワットは国王として初めてフランスを訪れ、マルセイユ植民地博覧会では、八〇名からなる宮廷舞踊団が舞踊を披露した。彫刻家ロダンによる踊り子のデッサンも残っている。フランス国内で開催された植民地博では、毎回アンコール遺跡を模した建物が展示され非常な人気を博した。帰国後の一九〇七年、フランスは、タイに併合されていたバッタンバン、シアムリアプ、シソポンの三州を取り戻した。

シソワット王の時代には近代化が図られた。地方行政単位クム（村）、スロック（郡）、カエト（州）が整備され、さらにベトナムのホーチミンまで通じる舗装道路やプノンペン―バッタンバン間に鉄道が敷かれ、長距離にわたる人々の行き来が可能となった。ボコール山の頂きに避暑地が作られ、王族や特権階級が利用した。フランスに仕える人材を養成するために初等教育制度も作られた。

だが農民の税と賦役の負担は重く、一人当たりの税は、インドシナの中で一番多かった。人頭税、土地税、家屋税、家畜税、乗物税などがあり、農作物に対する税が払えない場合は、一年に九〇日の労働を課せられた。徴税のための資料は整理されておらず、人口統計も正確ではなかったので、必要以上の課税がなされていたこともあった。またフランスは第一次世界大戦に参戦したために戦費がかさみ、これをインドシナに求めたので、さらに税金が上がった。それだけではなく、海外での戦争にインドシナからの志願兵も募った。これに対して困窮した状況を打破しようと、一九一六年には四万人もの農民が地方からプノンペンの王宮前に集まり、シソワット王に直訴した。このことは、フランスの統治の仕方に何ら影響を与えはしなかったが、少なくともカンボジア人を怠け者で集団行動のできない民族だと考えていたフランス人を目覚めさせることになった。また一九二五年には、重税に苦しんでいたコンポン・チナン州の農民たちが徴税中であった弁務官バルデスを暗殺するという事件が起こった。この事件はフランス人たちを震撼させた。一九三〇年代になると、カンボジアで最初の後期中等教育機関であるシソワット学校、カンボジアの文化社会を学問的に探求する仏教研究所が設立され、またカンボジア語新聞『ナガラワッタ』も創刊されて、カンボジア人の民族意識が高まった。

第二次世界大戦が始まると、一世紀近く続くかに見えたフランスの統治にも徐々に陰りが見えてきたのであった。

（岡田知子）

コラム12

現在を映し出すかのような昔の新聞『ナガラワッタ』

岡田知子

世の中にはいろいろなタイプの人間がいる。

一、口下手だが、良い考えを持ち、良い行いだけを選んで行い、堅実で勤勉な人。

二、口ばっかりで、何をするにも言うようにはできない人。

マネジメントには性格タイプ別コミュニケーション術が必要と謳う現代のビジネス書から引用した一節のようである。この他、「仕事の役に立つ人」「自己中心的な人」「心の良い人」「利益を分け合う人」「神のような人」「他人を滅ぼす人」「ごろごろしている人」「祖国の障害物となる人」など全部で一三タイプが列挙されている。

実はこれ、「親友を得るのは難しい」と題した一九三九年一一月一八日（二四三号）付けのカンボジア語新聞『ナガラワッタ』に掲載された記事で、どのような人と交流するべきかを問うている。

『ナガラワッタ』は、一九三六年一二月から一九四二年七月まで、毎週土曜日にカンボジアで発行されていた民間のカンボジア語新聞である。新聞名のナガラワッタとは、アンコールワットの別表記である。カンボジア人の誇りでもあり、世界中の人を魅了してやまないアンコールワットのような新聞を目指そうとしたのが命名の理由とされている。

紙面のサイズはちょうど日本の一般的な新聞の大きさで四〜六頁からなり、国王、フランス保護国政府要人の動静、王や総督からの布告、年中行事、著名人の冠婚葬祭、海外ニュース、国内ニュース、イベント開催ニュース、公務員に関わる告知、スポーツニュース、農産物価格、三国志演義の翻訳、社説「土曜評論」、読者の意見を反映した記事、広告などから構成されている。写真もわずかであるが掲載されている。

ひとつひとつの記事や広告を眺めていると、限られた視点からではあるが、一九三〇年代のカンボジアの人々の日々の生活の様子はもちろんのこと、日本を含め第二次世界大戦に突き進んでいく世界情勢までがまるで今、目の前で起こっているように思えてくる。

我がカンボジア人女性は、なぜ大勢がこんなにバサック演劇に熱中するのか

一九三九年一一月一一日第一四二号

カンボジア人女性たちは、居ても立ってもいられず、バサック劇を見に行き、それだけでなく、劇団員に食事をふるまい、さらに家に連れて来て宿泊させたりする。バサック劇に熱中するあまり夫のことなどすっかり忘れてしまう人までいる（中略）我々は「夫たちはもっと厳しくするべきである。妻がこのように劇団員に対して大騒ぎするのを放置しておいてはいけない」と考える。

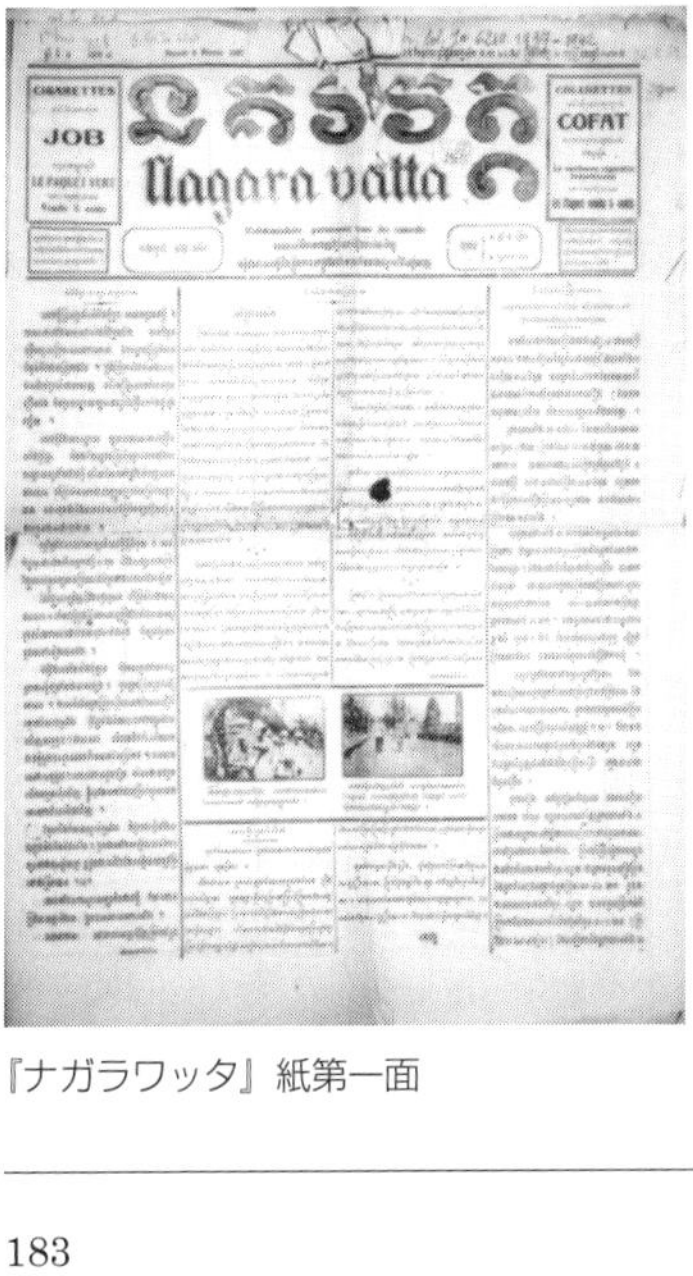
CIGARETTES
JOB
COFAT
Nagara vatta

『ナガラワッタ』紙第一面

女性は自由がなく、常に理不尽な要求にさらされていたのは『ナガラワッタ』の時代の女性も例外ではなかった。当時、流行っていた大衆歌劇バサック劇に女性たちは夢中で、役者たちの追っかけをしていた。それを男性諸君には理解できない。『ナガラワッタ』の記者、読者のほとんどは国内トップ校卒業のエリート男性だった。要求はこれだけでは終わらない。「現代カンボジア人女性の美しさ」と題した記事には、美しいカンボジア人女性はカンボジア式のロングスカート、フランス風のブラウス、ハイヒール、アップにした髪型、ハンドバックを持っていなければならないし（一九三八年三月五日六〇号）、「新しい時代で妻」として選ばれるには外見はもちろんのこと、学問知識もあり、機織り、洋裁、料理、掃除、子育てができないといけない（一九三九年三月一一日一一〇号）としている。

プノンペン市を整備すること

一九三八年六月一八日第七四号

カンボジア人だけが居住している第四区のバンケンコン地区には、公務員が大勢住んでいる。現在水没していて通勤も困難を極めている。水深がとても深いので、莫大な埋め立て費用が必要となろう。このままでは二〇年たっても必要な費用は用意できないように思われる。政府にお願いする。この地域に、かつて計画したように土を入れ、砂利で舗装した道路を縦横に作り、街灯をつけてほしい。雨季に水が溜まらないように、ポンプで排水するための溝をつけ、繁栄した地域になるようにしてほしい。

現在プノンペンの高級住宅地と言われるこのエリアは、今でも雨季には水浸しになるところが多いが、それは今に始まったことではなかった。都市整備に関する他の記事ともあわせて読むと、プノンペンのあらゆるところが水捌けが悪かったことがわかる。セントラル・マーケットあたりから近くの寺院までは砂利を敷いて街灯をつけ、自動車が通れる道路が整備された一方で、王宮近くのボトム寺の周りは「排水を受ける池」と化してしまい、「この池にはボーフラと蚊が一面にわいている上、池の腐った水の悪臭で息もできない」という惨状だった。

仏教建築物の設計事務所の広告

クメール国はどうなるか

一九三八年一〇月一五日第四五号

本紙は以前から中国人について恐れ、またその状況を嘆いてきた。クメール国に流入する中国人の数はますます増加し、あらゆる地域でカンボジア人の遺産である良い土地を全て奪って住む。カンボジア人は貧しく金もない場合がほとんどなので、適切な家を建てて住むことができず、中心地から離れたところに住むようになる。だから良い土地は全て中国人にわたってしまう。

カンボジアにおける中国の影響は『ナガラワッタ』の時代も同様に大きかった。『ナガラワッタ』全体を通して一貫しているのが、ベトナム人や中国人が大勢カンボジアに流入し、行政や経済の分野で支配的になっていくことに対する不安感や焦燥感である。「カンボジア人は目覚めよ」「勉学に励め」「一生懸命働いて生計をたてよ」「民族団結せよ」「民族、国を愛せ」ということが紙上で連呼されている。『ナガラワッタ』は民族主義者が執筆していた、また国粋主義的な内容、と説明されるのはこのようなところからもきている。

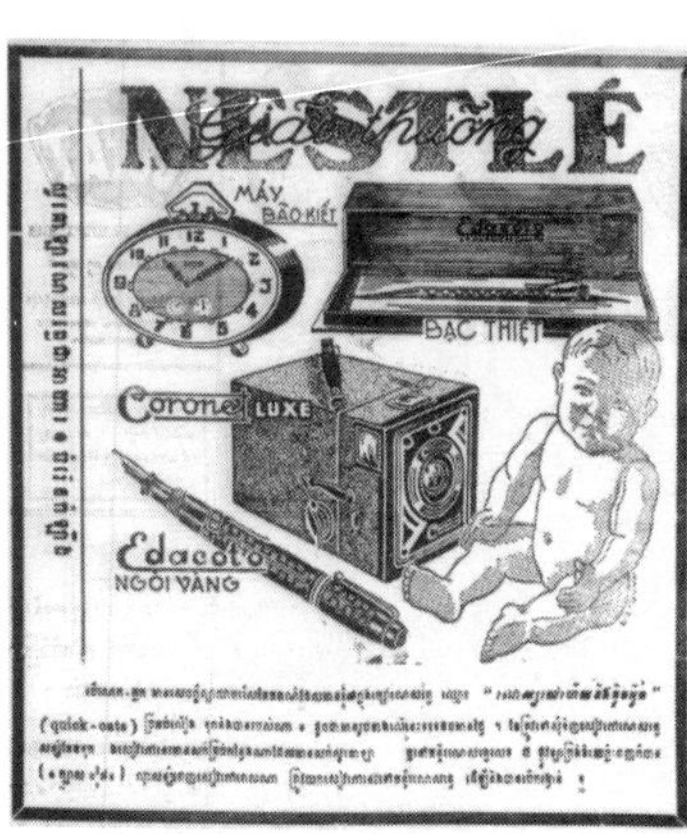

ネスレ社の広告。即席オートミール製品を買ってポイントを貯めると賞品がもらえる

物産展の後

一九三九年二月四日第一〇六号

物産展はカンボジア人が神聖な場所だとしている寺院内で行われたために、宗教のことを知らない他民族が、尊敬も恐れもなく、帽子や靴を身に付けたままで敷地内に入り込み、はしゃぐというようなことが見受けられた。また展示コーナーでは、釘を打って展示場所を作ったところもあったため、銀寺の回廊の多くの絵は剥離してしまった。

プノンペンの観光スポットのひとつでもある王宮内の銀寺には、回廊にラーマーヤナの物語壁画が描かれているが、そこがダメージを受けていたのは次のような理由だった。銀寺で何度も物産展が開催されたものの、宗教的な場所であることが考慮されず、また壁を傷つけずに貼れる便利グッズはなかったために、無残な結果となってしまったのだ。

このように『ナガラワッタ』は、現在のカンボジアをよりよく知るための情報が満載である。マイクロフィルム化もされたが網羅されてはおらず、活字の摩滅、紙の折り目による文字列の消失などにより、文字そのものが判読困難な箇所が多くみられる。八号（一九三七年二月六日発行）から一四九号（一九三九年一二月三〇日発行）までは、研究資料に適した日本語訳で『ナガラワッタ』（上田広美編、坂本恭章・岡田知子訳、二〇一九、めこん）として出版されている。

同時期に日本で発行されていた新聞は、横書きの見出しが右から左に書かれており、これらと比較しても多くの発見がある。

「海軍司令官である伯爵提督の姿」とのキャプションとともに掲載された写真（1939年7月22日第127号より）

「『ナガラワッタ』紙を読むクメール人女性」とのキャプションとともに掲載された写真（1938年12月3日第127号より）

27

平和の島、東洋のパリ

★独立から内戦へ★

第二次世界大戦の初期、一九四〇年にフランスはドイツに敗北し、フィリップ・ペタンによって、親独体制はパリではなくフランス中部の都市ヴィシーに樹立された。多くのフランス人はこれに反対し、ナチス・ドイツによる占領に抵抗した。シャルル・ド・ゴールはロンドンに亡命政権「自由フランス」を樹立した。ドイツは、フランス本国は占領したが、フランスの植民地となっていたアジア・アフリカについてはヴィシー政権に一任していた。

一方、日本は日中戦争により、軍需が拡大したため、原料供給地として、また東南アジア進攻への足がかりとしてインドシナ、日本で言うところの仏印に目をつけた。一九四〇年、日本はヴィシー政権との協定をもとにインドシナに進駐した。カンボジアの領土を巡ってタイ仏戦争が勃発したが、日本が仲介に入り、バッタンバン、シアムリアプをタイに割譲した。このように、カンボジアにはフランス軍とさらに八〇〇〇人からなる日本軍が同居していた。日本はシアムリアプやプノンペンの飛行場整備のためにカンボジア人労働者を使い、またプノンペンでは、小・中学校を兵舎として使用した。日本は、ヴィシー政権崩壊の際には、カンボジアを独立させるのが得策だと考えていた。よって独立を切望していたカンボジアの知識人たちは日本を支持した。

一九四一年一一月、シソワット、モニボンの次に王位についたのは、フランスの意向によりシソワット家とノロドム家の血筋を引く一八歳のノロドム・シハヌークだった。シハヌークは日本によって一時的に独立するまでは、フランスの意向に従っていた。

一九四二年七月に、民族主義者のソン・ゴク・タンは、プノンペンで反仏デモを計画したが、その後、日本に二年間亡命することになる。パーリ語学校の教師であった僧侶ハエム・チアウもデモに参加したが、逮捕され獄中死した。高等弁務官からはカンボジア文字のローマ字化、グレゴリオ暦採用が出されたが、実行に移されることはなかった。

一九四四年、アメリカ・イギリス軍がノルマンディーに上陸し、ド・ゴールがパリに帰還することでヴィシー政権は崩壊した。このような状況のもと、一九四五年三月に日本は仏印処理を行い、フランス軍を武装解除した。シハヌークは日本の保護監督下にあって、フランスの保護条約失効とカンボジアの独立を宣言した。このときのことは、親日派でもあるシハヌークが日本人大佐ハセガワを演じた自作映画『ボコールのバラ』（一九六九）でも詳しく描かれている。また、この頃さまざまな政党が誕生した。

一九四五年八月、日本は連合国に降伏したため、独立は取り消され、フランスの支配が再開した。内政自治を認めた暫定協定が一九四六年に締結され、タイからの北西部州の返還が認められた。だが、右派、左派の勢力はいずれも「自由クメール」の名称で抵抗活動をした。一九四七年には国王の権限

1953年に建てられたプノンペンの独立記念塔（1965年、提供：吹抜悠子）

が強められた新王国憲法が発布、総選挙が実施され、翌年、国民議会が招集された。だが大多数の議席を占める民主党と国王シハヌークとの対立が顕著になった。

一九五三年、シハヌークは「王の十字軍運動」と称して、完全独立を勝ち取るために、フランス、アメリカ、タイをまわって世界世論に訴えかけ、ついに同年一一月、独立した。一九五四年、ジュネーブ協定により、カンボジア国内の抵抗勢力はほとんどが投降した。またカンボジアは第二次世界大戦中の日本の行為に対する賠償請求権を放棄し、シハヌークは翌年国賓として日本を訪問した。

こうして完全独立したカンボジア王国は、好調な滑り出しをしたかに見えた。シハヌークは父スラマリットに王位を譲り、従来の諸党を吸収して政治団体「人民社会主義共同体」を結成して総裁となった。これは王制と仏教を基盤として社会主義、民主主義を実現しようとする国民運動であるとし、左派、右派のバランスをうまくとろうとするものだった。

一九六〇年代初頭は、政情不安な近隣諸国の中でカンボジアは「平和の島」となり、首都プノンペンは「東洋のパリ」と呼ばれ、東南アジアで最も魅力ある都市となっていた。シハヌークのこの中立政策によって、東西冷戦の構造の中で両陣営から援助を引き出し、農業開発と工業化を促進した。中国の援助により、紡績、合板、製紙、セメント、ガラスの各工場と放送局、チェコスロバキアの援助によって、火力発電所、製糖工場、自動車タイヤ工場、トラクター組立修理工場が建設され、フランスの援助により、プノンペン空港、シハヌークビル港が整備され、アメリカの援助で、プノンペンと同港を結ぶ二一四キロの舗装道路ができ、旧ソ連の援助で大病院や高等工業学校ができた。日本は農業技術、畜産、医療の三センターの設立に寄与した。首都ではこれらの経済活動の恩恵を受け生活水準が上がり、中産階級が出現した。独立以降、特に教育分野は重点化され、その結果、中等教育を修了した者が多数出たが、それに見合う就職先は限られていた。

のちにポル・ポトと名乗ったサロト・サルや、その他の民主カンボジアの指導者となる者たちも活動を始めていた。サロト・サルは、王家ともつながりのある比較的裕福な家庭に生まれ、国費留学生としてパリに留学した。そこで共産主義に傾倒し、帰国後は高校の教師となり、地下活動を通してカンボジアの共産勢力の中心人物となっていく。シハヌークは、この勢力を軽蔑して「赤いクメール（クメール・ルージュ）」と呼んだ。この頃、シハヌークが掲げた中立政策は、東西冷戦構造の中で次第に立ち行かなくなっていった。シハヌークのいわば独裁政治、あらゆるところにはびこる縁故主義、汚職などの実状に失

シクローが走るプノンペンの大通り（1965年、提供：吹抜悠子）

雑誌『カンボジアは今』（1970年）

望した教員や学生、知識人たちは、クメール・ルージュが地方の解放区で展開する活動に参加していった。

一九七〇年三月、シハヌークの外遊中にロン・ノル将軍の無血クーデターによって親米政権が誕生し、カンボジアはクメール共和国となった。ちょうど日本では大阪万博が開幕したばかりで、カンボジア館は本国での政変に対応しなければならなかった。新政権では、王制を廃止して共和制とし、また反ベトナム感情をたきつけ、クメール民族意識を高揚させようとした。だが実際には何の改革もされず、役人や軍人による汚職や腐敗は増加するばかりだった。一方、シハヌークは北京でカンボジア民族統一戦線を結成して反ロン・ノルを掲げ、クメール・ルージュとともに共闘することを宣言した。ベトナム戦争の影響からアメリカ軍の爆撃はカンボジア領内にも及び、またクメール・ルージュと政府軍との戦闘も激化していた。これが農村社会の崩壊を招き、後のクメール・ルージュによる支配を容易にする要因にもなった。ロン・ノル政権の実効支配地域は、首都プノンペンを中心としたわずかな範囲にすぎず、そこでの経済状態は悪化し、物資不足、物価高が人々の生活を圧迫した。こうした中、ロン・ノルは家族とともにアメリカに脱出した。

（岡田知子）

28

革命の理想と現実

★内戦から和平へ★

一九七五年四月一七日午後、プノンペンに入城したクメール・ルージュ軍は、避難民も含めて二〇〇万人もの市民に強制退去を命じた。子ども、病人、妊婦、老人も容赦されず、着の身着のままで、武装した兵士に追いたてられるようにしてプノンペンを後にした。一年中で最も暑い四月、死体や糞尿で埋まった国道を人々はただ黙々と歩き続けるしかなかった。

「文明で腐敗しきった」都市と都市住民は消滅した。クメール・ルージュの最高幹部となっていたポル・ポトは、縁故主義で固められた革命組織（オンカー）の名のもとに、新国家「民主カンボジア」を誕生させた。数ヶ国と外交関係を結んではいたが、事実上、鎖国状態にあった。ポル・ポトらは、旧社会の社会文化的価値、人間関係を根本からすべて否定、破壊し、集団による農業を中心とした極端な共産主義社会を急進的に建設しようとした。それはかつての社会制度、貨幣や市場による経済活動、伝統文化、宗教、学校教育等の禁止を意味した。統制は移動の自由、衣服や髪型、ことば遣いにまで及んだ。これは、「大躍進」、「自立達成」、米の生産量は「ヘクタール当たり三トン」といったスローガンにも見られるように、中国の文化大革命に倣って

ポル・ポト時代の惨劇を表す看板（1987年、プノンペン郊外チューン・アエク村で）

いる点が多かった。

地方に強制移住させられた都市住民は、その後も頻繁に移動させられた。彼らは「新人民」として、以前からの解放区の住民である「旧人民」と区別された。かつて革命に反対していた敵として「再教育」の対象になった。新人民の動向を監視し、密告する子どものスパイも配置された。生き延びるためには、前歴を隠し、短く単純な名前に変え、慣れない農作業を率先して行うしかなかった。やがて年齢、性別によって生活労働グループが形成され、家族の解体と集団化を目指し、強制的な集団結婚が行われた。

ポル・ポトが目指した経済的に自立した国家建設には、余剰米による外貨獲得が不可欠であった。だが、それは高度な技術によるものではなかった。非現実的な計画は、人々と大地を無為に疲労させた。全土で大灌漑工事が行われ、十分な食事は供給されず、近代的医療は皆無で

カンボジア人の地雷除去チームを指導するUNTACのバングラデシュ兵（1993年、プノンペン郊外で。提供：真田正明）

あった。北京から帰国したシハヌークはこの間、プノンペンの王宮で幽閉生活を送っていた。

また政治権力保持のために、ポル・ポトは内部の敵の粛清を行った。S21というコード名で呼ばれた最大の政治犯収容所（現ツールスレン虐殺犯罪博物館）は、一九七六年半ば頃から本格的に機能した。ポル・ポトの側近を始め、長年クメール・ルージュに貢献してきた者とその家族が、裏切り者として消された。約一万五〇〇〇人もの老若男女が収容され、一九七九年一月のプノンペン解放時に生存していたのは僅か七人であったという。ヘン・サムリン、チア・シム、フン・センなど東部管区の幹部たちも反逆との疑惑から粛清の対象となり、ベトナムに逃げた。

だが、こうした粛清や無理な米増産計画による人的損失、ベトナムとの国境紛争による打撃などから、民主カンボジアは徐々に体力を落としていった。一九七九年一月、元東部管区幹部らは、ベトナム軍の支援を受けてプノンペンに入り、新政権を樹立させ、ポル・ポトらはタイ国境へと敗走した。シハヌークは、プノンペン陥落前夜にクメール・ルージュから解放され、ベトナム軍侵攻を国連総会で訴えるためにニューヨークへ向ったが、その後一〇年は主な滞在先を北京にした。

カンボジア人民共和国が誕生し、ヘン・サムリンをはじめとする元東部管区幹部らが指導者となったが、それはベトナム指導型の社会主義政権であった。このヘン・サムリン政権に対抗するためにシハヌーク派、旧クメール共和国の流れを汲むソン・サン派、ポル・ポト派が三派連合政府を樹立し、タイ・カンボジア国境の難民キャンプを拠点とした。一九八九年までは約二〇万人のベトナム兵が駐留し、政府のあらゆる機関にはベトナム人専門家が派遣された。国連ではこれが問題になり、旧ソ連、東欧、インドなど一部の国を例外として、ヘン・サムリン政権によるカンボジア人民共和国は国際的に承認されず、日本を含む西側諸国はポル・ポト派をはじめとする三派側をカンボジア政府として認めていた。そのためカンボジア国内への国際的な政府人道援助は途絶えがちであった。毎年乾季になれば三派グループと政府軍の間で激しい攻勢が交わされた。人々はカンボジア国内にいても、両勢力から兵士や労働者として国境地域での開墾や地雷の敷設に駆り出された。約六五万人もの難民が国境付近に出ることになり、国際問題に発展した。

一九八九年、冷戦が終結、国際社会は急激に再編成されつつあった。ベトナム軍はカンボジアから完全撤退し、カンボジアは国旗と国名を「カンボジア国」に変更した。こうしてカンボジアに和平の動きが訪れた。カンボジア各派による話し合いは外国の支援を受けて何度もなされ、一九九一年一〇

「かんがいの日」に2人で行事に臨んだノロドム・ラナリット第一首相（左）とフン・セン第二首相（右）（1994年3月4日、カンダール州で。提供：真田正明）

月にはパリでカンボジアの全当事者四派を含む一九ヶ国の代表によってカンボジア和平協定（パリ協定）に調印された。同年一一月、シハヌークはカンボジアに帰国し、国民から大歓迎された。一九九三年の総選挙実施にむけての和平樹立計画が国連で作成され、総選挙までの期間はカンボジア最高国民評議会がカンボジアの主権を象徴する政治的実体となり、その議長にシハヌークが任命された。総選挙に向けての具体的な準備は、国連カンボジア暫定統治機構（ＵＮＴＡＣ）が行った。世界各国から集結した文民部門、軍事部門の約二万二〇〇〇人が、難民帰還、地雷撤去、武装解除などの平和維持活動（ＰＫＯ）を進めた。世界が見守る中、一九九三年五月に総選挙が行われた。その結果、九月に新憲法が公布され、シハヌークが王位に再び就き、ラナリットとフン・センの二人首相制とする連立内閣が成立した。

（岡田知子）

シハヌークの母国帰還を歓迎する1991年11月15日付『カンプチア』紙

コラム13

国歌と国旗の変遷

上田広美

混乱と内戦の現代史の中でめまぐるしく国名が変わったカンボジアは、二〇年の間に五種類もの国旗を有した。五種類のデザインに共通しているのは、国民の血を表すという赤い色と、アンコールワットの形である。現在の国旗は、内戦前の一九七〇年まで使われていたデザインに戻っており、上下を青ではさまれた中央の赤い帯の中に白いアンコールワットの形が浮かんでいる。青は国王、白は宗教を表している。

共通して描かれているアンコールワットではあるが、そのデザインは微妙に異なる。内戦前と現在のカンボジア王国では、五段の上に白い三本の塔がそびえている。クメール共和国（一九七〇～七五）では同じデザインのアンコールワットがややスリムな姿をしている。民主カンボジア（ポル・ポト時代一九七五～七九）では三段の上に金色の塔三本がそびえるシルエットのみが描かれている。カンボジア人民共和国（ヘン・サムリン時代前期一九七九～八九）だが、国旗はほぼ同じデザインであり、二段の上の五本の塔という数のみが異なる。カンボジア国（ヘン・サムリン時代後期一九八九～九三）は、五段の上に金色の塔五本と段数も塔数も最多でシルエットのみのデザインも内戦前に近い。塔の色（白か金）を除けば赤だけを用いているのは民主カンボジアとカンボジア人民共和国、青も使っているのはカンボジア国とクメール共和国で、後者は三つの白星も特徴である。

政権が変わるたびに国歌も変わったが、いずれの歌詞にもアンコール期の栄光への言及があるのは国旗と同じである。現在の国歌「都の王」は国旗と同じく内戦前のものに戻っている。

コラム13

国歌と国旗の変遷

一九三八年にシハヌークがフランス人と共同作曲し、一九四一年にシハヌークの命でチュオン・ナート（コラム1参照）が詞をつけた。歌詞は三部構成で、第一部はカンボジア国王を、第二部は古代カンボジアの宮殿の美しさを、第三部は仏教を信奉するカンボジア人を賞賛する内容である。題名の「国の王」からして「アンコールの王」を意味するように、栄華を誇ったアンコール期の国王を思い起こさせ、同じ繁栄と発展をもたらすべく奮起するよう国民を励ますことを目的としている。「神々よ、我らの王を守りあれ」「我らは王の威徳の影で、その庇護を受けけん」と国王への言及が多く、また「巌の宮殿を築き、栄えある古えのカンボジアの大地を司った」「森の中に佇む巌の宮殿よアンコールの栄光を幻のように思い出させる」「歴史ある大いなる国の幸運を」と、遺跡を通して過去の栄華を思い起こさせている。

国旗では真っ赤な血の海に輝く金色の塔が共通の特徴だった、共産主義政権のポル・ポト時代、ヘン・サムリン時代は国歌でも「血」を多用し、革命や新国家建設を強調している。ポル・ポト時代の「四月一七日の大勝利」では、「血は強き怒りに変わり、勇敢に戦う」「四月一七日、革命の旗のもと、血によって奴隷から解放された」などの他、「革命の赤旗を高く振る決意我らの祖国を建設せん」という国旗への言及もある。ヘン・サムリン時代の「カンボジア人民」でも「勝利のために、命を捧げ、血を流さん」「敵に対して血で贖うべく心を決める」など血への言及が多い。

しかし革命国家であっても過去の栄光を無視することはできない。「四月一七日の大勝利」では、「四月一七日万歳アンコール時代を超える大いなる意味を持つ素晴らしき勝利」と、競うべき対象としての言及、「カンボジア人民」では、「血の色をした宮殿の勝利の旗は高く輝き平和と幸福を築くべく国家を導かん」と国旗の中のアンコールワットに触れる形ではあるが、決して忘れられることはないのである。

③

④

⑤

国旗の変遷
①：カンボジア王国
②：クメール共和国
③：民主カンボジア
④：カンボジア人民共和国
⑤：カンボジア国

カンボジア王国国歌「国の王」（出所：在日本カンボジア王国大使館広報冊子 *Cambodia Fortnightly*、1996年2-2）

29

一四年ぶりの故郷

★難民流出から本国帰還まで★

「退屈だから」そう言い残して、まがりなりにも安全な難民キャンプを離れ、戦闘続く国境地帯へ向かった少年がいた。

砲音がとどろく中、多くの負傷者、感染症の病人、栄養失調の子どもたちが横たわり、安全、食料、医療の確保が急務であるというような難民キャンプの光景は思い浮かべやすい。しかしこの三つが提供された後も、鉄条網に閉じ込められた難民たちは決して幸せではない。難民問題の解決方法には、難民の本国への自発的な帰還、難民を受け入れた庇護国への定住、第三国への定住がある。カンボジア難民は、国際社会の思惑から一四年もの間、本国への帰還が実現されず、庇護国であるタイへの定住は選択外で、第三国定住も次第に受け入れ人数が減り、キャンプから出る望みは消えていった。長期化したキャンプでは「世界で最も行き届いたサービス」が提供されてはいても、自由もなく将来の希望も持てない人々は、唯一の希望である定住面接にも落ち続けることで「誰にも必要とされていない」という絶望感に陥った。無気力状態が蔓延したキャンプの雰囲気は、少年に危険な土地を選ばせたのである。

国連難民高等弁務官事務所（ＵＮＨＣＲ）が、設立以来五〇

解決の糸口も見つからず、難民生活は長期に及んだ。多くの子どもたちが祖国を知らずに難民キャンプで育ってきた（タイ、カオイダン難民キャンプ。© 小林正典）

年間に起きた「強いられた移動」の歴史をまとめた『世界難民白書人道行動の五〇年史』は、政治的混乱によって一九七〇年代半ばから二〇年以上にわたって三〇〇万人以上が流出したインドシナ三国（カンボジア、ベトナム、ラオス）の難民に対する援助計画を、多くの教訓が得られた転機と位置付けている。この時期に予算規模も職員数も急増したＵＮＨＣＲは、難民キャンプの設営から運営までを行うとともに、難民を襲った海賊の取締り、海上救助活動の立ち上げにもかかわるようになった。国際社会の関心が高かったインドシナ難民は、二五〇万人（うちアメリカに一三〇万人）がＵＮＨＣＲの援助で第三国に定住したが、次第に難民ではなく経済移民とみなされるようになり受け入れ国が消極的になったことは、この期間の負の遺産とみなされることもある。

カンボジア難民を生み出す政治的混乱の引き金となったポル・ポト時代には移動の自由も制限されていたため（28章参照）、アセアンで唯一インドシナ三国すべてから、中でもカンボジアからは大部分の難民を受け入れたタイにさえ、一九七五～七八年まではわずか三万四〇〇〇人の難民しか脱出で

第29章

一四年ぶりの故郷

きなかった。しかし一九七九年にポル・ポト政権が崩壊し数十万人が流入すると、耐えかねたタイは国境の難民四万二〇〇〇人をプレア・ヴィヒアの急斜面から崖下のカンボジア領へ押し戻し、数百～数千人が地雷原で命を失った。この強制送還について、UNHCRは、「一九七九年にタイで行われたカンボジア人の集団追放に、UNHCRが正式あるいは公式に抗議できなかったという著しい失態は、その保護活動史の汚点のひとつとみなされなければならない」としている。

その後、国際社会が第三国定住を受け入れることでタイの負担軽減を図り、一九七九年一一月二一日にカオイダン収容センターが開設された。カオイダンは一九八〇年三月には一四万人を収容し、タイ領にあるにもかかわらず「カンボジア最大の都市」となった。また、世界的にNGO活動が広がった時期とも重なり、前述のように各国から援助が押し寄せた。

カオイダン以外の国境キャンプは兵士と武器を備えた軍事拠点とみなされ、難民を保護するUNHCRの代わりに、一九八二年に任命された国連国境救援活動（UNBRO）が食料、水、衛生、医療、初等教育など人道的救援を提供したものの、明確な保護権限も恒久的解決を図る権限も与えられていなかった。同八二年、ポル・ポト派とそれ以前の政権を担った二派がいわゆる三派連合（民主カンボジア連合政府）を発足させ、国連総会の議席を得ると、プノンペン政権との争いは激化し、UNBROは砲火に晒されながら国境地域のキャンプの人々を繰り返し避難させた。危険な国境キャンプから、またカンボジア国内から、安全で第三国定住の希望があるカオイダンへの不法入所の試みは絶えなかった。

一九八〇年代の冷戦構造の中で、関係諸国は難民たちに恒久的な解決策ではなく一時的な庇護を与

内戦が一段落した1992年、タイの難民キャンプからの帰還が始まった。キャンプで生まれた子どもたちは、初めて乗るバスや汽車で祖国の地を踏んだ（カンボジア・プノンペン、帰還民。© 小林正典）

えつつ、本国の体制を脅かすための「難民戦士」として利用した。本国帰還は一九八〇年から模索されていたが、政治的解決が望めない状況下でわずか一人しか帰還させられなかった。一九八九年から始まった和平への動きは、ひとたびは決裂し、ベトナム軍撤退後に新たな避難民を生んだものの、一九九一年一〇月「カンボジア紛争の包括的政治解決に関する協定」（パリ和平協定）が調印されると（28章参照）、UNHCRは、国連カンボジア暫定統治機構（UNTAC）の管理下で実施される制憲議会選挙に間に合うように、翌一一月には、UNBROが援助する国境キャンプの三五万三〇〇〇人も含めた帰還計画を始めた。難民たちは、希望の目的地と、農地もしくは現金・日用品など一式の支給を選んで登録した。カンボジア国内に開設された受け入れセンターまでの移動の手段としてバスや列車が提供され、帰還後も一定期間食料の配給が行われた。一九九二年三月～九三年五月までに三六万七〇〇〇人が帰還し、国境キャンプは次々と閉鎖され、九三年三月三日に最後の一九九人が出発するとカオイダンも公式に閉鎖された。

カンボジア難民六〇万人中、二三万五〇〇〇人（一九七五～九二年、うち一五万人がアメリカへ）が第三国に定住したが、難民の八～九割が第三国に定住したベトナム、ラオスの難民に比べて本国帰還の割合は圧倒的に高い。この本国帰還事業は成功例として語られるが、帰還後、頼る親族のいない人々を中心に定住地で地元住民との軋轢が生じたり、配給期間が終わると支給された農地の干害による生活苦に見舞われたこともあり、多くの元帰還民が現在の貧困層に含まれている。

日本では、一九七九年にアジア各国のキャンプに滞在中の人々も含めインドシナ難民の定住を認め、最初は五〇〇人だった定住枠を徐々に拡大し、一九九四年には撤廃した。定住促進事業は、財団法人アジア福祉教育財団に委託され、新たに設置された難民事業本部が日本語教育、健康管理、就職斡旋などを行った。受け入れは二〇〇五年度末で終了し、ベトナムから八五八七人、カンボジアから一三三八人、ラオスから一三〇六人（二〇〇四年末）が首都圏を中心に定住した。定住者が直面した問題として、経済的な困難、家庭にこもることが多い女性たちを中心に日本語学習の苦労に加え、学校で何らかのいじめを受けたと語る子どもたちも多い。

（上田広美）

30

混乱の時代を経て

★強固な支配体制をかためる人民党★

一九九一年一〇月、カンボジアを含む一九ヶ国が参加して「カンボジア紛争の包括的な政治解決に関する協定」（パリ和平協定）への署名が行われた。これにより、カンボジアでは複数政党制による自由民主主義体制をとることが約束され、国内の各派閥は暴力を用いるのではなく、政党として選挙によって競争・共存していくことを目指すこととなった。しかし、国内の対立は、和平協定のみでは完全に解消されることはなかった。その後も、ときにはテロのような直接的な暴力が用いられたり、全面的な内戦状態に戻りそうな危機を経験しつつ、一九九〇年代末に人民党が確実な勝利を得るまで、不安定な時代が続いた。

一九九三年七月、パリ和平協定に基づいて制憲議会を創設するための総選挙が実施された。この制憲議会は、同年九月に「カンボジア王国憲法」が発効したことにともない、国民議会へと移行した。一九九三年総選挙では、ポル・ポト派が選挙をボイコットし、国内各地で散発的な襲撃を繰り返した。そして、選挙では、一九八〇年代から国内を実効支配してきた人民革命党を引き継いだ人民党が勝利できず、個人的人気を誇ったシハヌーク国王の息子であるノロドム・ラナリットが党首を務めるフンシンペック党、いわゆる王党派が票を集め、第一党となったことから、事態はややこしくなった。話し合いの末、ラナリットを第一首相、人民党のフン・センを第二首相として、他の大臣も両党からそれぞれ共同大臣を設置するという異例の連立政権が樹立された。これにより、選挙結果を最大限尊重しつつ、人民党がつくってきた国内の統治網を活用して、国を治めていくことを目指した。

　選挙に参加しなかったポル・ポト派は、タイ国境に近いアンロンベンやパイリンを拠点として政府との対立を続けた。一九九八年に二回目の総選挙を控え、同派の取り込みをめぐってフンシンペック党と人民党は対立を深めた。一九九七年七月には、ポル・ポト派との連携を発表する段取りまで準備していたラナリットによるクーデター騒動が勃発し、ラナリット第一首相は直前に国外に脱出した。フン・セン第二首相は、フンシンペック党内の反ラナリット派の支持を得て、ウン・フオト外相を第一首相に据えることで、国内情勢を落ち着かせることに成功したが、国内の安定に対する国際的な信頼を得るには時間がかかった。

人民党の看板（2021 年撮影）

　一九九八年七月に行われた第二回総選挙では人民党が第一党になったが、政府成立を承認するために憲法九〇条で必要とされていた国民議会の三分の二議席を得ることができなかったことから、他の党と連立政権を組まなければならなかった。当初、フンシンペック党とサム・ランシー党は、ともに選挙結果に異議申し立てを行っていたが、最終的にフ

表　1993年～2003年の制憲議会・国民議会議員選挙獲得議席数

	1993年	1998年	2003年
人民党	51（38.2%）	64（41.4%）	73（47.4%）
フンシンペック党	58（45.5%）	43（31.7%）	26（20.8%）
サム・ランシー党	-	15（14.3%）	24（21.9%）
その他	仏教自由民主党　10（3.8%）		
	自由モリナカ闘争党　1（1.4%）	0（12.6%）	0（9.9%）
	その他　0（11.1%）		
合計	120議席	122議席	123議席

（注）括弧内は有効投票数に対する得票率。2008年以降の選挙結果については32章を参照
（出所）選挙管理委員会資料および『アジア動向年報』各年刊より作成

ンシンペック党と人民党が連立政権を組んだ。その際、それまで首相二人体制であったのをフン・セン首相一人とし、フンシンペック党のラナリットが国民議会議長に就任した。さらに憲法を改正し、上院を設置して国民議会議長だったチア・シムが国王不在時の国王代行を務める上院議長（国民議会議長よりも上の序列）に就任した。これにより、すべての勢力のバランスをとり事態を落ち着かせることに成功したが、フンシンペック党は党として独自の主張をすることが難しくなったことで存在意義が薄れ、二〇〇二年の地方評議会選挙では大敗を喫した。

二〇〇三年七月の第三回総選挙では、再び人民党が勝利を収めた。しかし、またもや三分の二の議席を得られず、連立政権とすることを余儀なくされた。人民党はフンシンペック党との連立を希望したが、フンシンペック党とサム・ランシー党はフン・センを排除した三党での連立を希望し、事態は膠着したまま半年以上が過ぎた。二〇〇四年二～三月、人民党・フンシンペック党の二党での連立政権樹立への交渉が本格化し、同年七月に正式にフン・センを首相とする連立政権が発足した。この連立政権では、両党の力関係を反映して、フンシンペック党所属大臣のポストが

大幅に減り、代わりに長官などの下位のポストがフンシンペック党に配分された。

憲法九〇条が単独政権樹立のために国民議会の三分の二以上の賛成を必要としてきたのは、紛争後の不安定な国をより多くの人々が支持する政府によって統治していくためではあったが、選挙のたびに連立政権の組み方をめぐった対立が長期化していた。このため、二〇〇六年三月、内閣承認に必要な議席数を三分の二から過半数へと変更する憲法改正が行われた。この改正によって、人民党は連立政権を維持する必要性はなくなり、閣僚ポストを人民党とフンシンペック党とで分け合う仕組みも廃止されたが、安定した政権を築くために、その後も連立は維持された。この憲法改正後、ラナリットは国民議会議長を辞任し、同年一〇月にはフンシンペック党党首の座から解任された。ラナリットのグループは新しくノロドム・ラナリット党を結党したが、同党もフンシンペック党も、大きな支持を集めることはなく、衰退は加速化した。一方、人民党は、二〇〇八年総選挙で

フンシンペック党事務所の看板

サム・ランシー党事務所の看板

は憲法改正がなかったとしても単独政権が築ける九〇議席を獲得し、盤石な基盤を築くことに成功したが、より強固な政権とするために、フンシンペック党との連立は二〇一三年まで続いた。そして、それに対抗する勢力としては、野党として主張し続けるサム・ランシー党が勢力を拡大していった。

和平合意後のカンボジアでは、選挙結果や連立パートナーをめぐる争いから政治空白が生じるような事態に直面しつつも、全面的な内戦状態に戻ることなく五年おきの総選挙が実施され続けてきた。その過程では、ときとして憲法改正を伴うような強引なやり方を用いつつ、大臣や議会のポストの取引を含む交渉によって諸勢力の対立の収拾がはかられた。その結果、二〇〇〇年代には人民党のフン・セン首相を中心とする安定政権のもと、強固な支配体制が確立されるようになった。

（初鹿野直美）

31

人物名、銅像、記念碑で彩られた首都プノンペン

★公共空間を読み解く★

モニヴォン、ノロドム、シハヌーク、パスツール、シャルル・ド・ゴール、ネルー、ティトー、毛沢東、金日成。いずれもカンボジアの近現代史に登場する人名であり、またプノンペン市内中心地の街路に付けられた名称でもある。フン・セン公園（二〇二三年現在、首相）、シソワット（在位一九〇四〜一九二七）高校、サントー・モック（一九世紀の文学者）小学校、カンター・ボパー（シハヌーク元国王の娘で、白血病のため一九五二年に三歳で死去）子ども病院、アン・ドゥオン（在位一八四〇〜一八六〇）病院など、公共施設の名前にもみられる。

一九五三年の独立後、半世紀の間に目まぐるしく国家体制が変化したために、それに伴って首都プノンペンの公共空間は、たびたび変更される街路の名称や設置、撤去される銅像、記念碑によって重層的にできあがっている。

首都プノンペンの都市計画はカンボジア人建築家ヴァン・モリヴァン（一九二六〜二〇一七）のもとにすすめられた。彼はフランス留学中に建築家ル・コルビュジエが提唱した都市創造理論「輝く都市」に影響を受け、独立記念塔をはじめとして、橋、劇場、迎賓館、集合住宅や、住居周辺に隣接する公園に

表1　プノンペン市内の街路名称の変化の例

カンボジア王国 (1953-1970)	クメール共和国 (1970-1975)	カンボジア人民共和国 (1979-1989) ／カンボジア国 (1989-1993)	カンボジア王国 (1993-現在)
ノロドム通り	10月9日*通り	トゥー・サモット通り	ノロドム通り
モニヴォン通り	民主通り	アチャー・ミアン通り	モニヴォン通り
シャルル・ド・ゴール通り	シャルル・ド・ゴール通り	アチャー・ハエムチアウ通り	シャルル・ド・ゴール通り
毛沢東通り	自由通り	ケオ・モニー通り	毛沢東通り

*クメール共和国樹立日

よってプノンペンを整備していった。個人が特定できる銅像や記念碑は設置されなかったが、街路には主に一九世紀以降の歴代の王の名前が付けられた。さらに当時の国家元首シハヌークが親交を深めた世界各国の要人の名前も街路名になった。だがその後の親米政権であったクメール共和国ではそれらの個人名は排除された。

一九七五年四月、クメール・ルージュがプノンペンを制圧すると、革命に不適当と判断されたものは一掃された。フランス統治期、ワット・プノムに設置されたタイからの三州返還記念碑の一部であるシソワット王像、チローイ・チョンワー橋のたもとに建立された第一次世界大戦戦没者記念碑、通称「ふたりの像」も撤去された。クメール共和国時代、国の標語「自由、平等、友好、進歩、幸福」が刻まれ王宮前広場に設置された「一〇月九日塔」、反仏運動に身を捧げた僧侶ハエム・チアウの記念塔も撤去された。クメール・ルージュの民主カンボジアの時代にはポル・ポトの肖像画や胸像が製作されたが、実際に公共の場に設置されることはなかった。革命記念像として、民衆の列の前に立つポル・ポト像がワット・プノムに建てられる計画があったが、同政権の崩壊によって実現しなかった。

カンボジア人民共和国になると、抗仏運動や共産党に貢献した英雄とされる人物名が採用され、独立記念塔は戦勝記念塔という名称に変更された。また新たに「カンボジアとベトナムの人民と軍の闘争的結束と友好記念碑」が建立された。筋骨隆々とした肉体を強調し、巨大なオブジェを特徴とした社会主義リアリズムの手法が用いられている。内戦終結後の一九九〇年代以降、この記念碑は、一九七九年一月七日を「ベトナムによるポル・ポト政権からの救済の日」、あるいは「ベトナムのカンボジアへの侵攻の日」と解釈するのかを公に問いかけるものとなった。一

1925年建立の「ふたりの像」の台座を飾った象の頭部の彫像。フランス人とカンボジア人の2名の軍人が並んだ戦没者記念碑の台座の四方を飾っていた象の頭部の彫像の一部は、クメール・ルージュの破壊を免れ、国立博物館に置かれている

デチョー・ミアハ、デチョー・ヨート像。騎乗像はタイの位置する西方を向いており、力強さや生命力が感じられる自然のままの岩山を台座としている

表2　2005年以降、プノンペン市によって設置された主な像、記念碑

人物	プロフィール	設置年	設置場所	
チュオン・ナート（1883-1969）	仏教指導者/国語辞典編纂者	2008年	トンレサープ川岸地区	趺坐姿、高僧であることを示す傘蓋
クロム・ゴイ（1865-1936）	詩人	2008年	トンレサープ川岸地区	伝統弦楽器を抱えた座像、韻文作品「クロム・ゴイの遺言」の一節のプレート
ドーン・ペン（14世紀）	プノンペン始祖とされる女性	2008年	ワット・プノム近くの広場	天蓋付き台座に直立、台座面にドーン・ペンの物語のレリーフ
デチョー・ミアハ、デチョー・ヨート（16-17世紀）	シャムとの戦いで活躍した武将	2012年	ウナロム寺院前の広場	躍動的な軍人の騎馬像
*ノロドム・シハヌーク（1922-2012）	元国王、独立の父	2013年	独立記念塔の近くの公園	天蓋付きの台座に直立、「英雄的な王、独立の父、領土保全とカンボジア国家統一」というプレート。像を正面から見れば背後に独立記念塔が見える

*設置者は政府

九九八年、二〇〇七年には、カンボジア政府はベトナム寄りである、と糾弾するグループによる破壊行為などがあり、たびたび物議を醸すことになった。現在は塔には両国の国旗をあしらった装飾と両国語で「ベトナム義勇軍記念碑」と書かれたプレートが付けられている。

一九九三年、新生カンボジア王国では、旧カンボジア王国時代の街路名が復活した。プノンペン都当局は美しい公園であふれた首都こそが平和、友情、安定を象徴するとして公園整備に重点を置いた。一九九九年には銃身がねじまげられた短銃を模った銃器根絶の記念碑がチローイ・チョンワー橋のたもとに設置された。都当局が二〇〇五年からの都市開発戦略として推進したのは、銅像建立によるナショナル・アイデンティティーの提示である。

ベトナム義勇軍記念碑
王宮に近くのボトム寺院前公園に建てられた同記念碑は、子どもを抱きカンボジアの民族衣装を身に着けた女性を庇護するかのように、銃を持った二人の兵士（戦闘帽の形から左はカンボジア人、右はベトナム人）が背後に並ぶ。両国友好のシンボルとして地方都市に同様の像が設置されている

チア・ビチア像
独立記念塔に近いランカー寺西門入り口の新聞の売店で新聞を読んでいるときに撃たれて亡くなった。銅像は低い台座に直立したもので、マイクを持ってデモを指揮している。事件現場近くの歩道脇に設置された

いずれの銅像も一メートル以上の台座に設置され、見学者は簡単に近寄ることも直接手を触れることもできず、仰ぎ見ることになり、その人物の威厳や神聖性が自然と保たれるようになる。銅像設置場所には人物に関する解説プレートなどはないものの、これらの人物は初等教育、中等教育課程で使用される国語教科書にたびたび登場している。特にデチョー・ミアハとデチョー・ヨートの物語は二〇一二年版から掲載されるようになった。タイから自国を守るために努力と犠牲を払ったとされる二人の武将は、実在の人物であるかどうかは専門家の間でも意見が分かれている。「権威によって戦勝すること」を意味する「デチョー」は、現在は最高位称号となっている。この称号は、二〇〇七年に国王シハモニから授与されたフン・セン現首相のみが使用していることは興味深い点であろう。

著名人の名前が付された街路、公園、銅像が

集まっているのは、プノンペンの中心地七・四平方キロのドーン・ペン区とその近辺である。公共施設や街路に付けられた人名は、歴史上の人物でなくても、現役の政府高官や経済界で活躍している民間人でもよいようである。また銅像にする人物は物故者でなければならない。二〇一〇年に出された内閣府令で「存命中の人物像を作るのは、カンボジアの伝統にそぐわない」「生前には、銅像による栄誉は与えられない」という理由から、「カンボジア政府高官の彫像、塑像の製作、また設置、売買は禁止」と明記されている。

これらの「公式な偉人」と大きく異なるのが「労働者の英雄」チア・ビチア像である。チア・ビチアはカンボジア自由労働組合の委員長として賃金値上げ要求など組合活動を行っていたが、二〇〇四年に何者かに射殺された。二〇〇六年に市民グループが銅像建立の申請を市当局に行い、二〇一三年に設置された。事件から一〇年目にあたる二〇一四年には銅像を終点とする市民による追悼記念行進が行われた。

「ありがとう、平和」プノンペン都内の保健センターに掲げられたバナー

二〇二二年、公共空間で目にするのは「ありがとう、平和」というバナーである。これは二〇二〇年にフン・セン首相が、全国の行政、教育機関を中心とした公共施設の入り口への設置を要請したことによる。首相自身の政治的基盤の確立と存続の宣言との意味が込められているともいわれる。プノンペンは今、高さ五〇メートル前後に及ぶ高層ビルが三三〇棟以上林立し、うち六〇棟は一〇〇メートルを超えている（エンポリス、二〇二二年）。人々が実際に仰ぎ見るのはもはや台座の銅像ではなく高層建築物であり、畏敬の念を抱くべきは現指導者なのである。

（岡田知子）

象徴としての国王

コラム14　井手直子

一九九三年カンボジア王国憲法（一九九九年改正）は、カンボジアが立憲君主制であることを規定している。国王は、君臨するが統治せず、民族の統合と永続性の象徴として位置付けられている。カンボジアの国王と言えば、シハヌーク（一九二二〜二〇一二）を思い浮かべる人もいるだろう。シハヌークは、一九四一年にフランス統治期下で若くして即位した後、カンボジアを独立へと導きサンクム（人民社会主義共同体）を組織して政治活動のために父親に王位を譲り、その後国民投票により国家元首として指名されるなど、半世紀以上にわたって現代カンボジアの舵取りをしてきた人物である。そのシハヌークが、二〇〇四年、健康状態を理由に突然退位を表明した。この声明は、国王が終生国家元首であるとの憲法規定や王位継承の順位が定められていないことなどから大きな議論を引き起こした。政治家らは退位を思い止まるよう説得したが、国王の決断は固かった。王位継承権を有するのは、アン・ドゥオン王、ノロドム王、シソワット王の血筋を受け継ぐものとされている。政治とはかかわりのない息子のシハモニ（一九五三〜）とは対照的に、同じく王位継承権を有するフンシンペック党首のラナリット国民議会議長は、政界に留まる意志を表明した。その後、フン・セン首相や仏教のサンガ長（僧王）二名らから構成する王冠評議会は、国王後継者としてシハモニを選任し、二〇〇四年一〇月、プノンペンの王宮にて戴冠式が執り行われた。この結果は、国王が王位継承者を指名する権限を有しないとはいえ、シハヌークの意に沿うものであった。

北朝鮮のボディガードに付き添われて国道6A号線修復完成式典に出るシハヌーク（1995年、提供：Ungsa Marom）

シハモニは、シハヌークとその第六王妃モニニアトとの長男で、国外での生活が長いため国民にはあまり知られていない存在であった。シハモニは、幼い頃からバレエを学びプラハで教育を受けた後、バレエの教師やカンボジアのユネスコ大使としてパリで生活していた。少年期には、シハヌーク国王が一九六七年に制作した『小さい王子』という映画でも主演している。シハモニは、即位後、戴冠式で発言した通り全国各地を訪問し、国民との対話に時間を費やした。その様子はニュースで報道され、シハモニの温和な笑顔としなやかなしぐさがテレビに映し出された。シハヌークが、独身のシハモニのために王妃を任命すべきと提案したことも話題に上がった。

ポル・ポト時代を生き延びた年配の人々は、サンクム時代を最も平和であったと懐かしむ人も多い。国民の思いを表すように、退位後約一年経っても公の場にはシハヌーク前国王の肖像が掲げられ、これに対してシハヌークがシハモニ国王の肖像だけを掲げるべきと意見したほどである。また、二〇〇三年総選挙後に政治的膠着状態が続いていた際には、シハヌークが別人を装いカンボジアの政治を批判していると考え

シハモニ国王即位の記念切手

られる時期もあった。その後、病気療養のため中国で長期滞在することが多くなった期間中も、シハヌークは国民から敬愛されその影響力は大きかった。二〇一一年には、王宮前でシハヌークの誕生日を祝う式典が執り行われ、多くの国民が前国王のために集まった。その際、シハヌークは、今後は病気治療のための海外滞在はせず、カンボジア国内に永遠に留まることを表明した。その翌年、八九歳で逝去し、約四ヶ月後にはプノンペンにて各国の要人による参列のもと四日間にわたる国葬が執り行われた。プノンペン都内での葬列には、数十万人の国民が道路沿いで最期の別れを惜しんだとされる。現在、カンボジアの紙幣は、シハモニが印刷される五〇〇リエルや二万リエルだけではなく、シハヌークが印刷される紙幣も流通しており、今でも多くの国民から慕われている。

IV

社会を考える

左（ごみ）：入るよ
右：出て行くよ（©Em Sothya）
1999 年 1 月 11 日付『リアスマイ・カンプチア』紙掲載

32

自由な政治を求めて

★長期化するフン・セン政権★

国家の担い手をめぐる争いが続いた一九九〇年代までの様相とは異なり、二〇〇〇年代はフン・セン首相を中心とした人民党の一人勝ちが続き、政治の安定を背景に経済は高成長を続けていった。

二〇〇八年の総選挙では、人民党は全一二三議席のうち九〇議席を占めるという大勝利を収めた。一九九〇年代にしのぎを削ったフンシンペック党は、長く連立政権に参加することで独自性を失い、さらに内部対立を繰り返しながら衰退していった。人民党の対抗馬として大きな支持を集めるようになったのは、サム・ランシー党であった（次頁の図）。党首のサム・ランシーは、当初はフンシンペック党に所属し、連立内閣の財務大臣まで務めたが、一九九五年に除名され、自らの政党をつくった。サム・ランシー党は二〇〇八年総選挙では二六議席を獲得し、野党第一党に成長した。なお、NGO代表であったクム・ソカーが立ち上げた人権党は、この選挙で三議席を獲得した。

サム・ランシーは、与党である人民党がベトナム寄りの姿勢をとり、ベトナムに有利に国境線を画定しているのではないかという信念のもと、二〇〇九年一〇月にベトナム・カンボジア

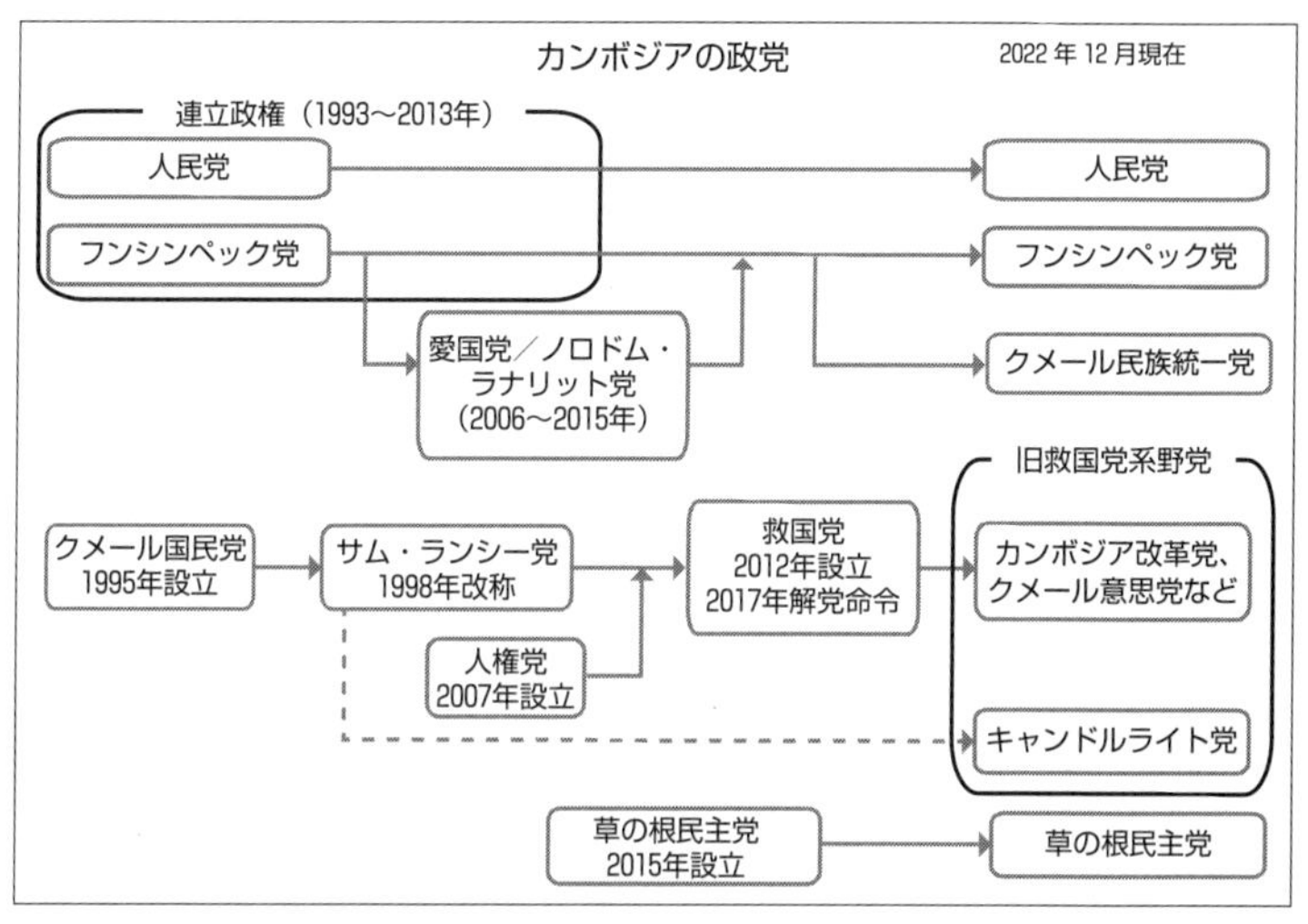

注：この他にも小規模政党が複数存在する

国境の杭を引き抜いたことで、逮捕状を発行され、海外から帰国できない状況に陥った。二〇一二年一〇月、サム・ランシーはフィリピンにてクム・ソカー人権党党首と会談し、サム・ランシー党と人権党の合併を宣言し、カンボジア救国党（CNRP）を立ち上げた。救国党は、プノンペン、カンダール州などの都市部や、コンポン・チャム州で大きな支持を得た。

二〇一三年総選挙は、救国党の党首が不在のままで選挙キャンペーンが開始された。この選挙は、若者が大きな役割を担った選挙として注目された。彼らは「変える?変えない?」「変える!」と大きな声をあげながら、救国党のロゴのフェイス・ペインティングをするなど、思い思いのスタイルで選挙キャンペーンを盛り上げた。また、救国党が最低賃金引上げや年金支給など、具体的な金額に言及した公約を掲げたことは、カンボジアの選挙において画期的なことであった。さらに、国内外からの批判を受け、投票日の直前にサム・ランシーに恩赦が出され、四年ぶりの帰国が実現した。空港から街中への道を埋め尽くした支持者に囲まれた様子は、選挙戦の行方を大きく左右した。

結果的に、救国党が五五議席を獲得し、人民党は勝利したものの九〇議席から六八議席へと大きく議席数を減らした。しかし、救国党は、選挙不正がなければ自分たちが勝利していたはずだと主張し、一年近く選挙結果を受け入れずに、国民議会をボイコットした。救国党による抗議の声は、最低賃金の引上げを求める労働運動ともあいまって、ときに暴力をともなう激しいものになっていった。二〇一四年一月、縫製工場の労働者によるデモ隊に対して治安当局が発砲し、少なくとも四人が死亡する事態に発展した。その後、集会に厳しい制限がかけられるようになり、この対立を平和的に解決することができるのか、先行きが不安視された。七月、救国党の一部指導者たちがプノンペンにて抗議集会を敢行したことで逮捕者が出た。これを機に、与野党の交渉が進み、選挙の運営の仕方を改革すること、国民議会での少数派の役割を明確にすること、救国党の情報を発信するためのテレビ局設置を認めることなどの合意がなされた。与野党の対話を通じた良好な関係は一年近く続き、選挙の運営

「ありがとう、平和」キャンペーン。2019年頃から政府は、現政権が達成している平和と安定を積極的にアピールしている

2018年選挙の際の人民党キャンペーンの様子（2018年7月撮影）

をめぐっては、選挙管理委員会に野党勢力も参加するようにしたり、選挙人名簿を電子化するなどの改革が進んだ。しかし、二〇一五年一〇月、再びサム・ランシーが外遊中に逮捕状が出され、両党の対立関係は新たな局面に直面した。さらに、二〇一七年九月、海外にいるサム・ランシーにかわって党首についたクム・ソカーが国家転覆を企図した疑いで逮捕された。また同月、政府に批判的な記事を掲載することの多い老舗の英字新聞『カンボジア・デイリー』が廃刊に追い込まれるなど、救国党やメディア、NGOなどへの厳しい措置が繰り返された。そして一一月、二〇一七年に改正された政党法をもとに、党首が重罪を犯したことを理由として最高裁判所は救国党に解党命令を出し、一一八人の救国党政治家に対して五年間の政治活動を禁じた。

二〇一八年総選挙は、救国党不在のまま実施され、二〇一三年総選挙とはうってかわって、静かな選挙となった。一九の野党も参加したものの、救国党指導部は国外からボイコットを訴えた。カンボジアの選挙では、投票をした証拠に指にインクをつけることになっている。小さな村で、投票日に「きれいな指」でい続けることは、社会的に大きなプレッシャーを受ける。そのため、選挙に行かざるを得なかった人たちは、投票用紙に大きな「×」を記すなどの無効票を投じるような事態が多発した。野党票は乱立した小規模政党に薄く広く分散するとともに、棄権や無効票が多く発生した影響で、人民党が全一二五議

フン・セン首相の看板（2016年7月撮影）

席を独占するという結果になった。選挙後、政府は、諮問勧告高等評議会を設置し、選挙に参加した野党の声を吸い上げる仕組みをつくった。これは、参加政党の代表者が土地問題や汚職などの事案の報告を首相や解決しうる能力のある機関に伝える役割を果たすが、議会制民主主義を無視した仕組みともいえる。

ＥＵは民主主義の劣化を理由に、一定期間中に改善がなければこれまでカンボジアに認めてきた特恵関税制度である「武器以外すべて（ＥＢＡ）」の適用を取りやめることを通告し、二〇二〇年八月にカンボジアの主要な輸出品である縫製品を含む大半の品目へのＥＢＡ適用を取りやめた。アメリカは、一部の政府高官やビジネスマンのビザ発給取りやめと資産凍結を決めた。とくにＥＢＡの取りやめは、縫製品の輸出の大半がヨーロッパ向けとなったカンボジア経済に大きな影響を及ぼしかねない。カンボジア政府は、選挙直後にクム・ソカーを保釈したり、一部の活動家、ジャーナリストなども釈放したが、欧米からの評価は芳しくなかった。最終的には、カンボジア側は、内政干渉は断固拒否という姿勢を崩さず、ＥＢＡの適用取りやめが決定された。

二〇一九年一月、救国党の政治活動を禁じられた政治家のなかから、恩赦により政治復帰ができるように政党法が再改正された。それにより国内にとどまっていた一部の政治家の復帰が始まった。一方で、政府は救国党に近い活動家らを拘束したりするなどの揺さぶりをかけ続けた。また、二〇一九年一一月九日に帰国すると宣言したサム・ランシーに対しては、カンボジア政府はアセアン各国に逮

2008年～2018年の国民議会議員選挙獲得議席数

	2008年	2013年	2018年
人民党	90（58.1%）	68（48.8%）	125（76.8%）
フンシンペック党	2（5.1%）	0（3.7%）	0（5.9%）
サム・ランシー党	26（21.9%）	–	–
人権党	3（6.6%）	–	–
救国党	–	55（44.5%）	–
ノロドム・ラナリット党	2（5.6%）	–	–
その他	0（2.7%）	0（3.1%）	0（17.3%）
合計	123議席	123議席	125議席

（注）括弧内は有効投票数に対する得票率。2008年以前の選挙結果については30章を参照
（出所）選挙管理委員会資料および『アジア動向年報』各年刊より作成

捕状を送付するなどして、徹底的な排除を行った。

二〇二二年六月に行われた地方評議会選挙では、旧救国党の政治家たちが立ち上げた複数の小規模政党のほか、草の根民主党などの野党勢力が参加した。その後、旧救国党出身者たちのなかには、サム・ランシー党の流れをくむキャンドルライト党を中心に再結集を目指す人たちも多いが、先行きは不透明である。草の根民主党も指導部の一部が人民党に移籍するなど、カンボジアで「野党」としての政治活動を続けることには、限界が多い一方、人民党は二〇二一年末にフン・セン首相の長男フン・マナエト国軍副総司令官兼陸軍司令官を将来の首相候補と決めるなど、着々と次世代に向けた動きを進めている。

長い間、直接的な暴力によって対立を繰り返してきた諸勢力が、投票によって国を治めるリーダーを決めるようになったことは、カンボジアにとって大きな進歩であったはずである。しかし、野党勢力の実質的な参加を確保しながら自由な議論を実現するまでには、時間がかかりそうである。

（初鹿野直美）

33

戦争犯罪を裁く

★クメール・ルージュ裁判★

一九七五〜七九年のポル・ポト政権時代には、約一七〇万人もの人々が虐殺などにより不自然に死亡したとされる。国連とカンボジア政府が合意して二〇〇六年に発足したカンボジア特別法廷（クメール・ルージュ裁判）は、当時の政権で責任ある地位にあった人たちの裁判を行った。

パリ和平協定後の一九九三年に実施された制憲議会議員選挙に参加しなかったポル・ポト派は、一九九四年七月に非合法化された。一九九六年八月に同派は分裂し、イエン・サリらのグループは政府に投降する道を選んだ。その後も一九九八年総選挙を前に、残りのポル・ポト派の取り込みをめぐって人民党とフンシンペック党との対立が激化し、いずれかの党がポル・ポト派を取り込むのを牽制しあうなか、一九九七年六月、ラナリット第一首相とフン・セン第二首相は、特別法廷設置についての「国連と国際社会による支援」を求める書簡を国連事務総長宛てに送った。翌月、ラナリット第一首相は七月事変を契機として失脚し、また一九九八年四月にポル・ポトが死亡したことで、ポル・ポト派をめぐる国内政治上の対立は終了し、カンボジア政府の法廷設置へのモチベーションは薄れていった。し

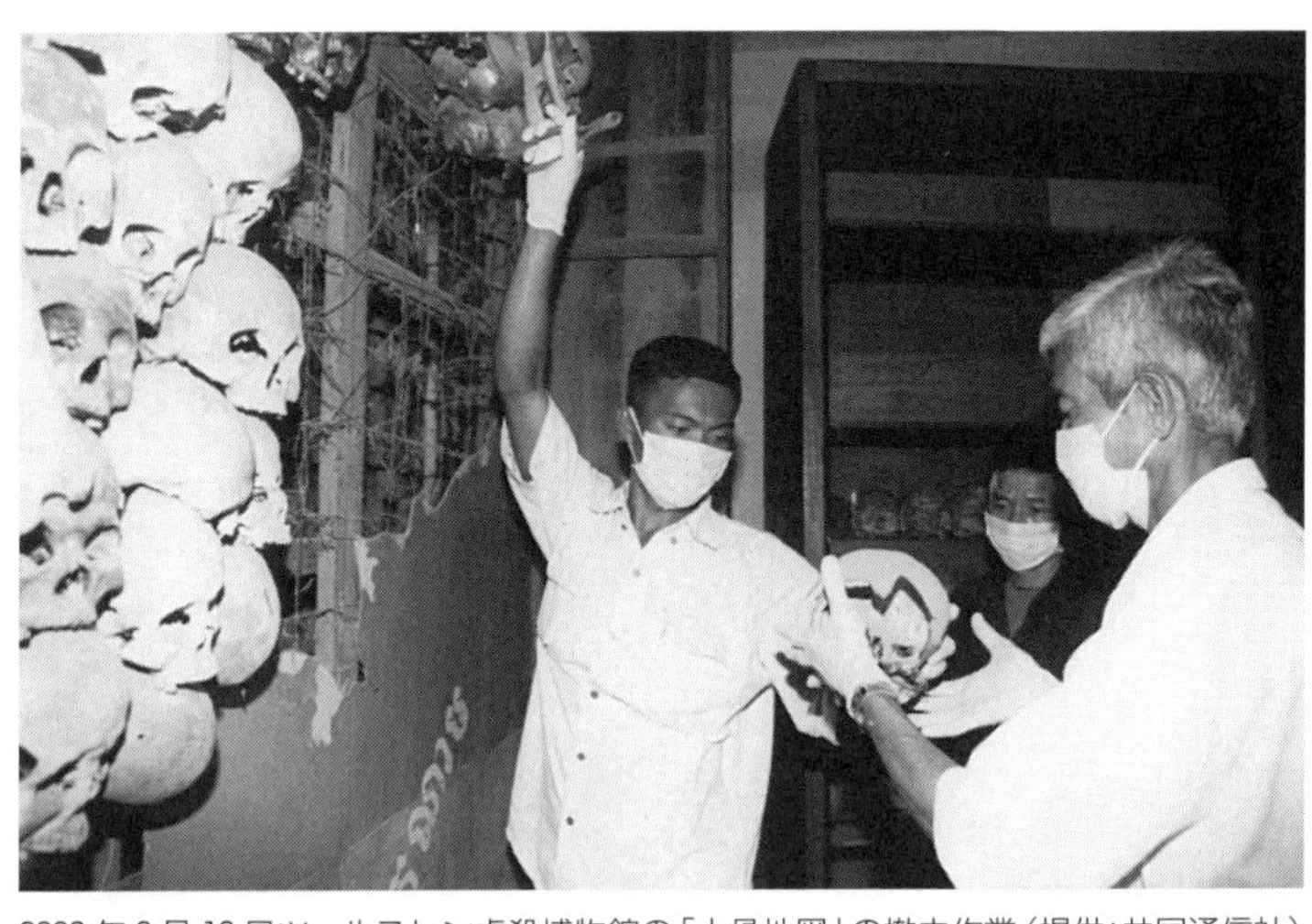

2002年3月10日ツールスレン虐殺博物館の「人骨地図」の撤去作業（提供：共同通信社）

かし、国連総会は、一九九七年一二月にカンボジアからの要請を検討することを決議し、その後も法廷設置に向けたカンボジア政府との交渉が進められた。

カンボジア政府は国内法廷として設置したうえで国連・国際社会からの支援を求めるかたちを望んだが、国連・国際社会側は国際法廷としての実施を求めたことから、両者の交渉は難航した。二〇〇一年八月、カンボジアは国内法廷として特別法廷を設置するための「民主カンボジア時代の犯罪を訴追するためのカンボジア特別法廷設置法」を制定した。その後、一時は両者の交渉は打ち切られるほどに難航したが、二〇〇三年六月に国連総会とカンボジア政府とのあいだでの合意が成立し、二〇〇四年一〇月、カンボジア特別法廷設置法の改正法が制定された。

国際的に実施される戦犯法廷は、国外に置かれることが多かった。たとえば旧ユーゴスラビア国際戦犯法廷やルワンダ国際刑事裁判所（上級審）はオランダ・ハーグに設置され、国際司法官によって裁か

裁判を傍聴するために列をなす人々（2007年）

ツールスレン博物館（旧S21政治犯収容所）の外観

れている。しかし、カンボジアでは、プノンペン郊外にカンボジア政府の責任によって設置された建物が使用され、カンボジア国内で裁判が実施された。法廷の予算はカンボジア政府と国際社会とが折半することとなり、裁判官や検察官などの人材についても国連とカンボジア政府のそれぞれが指名した人材が半々で担うハイブリッド式となった。検察、捜査判事の判断は、カンボジア人、外国人各一人の体制をとっており、両者の見解に相違があった場合は予審裁判官であるカンボジア人三人、外国人二人の特別多数決により判断が行われる。そのうえで、第一審および上級審での裁判手続きが行われる。第一審および上級審の裁判官もカンボジア人三人および外国人二人の構成となっており、外国人裁判官のみの判断で決定がくだされることがない仕組みとなっている。

　裁判の対象とされたのは、ポル・ポト政権時代の上級指導者であり、カンボジア刑法（時効を三〇年延長）、国際人道法、慣習法、カンボジアにより承認された国際条約上の重大な違反で、一九七五年四月七日から一九七九年一月六日までの期間に行われたことに最も責任を持つ者である。裁判で有罪となった場合、最高刑としては終身刑が適用される。被害者からの損害賠償請求制度、裁判手続きへの市民セクターの参加も用意された。

裁判は、事案一~四に分割して実施されてきた。事案一では、S21政治犯収容所所長だったカン・ケック・イウが対象とされた。二〇一〇年七月、人道に対する罪および一九四九年ジュネーブ諸条約の重大な違反を事由として禁錮三五年の判決が下されたが、二〇一二年二月、上級審では最高刑である終身刑が下され、判決が確定した。服役中の二〇二〇年九月、カン・ケック・イウは七七歳で死亡した。

事案二ではヌオン・チア元人民代表議会議長、イエン・サリ元副首相兼外務大臣、イエン・チリト元社会福祉大臣、キュー・サンパン元国家幹部会議長といった政権幹部四人が対象とされた。対象とされる事象が膨大であったことから、事案二─〇一および二─〇二の二つに分割されて手続きが進められた。四人ともすでに七〇~八〇歳代と高齢であったが、二〇一一年一一月、第一審開始直前にイエン・チリトは認知症により裁判に不適であると判断され、二〇一五年八月に死去した。さらに、二〇一三年三月一四日、イエン・サリも裁判の途中で死去し、ヌオン・チアおよびキュー・サンパンのみを対象として裁判は進められた。

事案二─〇一では、プノンペンやその他地域からの強制移動に関する人道に対する犯罪、一九七五年の政権奪取直後のクメール共和国兵士の処刑に焦点をあてた審理が行われ、ヌオン・チアおよびキュー・サンパンに対して、二〇一四年八月七日の第一審判決で終身刑、二〇一六年一一月二三日の上級審判決で終身刑が確定した。事案二─〇二では、チャム人やベトナム人に対する虐殺、強制結婚やそれに関連したレイプ、内部パージなどを焦点に審理が行われ、二人に対して人道に対する罪、ジュネーブ条約違反、ベトナム人虐殺の責任、また、ヌオン・チアに対してはチャム人の虐殺の責任を認め、第一審では両者に終身刑判決が下された。その後、二〇一九年八月、ヌオン・チアが死去したことから、事案二─〇二についてはキュー・サンパンのみが上級審での残りの裁判手続きを受け、二〇二二年九月二二日、上級審が第一審の終身刑判決を支持して結審した。

事案三はミアハ・ムット、事案四ではアオ・アーン、ユム・トゥットを対象として手続きが進められようとしていた。しかし、カンボジア政府は、政権中堅幹部への裁判の拡大に消極的であり、外国人司法官とカンボジア人司法官のあいだでの見解の相違で、裁判はしばしばとん挫してきた。最終的には、第三、第四事案では、誰に対しても裁判は行われずに終わった。

二〇〇六年に始まった裁判は、カンボジア語、英語、フランス語への通訳・翻訳を徹底して慎重な審理を進めてきたこと、常に予算不足に直面してきたこと、汚職疑惑やカンボジア政府の非協力的な姿勢なども あり、一〇年以上の年月がかかった。他の国際戦犯法廷は一九九〇年代以降の事案を対象としたものであるのに比較して、カンボジアのケースは一九七〇年代の事案であることから、関係者の高齢化は大きな壁となってきた。それでも裁判手続きを通して、現代のカンボジアに大きな影響を与えているポル・ポト時代に、実際にどのようにして悲劇が起きたのかを客観的証拠に基づいて判断をするステップを踏むことでの史料的価値ははかりしれない。また、国際水準の裁判手続きをカンボジアの司法関係者に伝える場としての機能を果たす側面もある。この裁判は、カンボジアの和平の長いプロセスの総仕上げとしても位置付けられ、今後、この記憶を次の世代へと伝えていくうえでも重要な役割を担っていくことになる。

（初鹿野直美）

コラム15

ポル・ポト時代の経験談

上田広美

一九六〇年代にプノンペンで生まれたソバタナさんが体験したポル・ポト時代についてお話をうかがった。

王立プノンペン大学の裏手にあった私の家は木造家屋で、庭には、ココナツやマンゴーなどの樹木や野菜が植えられていて、鳩小屋もあった。小学校に入ってすぐ、平穏な日々の風景は、ロケット弾が直撃した家が燃え上がる夜空、絶え間ない消防車や救急車のサイレンの音、庭に掘られた塹壕にとってかわった。家にいるのが危険になり、市内の親戚や父の友人を頼って移動したが、祖母だけは頑として家を出ようとしなかった。市内の病院には、見舞いに来る親族もいない怪我人が、寺院には、首にお守りの布を巻いた兵士の死体があふれ、親族を探しに来た人が遺体を抱いて大声で泣いていた。

プノンペン「解放」の朝、つまり一九七五年四月一七日、人々は家から走り出て、解放軍を歓迎した。しかし解放軍は、米軍を一掃するためプノンペンを三日間出てくださいと告げて回った。両親は、一度家に帰って祖母を連れてこようとしたが許されず、国道一号線に向かって進むことになった。一方、祖母は親族と一緒に国道五号線をバッタンバン州へ向かった。六〇歳を少し過ぎた祖母は、その時はまだ健康だったが、同行した中で一九七九年一月七日のポル・ポト政権崩壊の日まで生き延びたのは従兄一人だけだった。

私の家族は、他の人たちと同様、わずかな荷物を持って家を出た。病気の母と米や荷物を載せた三輪オートを父と兄が押した。姉と私は歩きながら、色とりどりのボタンが道に散らばっているのを見て拾ってはポケットに入れるのに夢中になり、はぐれてしまった。人が多すぎて家族が見つからず怖くなったが、兄が探しに来てくれた。

移動をはじめてすぐ私たちきょうだいは高熱を出し、父の生まれ故郷へ向かう途中で、姉のひとりはデング熱で死んだ。その後、命じられるままに集落を転々とし、丘を切り崩したり、用水路を掘ったりした。暇さえあれば、睡蓮の茎や、水草を摘んだり、カニや巻貝を探していた。ひもじさとつらい労働とそこからくる病気に加え、監視される恐怖、大切な家族の写真を焼き捨てられた悔しさは今でも忘れられない。一方で、プノンペンを出てすぐ、経歴をきかれたら教師ではなく農民だったことにしなさい、とこっそり教えてくれた兵士や、作業場への途中、幼い私が歩けないのを見かねて牛車に乗せてくれた旧住民のことも覚えている。

ポル・ポト時代、幹部用に出版された雑誌『民主カンボジアは前進する』(1977 年)

一九七八年の末にベトナム国境へ送られる

兵士が集められ、兄もわずか一週間の訓練の後、戦場に送られた。ダムや用水路を掘っていた兄姉が次々と集落に戻ってきたある日、村人たちは突然仕事をやめて、倉庫にあった米、ヤシ砂糖、塩、プロホック（魚の発酵食品）を奪いあった。一九七九年になっても、私たち家族は、クメール・ルージュ残党を恐れてしばらくは集落におり、水路でとった魚をスパイスを入れた煮つけにしたり、塩をまぶして干物にしていた。まだ学校にも戻れなかったが、母が近くにいてくれるだけで幸せだった。家族を失いつらい思いをした子ども時代であるが、当時目にした夕暮れの茜空と鳥の群れ、畦道を走る子どもたちの声や、山芋掘り、カエル獲りや蜂獲りの思い出とともに、私の記憶に刻み込まれたひとときである。

　私の一家はその後、コンポン・トムの州都に移り、私は四年ぶりの電灯にわくわくした。また、日に三食、朝は白粥や炒めご飯を、昼食と夕食は汁物とおかずとを食べられるようになった。しばらくは、魚を獲ったり、野草を摘んだり、森に薪を採りに行きながら、果物をもいだり、ウサギや鳥をとっていた。

　両親が州教育局で仕事を得ると、米、灯油、塩、白砂糖、缶詰の煮魚、食用油、布、蚊帳、缶詰食品、魚など、毎月の配給を受け取るようになった。大半は、ソビエト社会主義共和国連邦からの援助品で、魚は、魚の獲れる季節なら、ひと家族に一〇〇キログラムより少ないことはなかった。魚を積んだ船が到着すると、鐘が鳴らされた。塩は、一年間充分な二〇から三〇キログラムを得た。母と私は、魚の頭を取ってプロホックやプオークを作った。魚の頭は、小さい甕（かめ）に漬けて、煮て魚醤にした。家に遊びにきた親戚が帰るときにはいつもプロホックや魚醤を渡した。母が作ったプロホックも魚醤も、香りがよくおいしかった。近所のひとたちはよく、どうやって作ったら赤身の魚で白いプロホックになるのか、自分たちの作るものと違って透き通った赤でよい香りがする魚醤になるのか、と不思議がった。

国の祝日の夜には、舞踊の上演や映画の上映があった。みんな家族総出でゴザを担いで来て舞台の前に敷いて座り、州芸能局の芸能者が舞踊やバサック劇やジケー劇、歌を演じるのを楽しんだ。夜六時の上演に間に合うよう、遠くから歩いて来る人が多かった。雨が降ると演者も観客も雨宿りし、雨が上がると上演を続けた。

ポル・ポト時代の四年間、魚獲りと牛の番に明け暮れた生活の後、私も学校に戻ることになった。嬉しさの反面、勉強についていけないのではと不安になった。母は、「おまえはたくさん読めるし書けるし、みんなに追いつけるよ、学校では算数をがんばりなさい」と励ましてくれた。母の言葉はずっと私の心に残っている。「お母さんにはおまえに分ける財産はないの。あるのは、おまえの人生で成功を手にするための宝物となる知識だけ。お母さんの言うことを覚えておきなさい。他の子たちに追いつけるよう、一生懸命勉強しなさい」

「ただちに志願せよ」という立看板
(1987年プノンペン)

34

米をつくる

★変化の時を迎えている農業★

二〇二〇年のカンボジア農業調査によると、二〇三万八〇〇〇世帯が農業世帯で、これは全世帯の五七%を占める。農地の大半は水田であり、中央平原に広がる水田は、雨季のメコン川の浸水域に沿って広がっている。バッタンバン、バンテアイ・ミアンチェイ、プレイベン、タケオ州などが米生産高の多い州となっている。水田以外の農地では、野菜類、トウモロコシ、サトウキビ、ゴマ、タバコなどの換金作物が作付されている「下の畑」と、陸稲、キャッサバ、ジュート、豆類などが栽培されている「上の畑」とがある。国内で消費される野菜・果物については、隣国タイやベトナムからの輸入も多い。また、コンポン・チャム州、クロチェ州、ラタナキリ州などでは、天然ゴムの大規模プランテーションでの栽培が、フランス統治期以来長きにわたって続いている。

カンボジアでの稲作は、伝統的にメコン川からもたらされる河川の流水による浸水を利用して作付を行う。雨季に作付けする雨季田と乾季に作付する乾季田とが存在するが、コメ生産の中心は雨季田である。二〇二一年には米の作付面積の八二%、生産高の七六%が雨季米であった。雨季は降雨の始まりととも

2020年の主要作物の作付面積（ヘクタール）

作物	作付面積
米	3,322,800
天然ゴム	292,500
キャッサバ	282,439
メイズ	166,453
大豆	110,000
野菜	100,111
サトウキビ	92,704
乾燥豆	69,870
バナナ	66,084
油やし	46,398
ゴマ	40,000

（出所）FAOSTAT

に、苗代をつくり、七～八月ごろに田植えを行う。バッタンバン州では直播も行われる。トンレサープ湖の雨季の増水を利用した浮稲栽培をする地域もある。雨季米は雨の降り始めが遅いと、その年の生産高に大きな影響を受ける。稲は乾季が始まる一二～一月までには刈り取られる。乾季作はメコン川の水位が下がった後に河川水が滞留する土地や、メコン川やトンレサープ川の後背湿地などで行われ、乾季の終わりに収穫される。

米の収穫高は一九九三年に二三八万トンであったのが、二〇〇〇年には四〇〇万トン、二〇一七年には一〇〇〇万トンを超えた（グラフ）。灌漑率が低いことから（二〇一三年の時点で二二%）、コメの二期作は限定的に行われているのみであるが、近年灌漑設備への投資が増えており、二期作の増加が期待されている。

カンボジア政府は、籾米ではなく国内で精米をした米の輸出を増加させるべく米の生産・輸出振興政策を二〇一〇年に発表し、二〇一五年までに一〇〇万トン

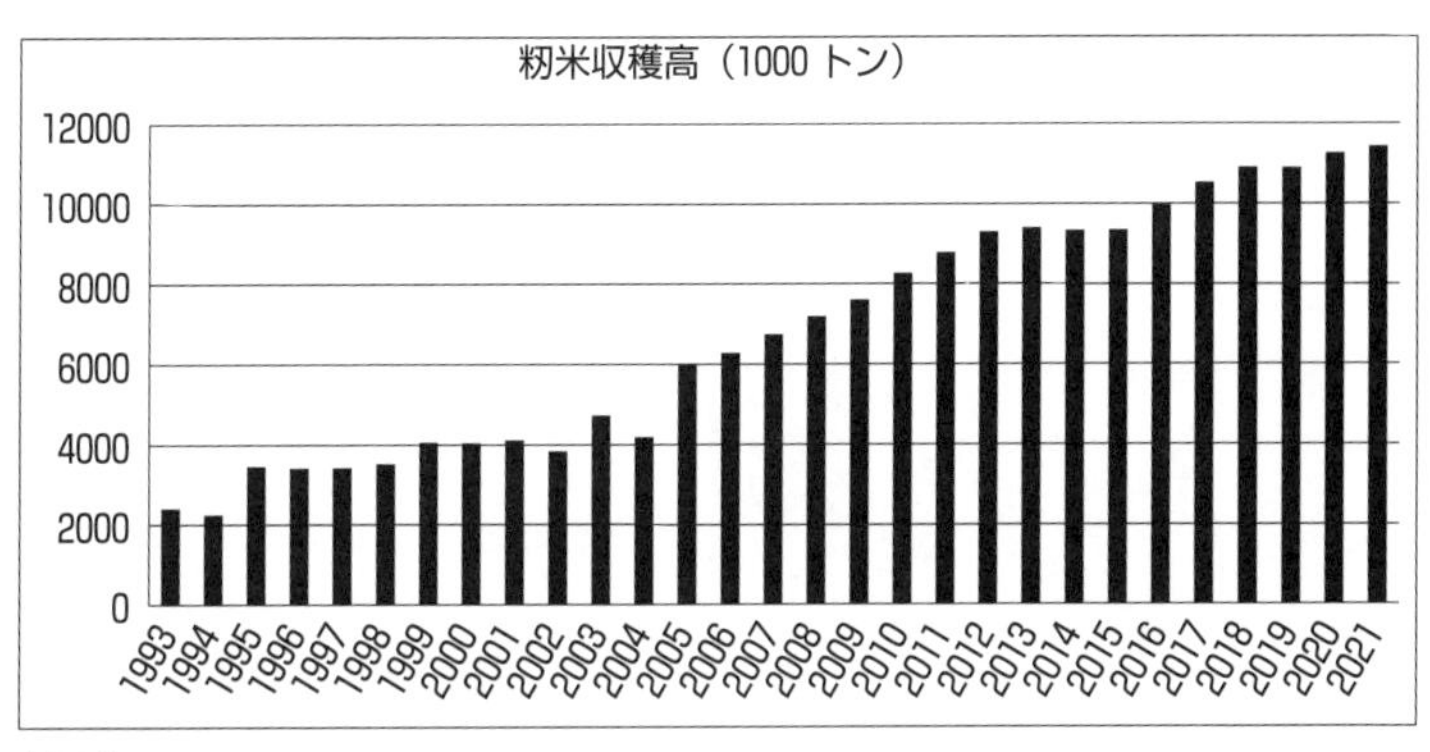

（出所）FAOSTAT

精米輸出量（トン、2010～2021年）

2010	2011	2012	2013	2014	2015	2016	2017	2018	2019	2020	2021
48,202	167,570	194,366	357,076	340,710	461,014	525,584	573,427	631,532	546,722	638,202	623,478

（出所）FAOSTAT

の精米輸出の実現を目指した。二〇一〇年には五万トン以下だった精米輸出は、二〇一五年には目標には遠く及ばないものの四六万一〇〇〇トンへと大きく増加し、さらに、二〇二〇年には六〇万トンを超えた（表）。主な輸出先は、ＥＵ、中国であり、普通米とあわせて、香りが良くて付加価値の高いジャスミン米も積極的に輸出されている。カンボジアのジャスミン米は、二〇一二年以降、世界米評議会で世界一位の評価を複数回受賞するほどの品質を誇っている。二〇一九年三月、ＥＵは加盟国からの要請にもとづいてセーフガードを発動し、特恵関税制度を使用した無税でのＥＵへの精米輸出に制限がかけられた。しかし、政府はその後も、中国をはじめ、アジア諸国の米消費国に対して、精米輸出拡大の交渉を続けており、一つの輸出産業として少しずつ成長を遂げている。

天然ゴムは、ラテライトの赤土が広がる地域

プレイベン州の水田

に植林されている。一九九七年には公営公社七社が設立され、公社を中心に栽培が続けられてきたが、公社の生産力は年々低迷していた。代わって小規模栽培が増加し、二〇一〇年ごろまでに全ての公社は民営化された。作付面積は、国際的な天然ゴム価格が上昇した二〇〇〇年代、新規の植林は大幅に増えた。二〇〇一年の作付面積は五万一四五八ヘクタールであったのが、二〇一九年には四〇万五六七一ヘクタールへと拡大し、同年の輸出量は二八万トンを超えた。ただし、国際価格は二〇一一年にピークを迎えた後に低迷しており、天然ゴム産業の先行きは不透明である。また、二〇〇〇年代のプランテーション拡大は、先住民の土地でもあった森林地帯を開拓するかたちで展開されたことから、土地の権利をめぐる対立は深刻な社会問題を引き起こした。

カンボジアの農業は、長年、デルヴェールが一九六一年に『カンボジアの農民』で記した牧歌的

ラタナキリ州の天然ゴムプランテーション

な農村像から大きく変わらない状況が続いてきたが、近年のグローバル化の進展のなかで輸出産業として成長しつつあり、変化の時を迎えている。灌漑設備の整備や機械の導入など、技術的な解決が可能なものについては取り組みが進む。一方でこの変化の背後では、農村の変化、たとえば、農村から都市や国外への出稼ぎによる人口の流出、開発に伴う土地の収奪の問題、農薬や化学肥料の問題、気候変動に伴う天水農業への影響など、多くの課題も抱えている。

（初鹿野直美）

35

メコン川の恵み

★漁業を支える河川と湖★

カンボジアの人々は、魚をたくさん食べる。とりわけ、淡水魚を多く食べることが特徴的であり、トンレサープ湖やメコン川からとれる淡水魚は、カンボジアの食卓には欠かせない。干し魚や塩魚にしたり、発酵させてプロホックをつくるなど、さまざまなかたちでカンボジアの食卓を彩っている。カンボジアの二〇二〇年の漁獲高は内水面漁業が四一万トン、海洋漁業が一二万トンであり（次頁の表）、淡水魚の漁獲は近年減少してきてはいるものの、それでも圧倒的に多い。

カンボジアでは、全体の三五％にあたる一二七万世帯が専業もしくは兼業で漁業に頼った生活をしている（二〇一九／二〇年）。「水あるところに魚あり」という言葉があるように、あらゆるところに魚が生息していることから、日常的に近所の小川や水田で魚を捕まえるということをしている農家を含めると、さらに多くの人々が漁業にかかわっていることが推測される。

捕った魚は、村の中で加工されたり、場合によっては生魚のまま市場に運ばれる。ただし、魚を輸送する専用の体制が整っていないことから、たとえば淡水魚が乗用車の後部で氷のみで他の街に運ばれたり、海水魚も通常のトラックの後ろの簡易な

水産物の需給状況（1000トン、2020年）

	生産	輸入	輸出	国内供給	国民一人当たり供給（kg/年）
淡水魚	814.6	2.2	33.1	783.7	33.1
海水魚等	105.8	9.2	3.7	100.7	7.1
甲殻類	19.6	0.5	0.1	20.0	1.2
頭足動物（イカ、タコ）	5.6	0.0	0.0	5.6	0.3
その他軟体動物	21.3	45.1	0.0	66.4	4.0

（出所）FAOSTAT

カンボジアの漁業の内訳（トン）

	2015年	2020年
内水面漁業	487,905	413,200
海洋漁業	120,500	122,700
養殖	143,141	400,400

（出所）農林水産省資料

生簀（いけす）でシハヌークビル（プレア・シハヌーク）からプノンペンへと運ばれることもしばしばである。国内には大規模な加工工場が十分にないので、隣国の工場ですり身などに加工されるケースもある。

トンレサープ湖はカンボジアの人々にとって最も重要な漁場となっている。雨季になると、メコン川の水位が上がるにつれて、トンレサープ湖の水位も乾季の一〜二メートルから、ピーク時には一〇メートル程度まで上がり、湖の面積も三倍近くに膨れ上がる。これにあわせて、メコン川から多くの魚が湖に移動する。湖は、周辺に洪水林が七〇〇〇平方キロメートル以上ひろがり、魚たちはここで産卵し幼魚が成長する。この期間、資源保護のため、中・大規模な漁網を使用した漁は禁止される。雨季の終わりに、水位が下がってくると、成長

水上の住居

した魚たちはメコン川へと回遊する。そこを狙って、一二〜三月に活発に漁が行われる。各水域によって、漁ができる時期が決められている。

漁具（*An Introduction to Cambodia's Inland Fisheries* より）

漁業を営む人には、商業的に大規模に行っている人々と、家族漁業として小規模に行っている人々とがいる。二〇一二年の改革以前は、大規模漁業者が、大型定置網や簗を使用した漁業を行っており、許可を取得して漁区と呼ばれる区域を入札により購入して操業を行ってきた。中規模漁業者は、漁区が設定されていない共有漁場で、漁撈行為の許可を取得して商業的に魚を捕獲してきた。他に、沿岸に住む人々が小規模に家族経営で行っているが、これは無許可で誰でも営むことができる。一〇メートル以下の刺網、投網、籠などの小型の漁具を使って魚を捕まえる。伝統的に、商業的な漁業に携わっている人たちには、ベトナム系やチャムの住民が多い。

漁業資源と漁民の生活を守るために、カンボジア政府は二度の大きな漁業改革を行ってきた。二〇〇〇年にはコミュニティーに漁業資源の管理を任せる仕組みを導入したが、十分な効果をあげることはなかった。二〇一二年、政府は、トンレサープ湖でのすべての大規模漁区を廃止する改革を行った。地元の小規模漁業者の声を反映した政策であり、小規模漁業者たちの漁区へのアクセスが実現するようになった。ただし、同時に多くの人々が無秩序に漁区へとアクセスするようになった側面は否定できない。結果として、爆薬を使用するような違法漁業も撲滅できず、漁業資源の保護という観点からは評価されていない。

海沿いの南部の州では海面漁業も行われており、一万戸ほどの世帯が漁業を営んでいる。遠浅の海が広がっており、カニ、イカ、エビなど、魚類以外の海産物も多く穫れる。これらはプノンペンの市場でもよく見かける。また、沖合では、タイやベトナムからの不法操業の漁船も少なからず出入りしており、時折、摘発されることもあるが、大半は野放しとなっている。

近年、漁業資源の乱獲、メコン川本流や支流での活発なダム開発に伴う水位の変化、またトンレサープ湖周辺での薪の伐採などによる浸水林の環境の変化、そして世界的な気候変動による雨量の変化などを原因として、漁獲高の減少が問題となっている。将来に向けた漁業資源保護や食料安全保障、雇用創出などの観点から、養殖への投資が急激に伸びており、カンボジアの漁業は大きく変わろうとしている。

（初鹿野直美）

魚の利用法あれこれ

コラム16

福富友子

トンレサープ湖は魚の宝庫である。二〇〇種以上の淡水魚が生息するといわれ、漁が盛んな乾季には、毎朝市場に何十種類もの魚がところ狭しと並ぶ。

カンボジアの人々は、魚を使ってさまざまな調味料や保存食品を作る。まずは、プロホックという調味料。水揚げされた大量の小魚をざるに入れ、水に浸して足で踏んで鱗（うろこ）を落とし、内臓を押し出してきれいにする。頭を取り、天日で半干ししたら塩をまぜて甕（かめ）に詰め、ときどき取り出し天日に当て、浸出液を取り除くことを繰り返し、一、二ヶ月置く。こうしてできた灰色がかったペーストがプロホックである。大ぶりな魚の頭と骨を取り除いて身だけで作る高級品から、小魚で作った廉価品まで各種あり、スープや炒め物、蒸し料理など料理の味付けの基本となる。生のままニンニクや唐辛子と混ぜ、焼いた肉などにつけるたれにすることもある。

同様に魚を塩漬けして作るマムは、細かく砕いた炒り米と千切りのナンキョウを一緒に漬け込んだものだ。そのまま生姜や野菜につけて食べてもいいし、刻んだ未熟のパパイヤとヤシ砂糖を加えて一晩おけば、パパイヤのマムという一品になる。炒り米に加え麹で発酵させたもち米の粥を一緒に漬け込んだものはプオークという。発酵して酸味が出るのが特徴だ。これは火を通さないと食べられないそうで、蒸し物やスープに使う。プロホックは湖近くの作業場で大量に作られることが多いが、マムとプオークは家庭ごとに混ぜ込む材料を工夫した自慢のレシピもある。

魚醤は、大量の小魚に塩をまぶし、数トン

の容量がある大きな木桶に詰め込んで作る。木桶の下部には栓が取りつけてあり、ここから出る浸出液を桶に戻すことを繰り返したのち一年以上かけてこの浸出液を熟成し、そして煮詰める。煮詰める際に、ヤシ砂糖やパイナップル、ニンニクなどを入れ風味を増したものもある。こちらもカンボジア料理に欠かせない調味料だ。

保存食もバラエティ豊かである。干物は、ロホ魚やチダオ魚（いずれもタイワンドジョウ科）で作ることが多く、塩気の強いものと、ヤシ砂糖のカラメルをまぶして甘口にしたものがある。日本の干物と違い、背開きにした形が特徴的だ。食べるときは、炭火でじっくりと焼くのがよい。プロマー魚（ニベ科）は塩気の強い干物にしたものが有名で、これを刻んで混ぜた卵焼きは定番料理だ。干物よりもずっと日持ちがして便利なのが燻製。内臓を取って処理した魚を五〜一〇尾ずつきっちり揃えて並べ、頭の部分に串や紐を通す。竹を組んだ枠に載せて、薪を小さく燃やし完全に乾燥するまでいぶしたら出来上がり。未熟のタマリンドや未熟のマンゴーなど酸味のある野菜と合わせて和え物にする。さらに、田麩（でんぶ）もよく作られる。おろした魚に塩や砂糖をまぶして干し、水気がなくなったら身をほぐし、極少量の油でふんわりするまで

市場ではさまざまな種類のプロホックが売られている

炒る。ロホ魚の頬肉で作るのが最もおいしいという。トンレサープ湖で捕れる小エビで作った干しエビもおいしいと国内で人気だ。するめと合わせてスープのだしに使う。こうした調味料や保存食には、実はうま味調味料や着色料が使われていることがしばしばあるのだが、最近ではそれらを使用しない自然志向のものも出始めた。

鮮魚は、それぞれ特徴に合った調理法がある。焼き魚なら身に味わいがあるオンダエン魚（ヒレナマズ科）、甘辛く煮つけるなら骨まで柔らかくなるレン魚（コイ科）。小骨が少ないスラート魚（ナギナタナマズ科）は身をこそぎとってさつま揚げに、肉質が締まったロホ魚は、どんな料理にも合う万能選手、といった具合だ。

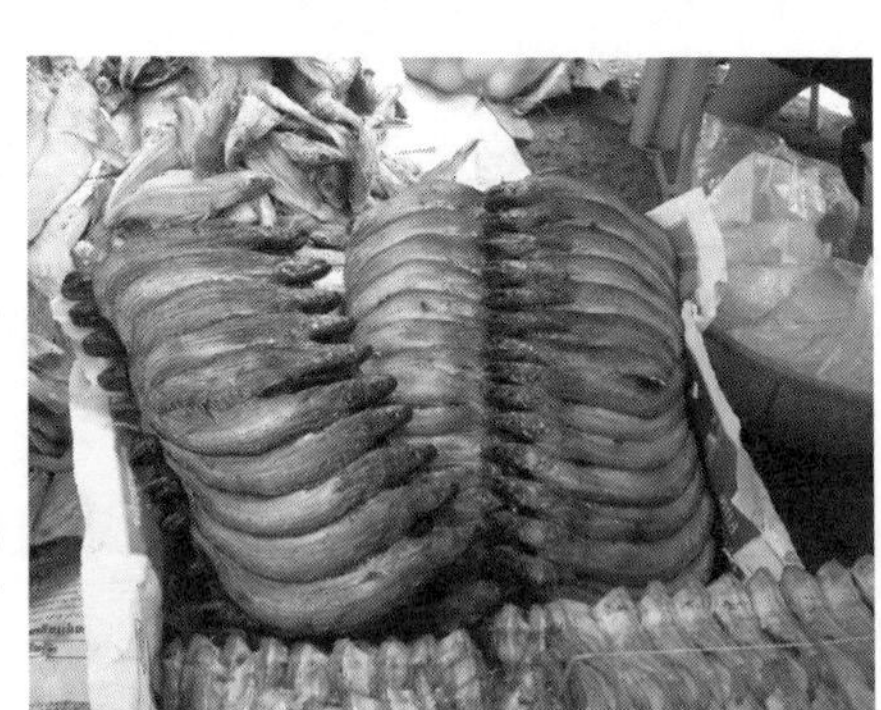

魚をきれいに並べて作った燻製

淡水のものは生では食べないかというと、そんなこともない。魚にもエビにも、ライムを絞って「食べられる状態にする」という調理法がある。湖のほとりへピクニックに行くなら、野菜と飲み物と網を持っていく。網で小エビをどっさり捕って、その場で赤タマネギやニンニク、唐辛子、香草と混ぜ、たっぷりとライムを絞る。おいしい上に彩りも鮮やかなサラダが出来上がる。

トンレサープの豊かな恵みを、気候に合わせて工夫し、調理し、大切に食べる。カンボジアの人々は、魚の宝庫を開けて楽しむ才能にあふれている。

36

原産国　カンボジア

★縫製と製靴★

日本の大手衣料品小売店舗、大手スーパー等で販売されている衣料品、革靴の原産国を見ると、「原産国カンボジア」という表示が増えてきた。日本の衣料品は依然中国からの輸入が比較的多いが、中国での人件費上昇等により、チャイナ・プラスワンとして、バングラデシュ、ベトナム、インドネシア、ミャンマー製の製品が増えてきている。その中のひとつがカンボジアである。

カンボジアから世界への輸出において総額の約六割を占めているのが、この縫製・製靴産業であり、大きなウェイトをしめている。輸入相手国第一位の中国より織物等縫製品の原材料が輸入され、輸出相手国第一位のアメリカへ縫製品が多く輸出されているといえる。

日本との貿易を見ても、カンボジアから日本へ輸出される主な商品は履物は約五億八〇〇〇万ドル、衣料品（ニット）は約四億八〇〇〇万ドル、衣料品（織物）は約二億ドルとなっており、輸出総額約一六億ドルの約八割を占めている。電気機器および部品も八〇〇〇万ドルもあり、カンボジアに進出した日本企業が日本向けに輸出している部品等がそのほとんどではない

縫製工場で働く人々

かと思われる。一方日本からカンボジアへの輸入については、二〇一八年には約四億二〇〇〇万ドルであり、機械や車などが上位を占めている。その中では日本産和牛が約五七四六万ドルとなっており、第三位となっているが、他の国への迂回輸出にカンボジアが利用されていると言われている。

縫製業は、一九九六年にアメリカがカンボジアに対して最恵国待遇を供与してから、台湾、香港等の華僑系を中心に多くの縫製企業がアメリカ向け輸出を目的に進出し、増加した。その後、カンボジアからアメリカ向けの輸出が急増したのを受け、アメリカ政府はカンボジアと繊維製品貿易に関する協定を締結し、カンボジアからの衣料品輸入に品目別の上限（クオータ）を設けた。しかしながら、その後もアメリカ向け輸出は拡大し続け、二〇〇八年までには約二〇億ドルにまで伸びている。

二〇一九年一月時点で、カンボジア縫製業協会に加盟する縫製企業は六三〇社、製靴企業は二〇社となっている。二〇一二年と比較すると縫製企業は倍増している。同協会はもともと縫製企業のみの業界団体であったが、二〇一一年にカンボジア商業省の後押しもあり、製靴企業も同団体に加盟することとなった。全体の労働者数は、縫製企業が七〇万人以上、製靴企業が八万人以上と言われており、これも二〇一二年と比較するとそれぞれ三八万人、二万人増加している。カンボジアにおける製造業はこの二業種が最大の雇用先である。

そして、現在もこの縫製、製靴産業への進出は続いている。理由としては、以下四点があげられる。

工場へ向かう労働者たち

一、米中貿易摩擦により、中国で製造している企業がアメリカ輸出向けのため、工場移転・分散を進めていること。また中国や近隣諸国での人件費上昇や軽工業産業での労働者確保がしにくくなっているが、カンボジアではまだ軽工業でも比較的労働者の確保ができること。

二、近隣のタイ、ベトナムではもう撤廃された軽工業への投資優遇措置がカンボジアでは適用できること。投資適格プロジェクト制度では、軽工業に対する投資インセンティブを与えている。

三、一般特恵関税制度（「特恵受益国」と認めた開発途上国を原産地とする品目を輸入する場合に、通常の関税率より低いか、あるいは無税の特恵税率の適用を受けて輸入できる制度）を適用できることにより、「原産地国カンボジア」の証明書を適用して、ＥＵや日本での輸入関税が無税になる特典があること。

四、カンボジア国内では米ドルが流通しており、米ドルでの決済、送金等が可能であるため、為替リスクが低いこと。

以上により、今後も縫製、製靴産業は拡大していくのではないかと思われるが、今後への留意点をいくつかあげてみたい。

まずは賃金である。最低賃金は二〇二二年一月からは一九四ドルとなった。二〇一二年の最低賃金が六一ドルであったところから比較すると、三倍強となっている。今後経済成長が進んでいくにつれて、この最低賃金の上昇と各種手当制度の拡大がなされることとなろう。

次に労働者の確保である。全人口のうち三〇歳以下の人口が全体の六五％を占めるという非常に若い国であり、その労働人口は約四八〇〇万人と言われている。年間二〇〜三〇万人の新規労働者が労働マーケットにでてきており、縫製・製靴企業の労働者はほとんどが地方からの出稼ぎであるといえる。しかしながら、カンボジア国内人口が近隣諸国と比較して小規模であるため、このまま縫製・製靴や他産業の製造業の進出が進めば、労働者の賃金上昇や人手不足が起きる可能性があることは否定できないだろう。

最後に違法なストライキである。労働法では、最小八名以上を常時雇用するすべての企業や団体においては、すべての労働者の代表として組合代表委員を選出する必要があると規定されている。ストライキは一定の手続きを踏んで平和的に行使されるものであるが、賃金未払い、強制残業、不当解雇

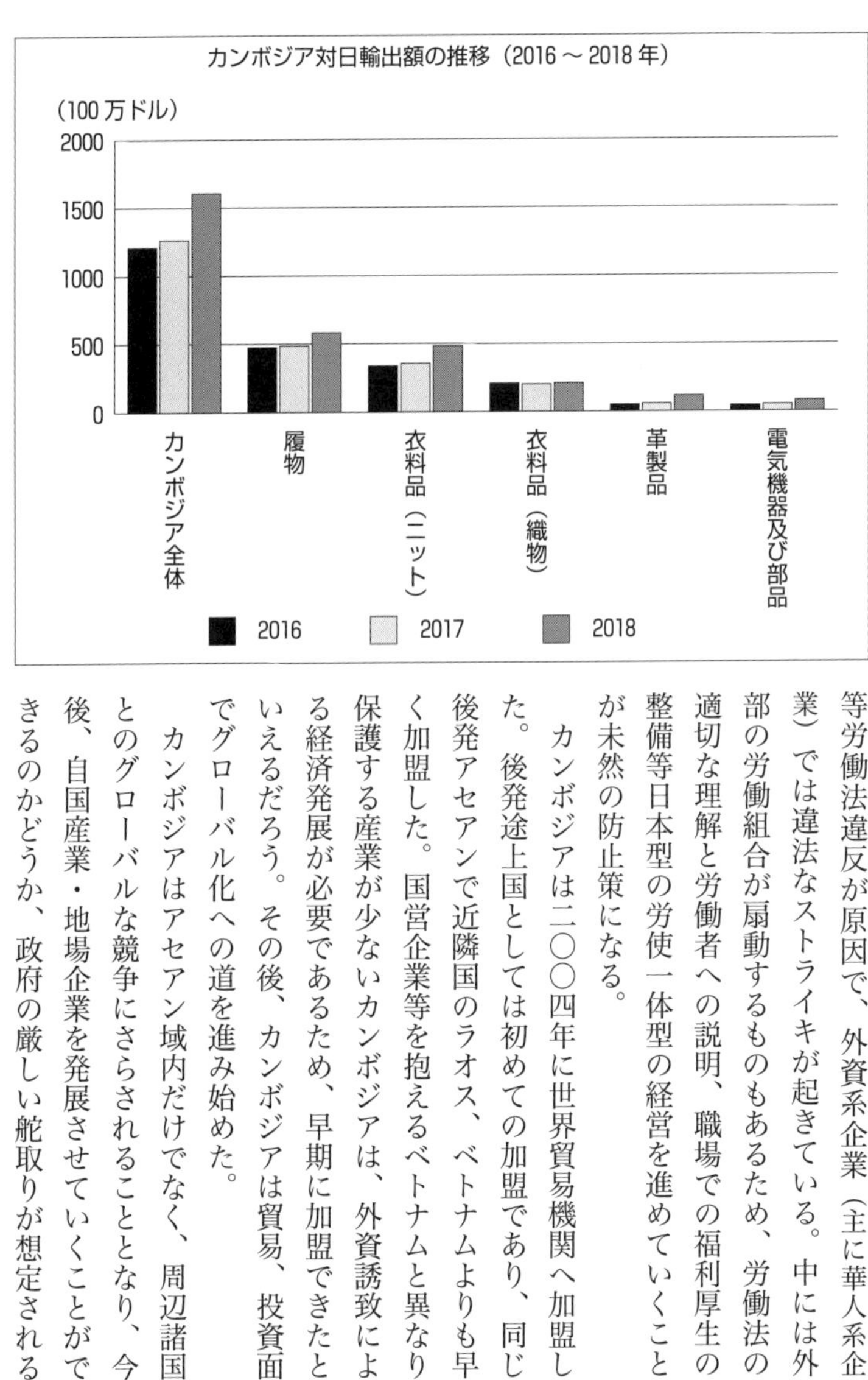

等労働法違反が原因で、外資系企業（主に華人系企業）では違法なストライキが起きている。中には外部の労働組合が扇動するものもあるため、労働法の適切な理解と労働者への説明、職場での福利厚生の整備等日本型の労使一体型の経営を進めていくことが未然の防止策になる。

カンボジアは二〇〇四年に世界貿易機関へ加盟した。後発途上国としては初めての加盟であり、同じ後発アセアンで近隣国のラオス、ベトナムよりも早く加盟した。国営企業等を抱えるベトナムと異なり、保護する産業が少ないカンボジアは、外資誘致による経済発展が必要であるため、早期に加盟できたといえるだろう。その後、カンボジアは貿易、投資面でグローバル化への道を進み始めた。

カンボジアはアセアン域内だけでなく、周辺諸国とのグローバルな競争にさらされることとなり、今後、自国産業・地場企業を発展させていくことができるのかどうか、政府の厳しい舵取りが想定される。

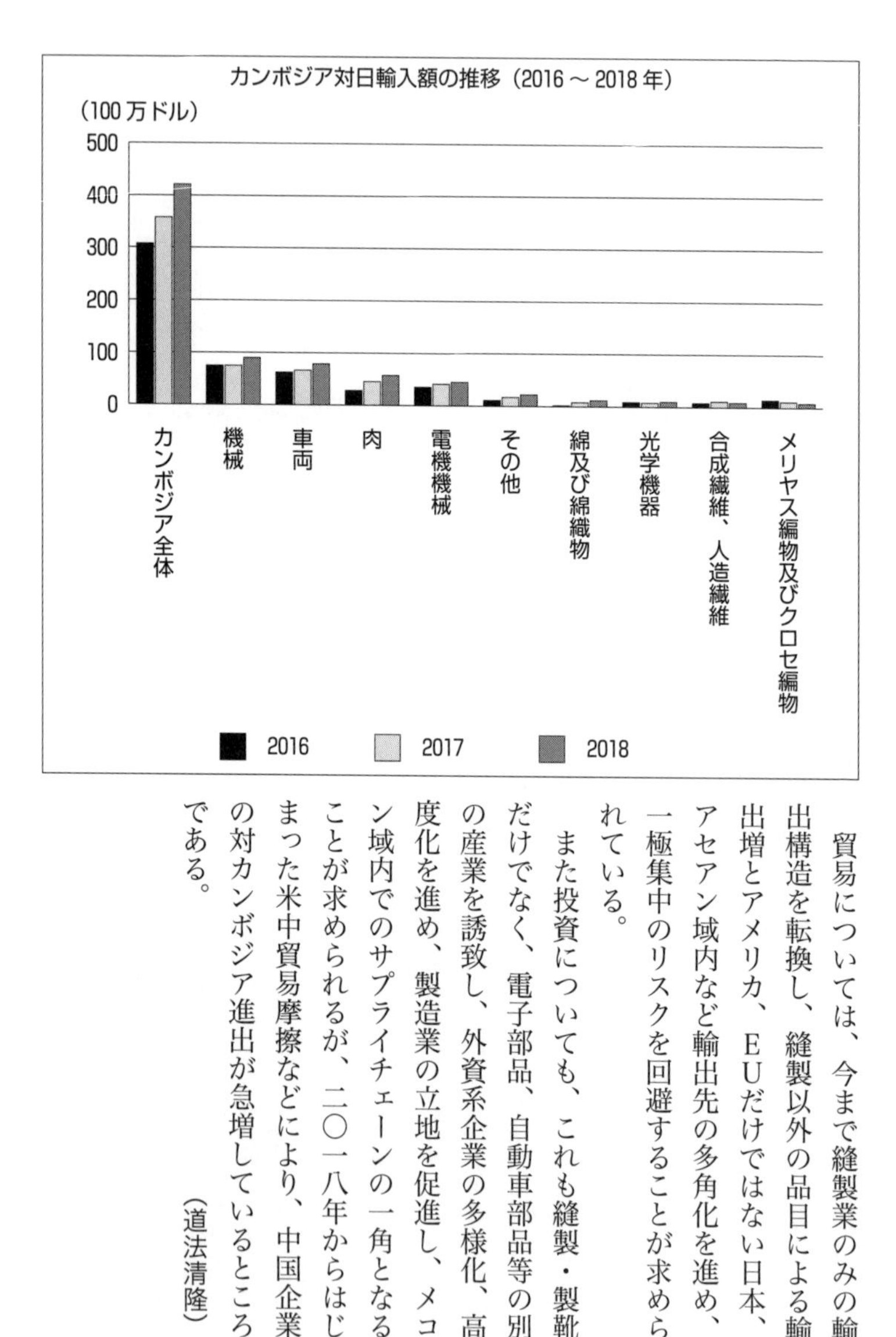

貿易については、今まで縫製業のみの輸出構造を転換し、縫製以外の品目による輸出増とアメリカ、EUだけではない日本、アセアン域内など輸出先の多角化を進め、一極集中のリスクを回避することが求められている。

また投資についても、これも縫製・製靴だけでなく、電子部品、自動車部品等の別の産業を誘致し、外資系企業の多様化、高度化を進め、製造業の立地を促進し、メコン域内でのサプライチェーンの一角となることが求められるが、二〇一八年からはじまった米中貿易摩擦などにより、中国企業の対カンボジア進出が急増しているところである。

（道法清隆）

37

遺跡が直面する変化

★観光によって変わる環境★

世界遺産アンコールの保護と開発を担うアプサラ国立機構は、二〇一五年に観光客を対象とする「行動倫理規範」を発表した。アンコールワット等を観光する際のエチケットをまとめたもの、と言った方が分かり易いだろうか。全七項目から成るそのエチケットを要約する。番号は筆者が任意につけたものである。

（1）「神聖な場」敬意を払い、大声や騒音を出さないこと。
（2）「保護地区」遺跡内に積まれた石等に登らないこと。
（3）「禁煙とごみのポイ捨て」遺跡内は禁煙、ごみを放置しないこと。
（4）「アメやお金と子ども達」子ども達にアメやお金を与えない、子どもから物を買わないこと。
（5）「僧侶」勝手に写真を撮らない、特に女性は僧侶との接近には気をつけること。
（6）「服装」露出の多い服は避け、神聖な場に相応しい服を着用すること。
（7）「遺跡」彫刻に触れないように。石を傷つけること、その場から持ち運ぶことは禁止されている。

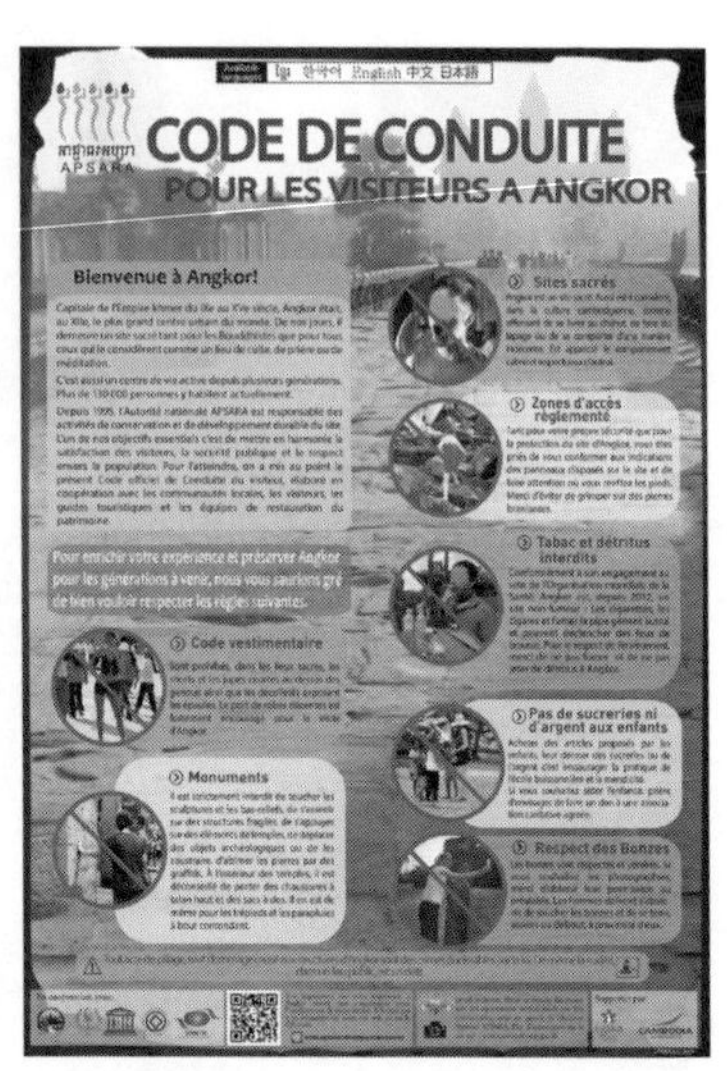

マナー啓発冊子はカンボジア語の他、五ヶ国語版が作成された（提供：アプサラ国立機構）

　このエチケットは英語、朝鮮語、カンボジア語、中国語、フランス語、日本語の六つの言語で作成され、冊子がシアムリアプ空港や街中のホテル、旅行会社カウンター等に置かれている。文字を読まずとも、やや大げさな写真とレイアウトによって何がだめなのかが理解できる。さらにアプサラ国立機構は、これら七つの禁止事項を盛り込んだドラマ仕立ての動画を同機構ウェブサイトで公開している。カンボジア政府、そしてアプサラ機構は、アンコール遺跡がカンボジアのみならず世界有数の観光地であると確信している。しかし持続可能な観光開発の実現に向けて、観光客に土地の文化や宗教を尊重してもらうことも必要であり、そのためのさまざまな発信が試みられている。

　ではアンコール遺跡を訪れる観光客について、各機関が公表している統計資料から、その動向を見てみよう。カンボジアを訪れる外国人旅行者数は、カンボジア観光省統計資料に基づくと、一九九三年には年間わずか一二万人弱であったが、二〇〇四年に一〇〇万人を、二〇〇七年には二〇〇万人を超えた。最新の統計では二〇一九年は六六〇万人を数える（グラフ1）。こうした数字のすべてがアンコール遺跡へ立ち寄る観光客ではないが、その占める割合は多い。観光省資料では二〇一七年は約二四六万人、二〇一八年は約二六〇万人、そして二〇一九年は約二二〇万人がアンコール遺跡を抱える

グラフ 1　カンボジアを訪問した外国人旅行者数（1993-2019）

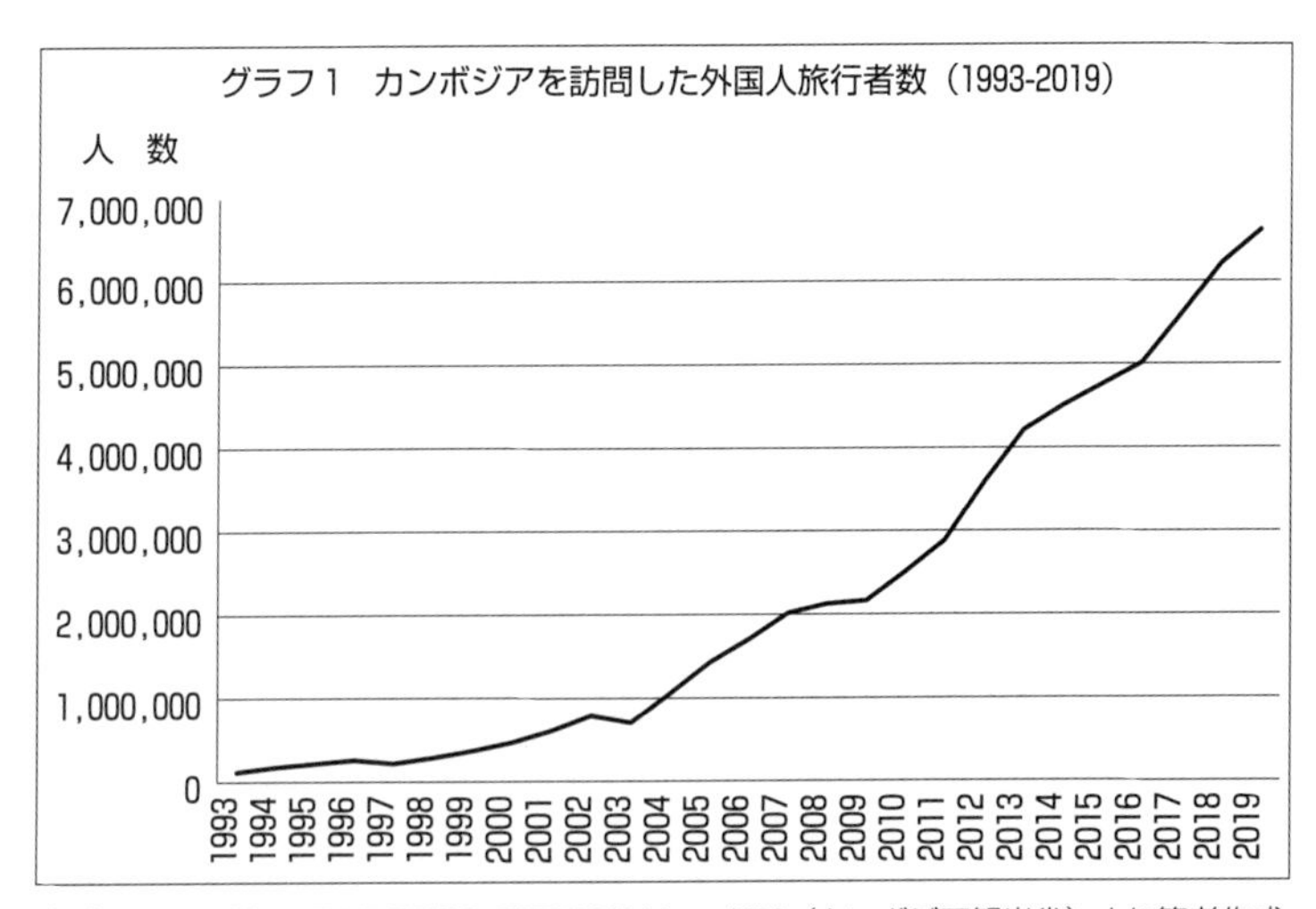

出所：TOURISM STATISTICS REPORT Year 2019（カンボジア観光省）より筆者作成

グラフ 2　アンコール遺跡公園入場者数の推移（入場券売上に基づく）（2016-2020）

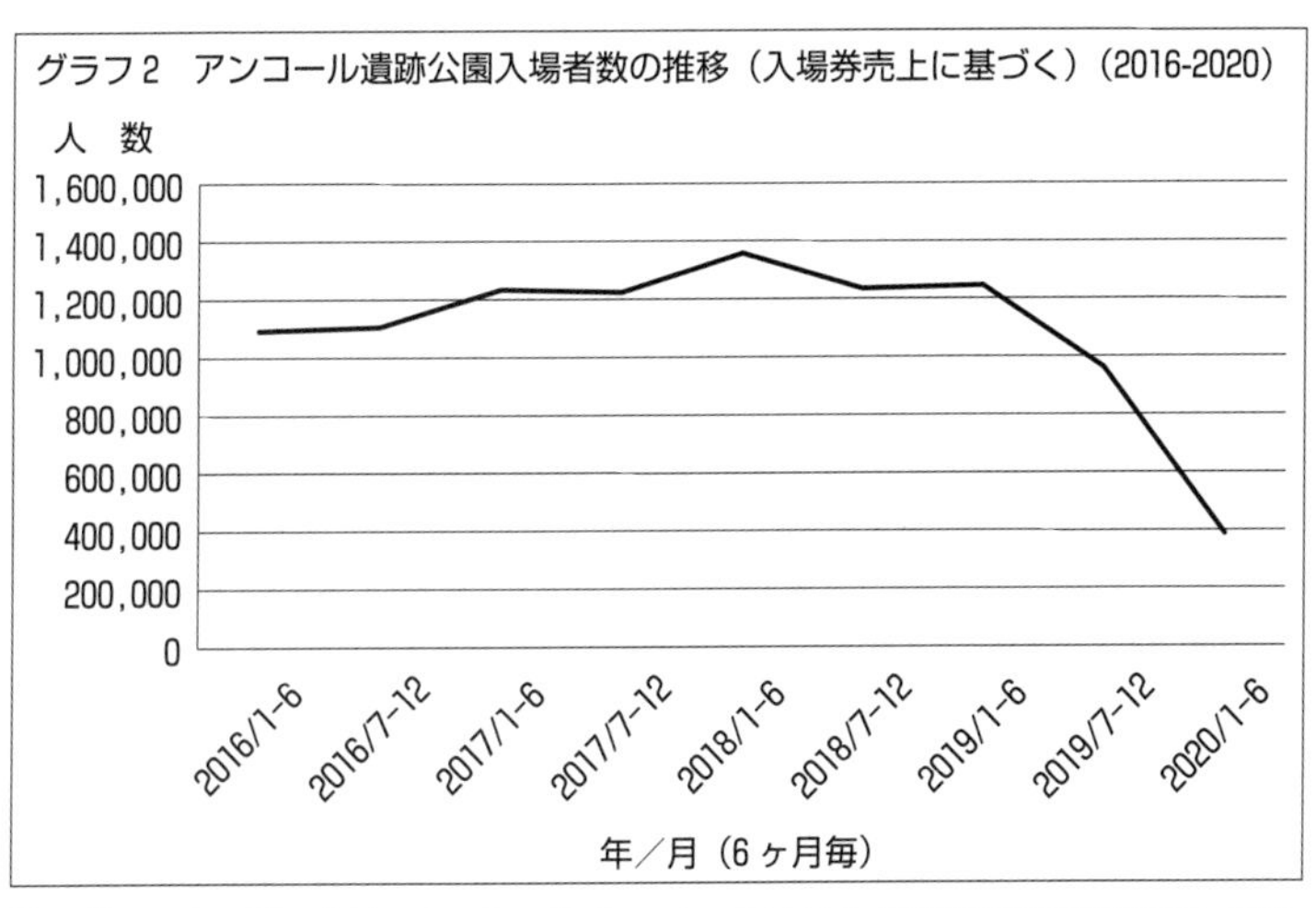

注：グラフ中のデータは、Angkor Enterprise による入場券販売開始以降のもので、筆者が 6 ヶ月毎に集計した

出所：Angkor Enterprise 2020（https://angkorenterprise.gov.kh/）より筆者作成

高く積み上げられたごみ捨て場のごみ（2014年撮影）

シアムリアプを訪れている。

アンコールワット等の遺跡群観光にあたっては、外国人はアンコール遺跡公園共通の入場券を購入する必要がある。入場券販売を管理しているアンコール・エンタープライズ公表資料によると、二〇一六年から二〇一九年まで、入場券を購入した外国人旅行者数は年間二二〇万から二五〇万を維持しているようだ（グラフ2）。さらに国別旅行者数を見ると、二〇一九年のトップは中国の約六六万七〇〇〇人で全体の約三〇パーセントを占める。次いで韓国（約二四万六〇〇〇人）、アメリカ（約一五万四〇〇〇人）、イギリス（一二万六〇〇〇人）、日本（一二万五〇〇〇人）と続く。ちなみに二〇一九年末時点で、この入場券は一日券三七ドル、三日券六二ドル、七日券七二ドルである。前述した通り、入場者数は横ばい傾向が続いていたが、二〇一九年下半期には落ち込みを見せ始めた。確かにどの遺跡も数年前のような大混雑を見せずに、かえって落ち着きが取り戻されたかのようである。しかし、カンボジアおよびシアムリアプの観光業は、この推移を注視している。観光に何等か関わっている村の人たちも、生活の中で観光客が減りつつあり、彼らの生計に影響が及び始めていることを実感している。アンコール遺跡観光は、二〇一九年以降の外国人旅行者数からのみ判断すると、これまで唱えられてきた持続可能な観光開発の方向性への見直しが迫られているかのような印象を受ける。

しかしシアムリアプの街中あるいは郊外では、今もなおホテルや集合住宅の建設、大型ショッピングモールの開店などが続いている。これまで増え続けてきた観光客、そして規模を拡大し続けてきたシアムリアプ市街から排出されてきたごみは、文字通り大きな問題として山積みの状態である。市街地から四〇キロほど離れた場所に、ごみ捨て場がある。ごみ収集会社が所有するその広大な土地は、元は市街地の建設現場や道路工事で使用する土を採るための場所だったという。採土後にできた深く広い穴を、今度はごみの埋め立てに使った、ということらしい。その穴もあっという間に埋まり、今は地面から高く山を成している。街中で収集されたごみを満載したトラックが、日に何度も何台も到着する。ごみの山には、大人や子どもの姿がある。換金できるペットボトル、アルミ缶等を探して集めているのだ。ごみ捨て場の責任者は、「彼らは自分の意志で勝手にここにごみを拾いに来ている。われわれは、ここでごみを拾う彼らから、一銭もお金を取っていない。しかし彼らを排除することもない」と言う。ガスや悪臭が充満し、煙が燻るごみ捨て場という環境で換金できるものを探さねばならない人たちを支える社会は、どこにあるのだろうか。

（丸井雅子）

38

よりわかりやすく速やかな行政サービス

★納税者にも課税庁にも難しい税★

一九五三年、カンボジア政府に租税局が設立された。当時の租税局は登記税と印紙税を集めていた。一九七五年、租税局は一旦なくなるが、一九八一年、一六九人の職員で租税局が再び組織され、プノンペンと七州で税金が集められることとなった。一九九九年、租税局業務の対象地域にシアムレアプなど五つの州・都市が加えられることとなった。その後、二〇〇二年にスバイリエンなど五州が、二〇〇六年にクロチェなど六州が、そして二〇〇八年にパイリンなど七州がそれぞれ加えられ、全土が租税局の業務の対象となった。

税目は毎年制定される財政法やその他の法律で新設や改正されてきた。一九八〇年代前半に輸入税と事業税が導入された。一九八〇年代半ば、事業登録税と地域生産税が、一九九〇年代前半、車両税、食肉処理税、事業登録税と印紙税が、一九九〇年代半ば、営利税、売上税、給与税と遊休土地税が実施された。一九九七年に税法が制定され、事業売上高の一％以上は必ず納付するものとするミニマム税や源泉徴収税が新設され、当時すでに施行されていた物品税に関する改正がなされた。この税法は一九八〇年代に制定された看板税などのいくつかの税目の規

期限内の納税を呼びかける税務署の横断幕。プノンペン市内の路上で

定には触れておらず、それらの税はその後も施行された。

一九九六年から一九九八年にかけて各年の税収額はGDP比で六・五％前後で推移していた。一九九九年一月、付加価値税が導入された。付加価値税の税収額はGDPの一・五％近くになり、二〇〇〇年の総税収額はGDP比八％程度になった。当時の近隣諸国の税収額のGDP比と比較してカンボジアのそれは五ポイントくらい低く、さらなる税収増が期待されていた。

前述の一九九七年税法は後に二回改正されている。その他に各年の財政法や政令、省令や通達によって税に関する細かい規定が定められている。

二〇〇〇年代半ば、租税局と同じく経済財務省の関税消費税局の税収額は租税局が取り扱う税収額より二・五倍ほど多かった。当時の租税局が取り扱う税収額は、政府の税外歳入額と同程度であった。

その頃、市民の間では税が公共サービスの費用を賄うために使われるとの認識はあまり一般的ではないように見受けられた。たとえば、「皆さんの町のごみはどのように処分されていますか」「道路はどのように造られますか」、「病院はどのように運営されていますか」という質問に対して、「ごみは回収業者が持って行きます」（プノンペンのご

2008年前半に移転したカンボジア租税総局の庁舎。2011年、この庁舎から200メートルほどのところに税務署員の研修を行う国税学校が建設された

み回収は事業権を得た民間業者が行っていた）、「道路は外国政府とか国際機関が造ります」、「病院（診療所）は医療費が安い、NGOが運営しているところに行っています」（公立医療機関を知らない）といったものもあった。その後、二〇一〇年代前半に国際協力機構（JICA）の技術協力プロジェクトが実施した納税者意識調査で一般市民も納税者も多くの回答者が税の重要性、徴税による歳出支持の重要性を理解していたことが確認されている。

二〇〇八年、政令によって租税局が租税総局に昇格した。（関税消費税局は関税消費税総局になった。）この後、租税総局による納税者への情報発信は次第により活発になっていった。

二〇一〇年代前半、プノンペン都内では約七〇％の事業者が推計課税方式により納税していた一方で、税収額の七〇％は申告納税方式の事業者により納付されており、申告納税の奨励が課題となっていた。租税総局やその出先機関である税務署から納税者への情報発信の方法は、事業者向けセミナーを開催したり、納税意識向上のための啓発ポスター作成を計画し、実際にプノンペン都内だけではなく各州の地方行政機関や関係機関の窓口などへの掲示をするなど積極的なものに変わっていった。租税総局が税理士コースを運営するなどの動きもあった。納税者の意識調査や満足度調査を数回にわたり実施し、調査結果をもとに税務行政の改善をしてきた。全納税者に占める申告納税方式による納税者の割合は、二〇一一年に二八・六%、二〇一二年三〇・六%、二〇一三年三三・五%、二〇一四年三七・四%と増加傾向にあった。

長年にわたり、小規模の事業者の課税は、税務署の職員が事業者を訪問して事業所の広さや事業活動タイプから該当する諸税の税額を計算して課税する推計課税方式が実施されていたが、その方式が二〇一五年に廃止された。各事業者は納税にあたり事業の実態に即して税額を計算し、事業者が税務署で納税をする申告納税方式に移行されることとなった。一九九四年に申告納税方式がプノンペンの大規模事業者のみに導入されてから二〇年余が経過していた。

コンポン・チナン税務署。国税を取り扱っている。コンポン・チナン州は中央政府から地方交付金を受ける

かつて推計課税方式が適用されていた中小規模の事業者にとって、税務署が求めていた帳簿の基準が高いことが納税者への調査で把握されていた。租税総局は簡易帳簿様式を作成し、二〇一〇年代半ばより租税総局と税務署は小規模事業者に対して簡易帳簿の導入を促進するセミナーを実施してきた。

漁師を対象とした網税が農林水産省の管轄であったり、二〇一一年度より施行されている固定資産税の管轄が経済財務省不動産局であったりするものの、多くの税は前述の経済財務省の二つの局、租税総局と関税消費税総局で取り扱われている。租税総局は税制の企画・法制化などにかかわるのみならず、租税制度の執行まで一貫して担当している。国内分の物品税と国内分の付加価値税は、租税総局の管轄である。関税消費税総局は、関税、輸入分の物品税と輸入分の付加価値税などを取り扱う機関である。二〇二一年、租税総局管轄の税収は二七億八一〇〇万ドル、関税消費税総局の税収は約二二億九五〇〇万ドルであった。二〇一〇年以前は租税総局管轄の税収よりも関税消費税総局管轄の税収の方が多かったが、近年は前者の方が多いようである。税収合計額の対GDP比は九・六五%であった二〇〇九年以降はおおむね一〇%以上で上昇する傾向にあったものの、二〇二〇年は一七・八九%と前年の数値一九・七三%よりも低くなった。

二〇一九年、租税総局は、オンライン付加価値税VATシステム、e-VATを公表し、該当する納税者にe-VATの利用を義務付ける通達を発表した。また、オンラインで納税やその他の税務手続きができるオンライン・ファイリング・システムの導入を発表するなど、税に関する新しい動きが続いた。

同年九月、租税総局は三二階建ての新庁舎建設に着工した。新庁舎はワンストップ・タックス・サービス・センターになるという。納税者にとってよりわかりやすく速やかな行政サービスが実施されることを期待したい。

（加藤重雄）

39

経済発展の影で

★社会問題の現状★

経済の高成長を順調に続けているカンボジアは、二〇三〇年までに上位中所得国入り、二〇五〇年までに高所得国入りすることを目標にしている。貧困率は改善しているものの、発展の影では多くの社会問題も発生している。開発に邁進するなかで、貧しい人たちの土地が失われる事態も多発してきた。公害やごみなどの環境問題への取り組みは後回しにされてきた。さらに、人々の生活を支えるうえでも経済発展のためにも必要な電力も、安定的に確保できていない。この章では、これらの社会問題の現状を振り返る。

貧困問題　経済成長が続いたことで、貧困率は二〇〇〇年代を通して改善が続いており、二〇〇四年に五三・二%であったのが、二〇一一年は二〇・五%、二〇一四年は一三・五%、二〇一九／二〇年には一七・八%まで下がっている。都市部・農村部とも、いつまでも貧困から抜け出せずに取り残される人々も数多くいる。また、現状では貧困ラインよりも上であるものの、ちょっとした衝撃で貧困化してしまう脆弱な状況におかれた人たちは少なくない。農村部では、旱魃（かんばつ）や洪水といった気候変動にともなって、農業収入が不安定となり、さらに医療費な

バッタンバン州のごみ埋立地（2014年1月撮影）

どの支出が追い打ちをかけることで、貧困化するようなケースも見られる。近年、都市部や海外への出稼ぎが、こういった世帯にとっての重要な収入源となっているが、一方で、農村に老親と幼い子どもが残されることによって起きる社会問題も無視できない。UNDPとオックスフォード貧困人間開発イニシアティブによると、所得のみではなく健康、教育、生活水準からみた「多次元貧困指標（MPI）」でみた場合、二〇一八年の時点で三五％もの人々が多次元貧困状態にあると考えられ、現状は必ずしも楽観できない。さらに、コロナ禍の影響を受け、貧困状況の悪化が懸念される。

土地問題　カンボジアの土地の所有権に関する記録は、内戦時代にことごとく失われていた。二〇〇一年に土地法が制定されたが、全国的な土地の登録（登記）はなかなか本格化できず、どこが誰の土地なのか、国有地なのか私有地なのか、といった情報が確定されることがないままに、経済成長がすすみ、土地の価格が上がり取引が活発化した。とりわけ二〇〇〇年代、都市部の人口密集地域の再開発であったり、地方での大規模プランテーション開発などの農業開発にともなう立ち退きや補償をめぐって、人々の生活が脅かされる事例が相次いだ。二〇〇八年ごろからプノンペンで湖の埋め立てによる都市開発計画が進められたコック湖の沿岸地域では、逮捕者が出るほどの反対運動が展開された。ラタナキリ州などの天然ゴムのプランテーションや、コッコン州やコンポン・スプー州でのサトウキビのプランテーションの開発をめぐっては、地場企業や中国やベトナムなどの企業と、長く住んできた地元住民や焼き畑農業で広く移動生活をしてきた少数民族の人たちとのあいだで激しい対立が繰り返された。政府は、二〇〇九年からは少数民族の村に対して集団所有の権利を登録する作業を始めたり、二〇一二年には、学生ボランティアチームを派遣して土地の登記作業を加速化させるなどの改革も行った。その成否には様々な意見があるものの、二〇二二年末、フン・セン首相は九六・二％の登記が終わったことを明らかにした。登記が行われたからといって土地問題が解消されるというわけではないし、それまでにすでに人々から奪われてしまった土地が元通りになるわけでもないし、土地をめぐる紛争がまったくなくなるわけでもないが、権利状況が混沌としてしまっていた状況は少しずつ改善が進みつつある。

都市部の公害問題　経済成長にともなって、都市部での水や空気の汚染が年々深刻化している。都市化の進展や産業の発展が続くなか、たとえばプノンペン南部のチューンアエク湖では、湖へと流れ込んだ工場からの排水、住宅地からの生活排水が湖の処理能力を超えてあふれ出ている。日本政府は二〇一九年から無償資金協力によってチューンアエク湖周辺地域に下水処理施設の建設を支援するな

2017年に再開発の合意が平和裏に成立した1960年代の建物（2017年5月撮影）

どの協力を行っている。大気汚染については、隣国での大気汚染問題の深刻化の影響を受けて、人々のあいだではカンボジアの汚染状況を不安視する声があがっていたが、二〇一八年四月、環境省は「全て汚染の基準以下である」という声明を発表していた。しかし、森林火災やごみの野焼き、さらにさまざまな経済活動による大気汚染は、もはや隣国だけの問題ではなく、カンボジア自身の問題となっている。二〇二〇年初めには、PM二・五の値が大きく上昇したことを契機として、環境省はフェイスブックにて汚染の状況を発表するサービスを開始するなどの取り組みが始まった。

プラスチックごみ問題　プラスチックごみは、カンボジア国内でも適切な処理ができておらず、国道沿いに白い買い物袋の山が広がる様子がよくみられる。近年、都市部の一部のカフェが紙ストローの使用を開始するなど、環境に配慮していこうという動きはあるものの、国内のプラスチックごみの状況を改善するほどの大きな動きにはなっていない。プノンペンでは毎日二〇〇〇トン超ものごみが発生しており、最終的には海洋プラスチックとして流出するものもある。日本も国連開発計画と連携して海洋プラスチックごみ削減に向けた協力を行っているが、人々の意識改革は急務である。二〇一九年他方、カンボジアに国際的に輸入されるプラスチックごみも深刻な問題のひとつである。

には、シハヌークビル港にプラスチックごみを満載にしたコンテナー八五個が北米から到着し、政府はこれを送り返した。カンボジアは、自国が国際的なごみ捨て場となることを警戒しており、早くから輸入禁止項目に「中古品」を掲げてきた。中古品へのニーズは非常に高かったことから、その運用は緩やかなものであったが、明らかなごみの流入は阻止しなくてはならず、ごみコンテナーに対しては断固たる姿勢を示した。

電力問題と水不足　人々の生活のためにも、経済成長を続けていくためにも、電力は必要不可欠である。カンボジアでは、二〇二〇年の時点で大型水力発電所五ヶ所、石炭火力発電所三ヶ所が国内発電能力の約八割を占めている。これに加えてタイ、ベトナム、ラオスから電力を購入して国内に供給している。しかし、電力需要の高まりと水力発電所の発電量が不足したことから、二〇一九年三～五月には大規模な計画停電が行われた。この時期は、気温が高かったことから、都市部での電力需要が予想以上に大きく伸び、河川の水位が下がったことから水力発電も機能せず、タイ、ラオスからの購入量を増やし、計画停電を実施することで、どうにか乾季の終盤を乗り切ることができた。水力発電に必要な水が不足したのは、世界的な気候変動による雨不足に加え、メコン川上流での中国やラオスでのダム建設が影響しているのではないかともいわれている。

これらの課題は、純粋に国内での問題にとどまらず、隣の国を巻き込んだ越境問題やグローバルな問題など、さまざまな側面がある。カンボジアがこれからも経済成長を続けていくためにも、これらの課題をひとつひとつ解決していくことは必要不可欠である。カンボジア政府による取り組みに加え、国際的な開発パートナーたちとの対話・協力が積み重ねられている。

（初鹿野直美）

40

アイデンティティーの模索

★海外で暮らすカンボジア人たち★

ここでは海外のカンボジア系コミュニティーの中でも、アメリカ西海岸に住む人たちに焦点を当ててアイデンティティーの問題を考える。

「バイカルチュラル（アメリカ・カンボジアの二文化かけもち）であることは難しい。僕はあまりにもアメリカ化していると両親は言う。両親の関心と僕の関心はすごく違う」とカンボジア系アメリカ人のプルムは言った。当時、彼はロサンジェルスの南、ロングビーチの工芸高校を卒業後、サンフランシスコの芸術大学で映画製作の勉強をしていた。中学時代からずっとカンボジア古典舞踊の稽古に励んできた。両親は踊りの稽古などやめて将来の仕事に役立つことをやりなさいと言っていたが、彼の意思は固かった。「カンボジア古典舞踊は僕のルーツだ。何を言われようと、僕はカンボジア系アメリカ人のルーツと文化に誇りを持ち続けたい」こう話すプルムは、両親が英語の習得もままならず、いまだに祖国のことばかりにこだわっており、アメリカ社会に適応できないで生活保障を受けていることに大きな問題を感じていた。立派に自立している兄たちのように自分もなりたいと将来のことを真剣に考えて頑張っていた。高校では日本語を選択し、簡単な会話もできるようになった。これも将来役立てたいと考えていたのだろう。

プルムにカンボジア古典舞踊を教えてきたのはロングビーチ在住のアーティスト、ソピリン・チアム・シャピロ（二〇〇六年日経アジア賞文化部門受賞）。彼女はカンボジア系の子どもたちのために古典舞踊教室を開いているが、古典舞踊作品を創作し、国際舞台で公演活動を行っている第一線のアーティストである。幼少期にポル・ポト政権下の大虐殺、強制労働や飢餓を経験しており、父親、兄弟、親戚もこの間に殺害された。一九八一年にプノンペンで再開された芸術大学に入学して古典舞踊を専攻し、卒業後三年間大学で教えた。この間には舞踊団の一員として国際公演も行った。一九九一年にアメリカ人ジョン・シャピロと結婚、アメリカ、ロングビーチに移住した。いわゆる政治難民ではないが、ソピリンの人生に起きたさまざまな変化の中で彼女がいかに自己と向き合ってきたかは彼女の作品に表れている。

ソピリンの古典舞踊レッスン。中央左手の男性がプルム、右端がソピリン

創作古典舞踊「シーズンズ・オブ・マイグレーション」は「カルチャーショック」と「アイデンティティー」をテーマとしている。ソピリン自身が体験してきたカンボジア社会とアメリカ社会の間でのカルチャーショックと、現代世界において無数の難民や移民が遭遇するカルチャーショック、さらに、カンボジア人が経験した政権の急変、強制移住、虐殺など極限のカルチャーショックを重ねている。四つのステージからなるこの作品では、一、移住地での新しい文化との出合い、二、新しい文化と自己が携えてきた文化との葛藤、三、新しい土地の文化と自己の文化の調整、四、過去の自己と現在の自己の調

和、アイデンティティーの統合、という変容のプロセスを表現している。特に第二ステージはナーガ（蛇神）に扮した女性ソロの踊りで、ナーガはどこに行っても常につきまとう自分の尾を邪魔に感じるが、それを切り捨てることはできないと悟る。新しい土地の中で、すでに自分の一部となっている文化を否定することなく、新たに出合う文化と統合させながらさらにアイデンティティーを見出していくプロセスを象徴的に表現している。

ポル・ポト時代以後、とりわけ移民社会において、カンボジアの国民的象徴とされる伝統舞踊によってこのような非伝統的なテーマを表現しようとしている点が注目される。ソピリンは古くからの伝統を維持、保存するだけでなく、それに普遍的なメッセージを込めて現代世界に発信しようとしている。彼女はこれを自分の使命と考えており、そこにアイデンティティーを見出している。

古典舞踊教室に集まるカンボジア系アメリカ人の子どもたちにソピリンはよく「祖国カンボジアの文化を大切にし、誇りを持ちなさい」と話す。アメリカ生まれの子どもたちには「祖国」の感覚は薄い。テンポの遅い踊りに退屈することもある。独特な踊りの表現が徐々に身体に浸透していく中で、カンボジアの文化的アイデンティティー意識が少しずつ育てられるには忍耐がいる。プルムはそれをやり抜いてきた一人だろう。

次にもう一人のカンボジア系アメリカ人アーティスト、ラップ・ミュージシャンのプラーチ・リー

ソピリンの踊り。「グラス・ボックス」より（提供：Sophiline Cheam Shapiro）

について見てみよう。ポル・ポト時代のカンボジアの悲惨な歴史をリアルに歌ったラップのCD『ダラマ』で一躍有名になった。彼は一九七九年、ポル・ポト政権終結の年にカンボジアの一地方で生まれ、一歳のときに家族に連れられてカンボジアを脱出、タイ、フィリピンの難民キャンプを経て四歳のときにアメリカに難民移住した。プラーチには祖国カンボジアの記憶はない。しかし両親や兄からポル・ポト時代の大虐殺や強制労働、飢餓、祖国脱出などの話を聞かされて強い衝撃を受けた。それはアメリカ社会で彼が身近に経験してきたゲットー、ギャング、暴力、銃撃殺傷事件などと重なってますます強いインパクトとなった。彼はラップ・ミュージックで歌い、過去に対しても現代に対しても正義を訴えようとしている。

『ダラマ』CDジャケット（©PraCh）

プラーチはCDのほとんどの曲を英語で歌っているが、カンボジア語の曲も何曲か含めている。英語・カンボジア語バイリンガルとはいえ英語の方がずっと自由であるが、両親の世代とのギャップを少しでも縮めるためにカンボジア語を使うという。伝統器楽プンピアット合奏や楽器をふんだんに使っているのも、両親の世代との架け橋を意識してのことであるという。ポル・ポトの大虐殺を逃れて祖国を脱出してきた親の世代とプラーチのようなアメリカ育ちの世代とは、言語のみならず、考え方、習慣などが全くといってよいほど異なる。世代間のギャップには双方が悩む。プラーチは「僕の中にはカンボジアの血が流れている」としばしば言う。このようなことば自体が、アメリカを自らの居場所と意識しつつ、カンボジアのアイデンティティーを確認しようとしていることを物語っている。

プラーチのCDのジャケットからもこのことがうかがえる。彼自身が丹念に手描きで描いたデザインは、アンコール遺跡とアメリカの国会議事堂、骸骨の山と花園、漁舟(ぎょせん)とクイーン・メリー号、高床式住居と高層ビルなど、カンボジアとアメリカのイメージを鏡に映したように対照的に表している。彼の両親はカンボジアの悲劇をプラーチに語って聞かせたときに、残虐な歴史だけではなく、カンボジアの栄光の歴史、自然の美しさについても話すことを忘れなかった。そうしたことからプラーチは全く知らない「祖国」へのノスタルジアを抱くようになったのだろう。彼は二五歳にして初めてカンボジアに帰還した。三週間の滞在の終わりに彼は「カンボジアの最良のものと、最悪のもの両方を目の当たりにした」と言った。以来、プラーチはカンボジア系アメリカ人として自分に何ができるかを真剣に考えている。

一方、ロングビーチでのカンボジア新年フェスティバルの折にプラーチが言ったことも意味深長である。毎年四月、カンボジア・コミュニティーのメイン・イベントともいうべき新年フェスティバルには一万人以上が集まり、カンボジアならではの料理、遊び、音楽、踊りなどを楽しみ、参加者はまさにカンボジア文化を味わうわけだが、参加しているのはカンボジア系の人々とは限らない。タイやラオスをはじめとするアジア系に加えて非アジア系の人々も大勢やってくる。「参加者に境界線はないし、肌の色もさまざまだ」とプラーチは言う。カンボジア系アメリカ人のアイデンティティーを模索しながらも、アイデンティティーの地平はもっと開かれているのではないだろうか。

（岡崎淑子）

拡大する金融・証券セクター

コラム17　道法清隆

　プノンペンを訪問した日本人が一様に驚くのが、さまざまな銀行の支店の数とATMの数が意外と多いことである。

　カンボジアの商業銀行は二〇一九年末時点で四四社もあり、地場系だけでなく、外資としてマレーシア、タイ、韓国、オーストラリア系などもある。人口が約一六〇〇万人という規模を考えると、その数は多いといえるだろう。

　日本企業の進出に伴い、日本の大手メガバンクである三菱UFJ、三井住友、みずほも駐在員事務所ないしは出張所を開設しており、他にもJトラスト株式会社が現地の有力銀行であったANZロイヤル銀行の過半数の株式を取得し、新たにJトラストロイヤル銀行で事業を開始するなど日本企業による金融面での進出も活発になっている。

　首都プノンペンや比較的大きな都市であれば、この銀行という金融インフラを享受することもできるが、現在、急速に成長を遂げているのが、地方部でも浸透している携帯電話、スマートフォンを利用したモバイル決済サービスである。国内の携帯電話契約者数は国内人口を優に超えており、地方部においても浸透している。QRコードを利用したモバイル決済、国内や海外への送金や金の受け取り、各種税金や電気、水道などの公共料金の支払いなどさまざまな面で利用されており、カンボジア地場のフィンテック企業なども勃興している。

　また二〇二〇年一〇月には、カンボジア初の中央銀行デジタル通貨バコン（Bakong）が導入された。アンコール遺跡群の名称のひとつにちなんで付けられたこの通貨は、カンボジア国

マーケットにある貴金属店（撮影：井手直子）

内の金融機関間での取引に利便性が高い。

　金融面におけるカンボジアで特徴的なものとしては、外貨送金が問題なくできる点である。銀行手数料や配当課税・源泉徴収税等の課税を除けば、政府による送金規制がないため、投資家は自由に国外へ送金できる（ただしマネー・ロンダリング規制がある）。また、企業・個人は自由に米ドル等の外貨を日本（または他国）から送金し、カンボジアにおいて使用することができる。

　次に証券市場を見てみたい。二〇一一年七月にカンボジア証券取引所が開設され、二〇一二年四月から取引が開始された。二〇一九年一〇月時点で、プノンペン水道公社、グランド・ツイン・インターナショナル社、プノンペン港湾公社、プノンペン経済特区社、シハヌークビル港湾公社の五社が上場している。その他にも上場準備中の企業はあるが、まだまだ企業数も少ないため、今後、上場企業が増え、証券市場が活性化していくことが期待されている。

また、社債市場も二〇一八年に開始されており、マイクロファイナンス大手のHattha Kaksekar、ＬＯＬＣ、商業銀行のＡＢＡ銀行が社債を上場している。

スマホで簡単に送金できるウィング（撮影：井手直子）

41

住民が築く復興の礎

★住民参加の地方行政★

一九七五年から約四年間、ポル・ポトらによる支配を経たカンボジアは、一九九一年以降、国家の復興に向けて、国民和解、政治的安定、行政改革の実現を優先課題としなければならなかった。第二次フン・セン政権樹立後、政治的安定や国民和解に進展が見え始めると、行政改革の分野では、公務員センサスや行政機構再編、地方分権が中心として進められた。二〇〇一年、地方評議会を中心とした地方自治の実現に向けて、政府はクムおよびサンカット評議会選挙法とクムおよびサンカット行政運営法（以下、クム行政法）を制定し、翌年二〇〇二年二月に実施された選挙によって、全国に一六二一のクムおよびサンカット（以下、総称してクム）評議会が設置された。政府は、住民が地域の持続的な社会経済開発に自ら従事し貧困を削減することを目標とし、最も国民に身近な行政単位であるクムにおける評議会設置により、地方行政促進への具体的な一歩を踏み出した。

カンボジアの地方制度は、三層制である。憲法第一四五条は、国土が、州（カエト）および特別市（クロン）に区画割りされ、州は郡（スロック）に、郡はクムに区画割りされ、特別市は区

（カン）に、区はサンカットに区画割りされると規定している。国内には、首都プノンペン都とその他二四州が存在する。また、これらの地方行政組織は、組織法に基づき統治されることが憲法第一四六条で定められている。この他、非行政単位として、クム内に存在する村（プーム）は、日常生活で重要な役割を担う集合体である。

クム評議会は、クム行政法を基本法とし、五年毎に比例代表制で住民によって五〜一一名の評議員が選出され、議長はクム長として行政執行の責任者となり、首長の事務補助として書記が内務省から派遣される。一ヶ月に少なくとも一回は議会を開くことが義務付けられ、開発計画を策定して実施する。クムは、各自の財源と予算を有し、土地、不動産、賃貸への課税を通じて直接歳入を確保できることが規定されているが、現時点で地方税の徴収など国からの財源委譲に関する規定の策定が遅れ、中央政府からの交付金であるクム基金が主な収入となっている。この基金は、クムでの地方行政業務や地方開発の促進を目的として設立された。クム評議会の業務は、公共秩序の維持や住民福祉、出生の登録、婚姻届の受理、登記（家、土地、家畜、車両）の管理、証明書（居住証明、独身証明）の発行など住民に必要な公共サービスの提供、住民の生活水準向上のため社会経済開発、住民による争議の仲裁や住民のニーズを満たすための一般事務と定められている。

クム評議会の設置前、カンボジアの地方開発で中心となる機関は、セラー（礎）・タスクフォースであった。この機関は、国連開発計画などの開発パートナーによる難民や国内離散者の定住プロジェクトに端を発する。このプロジェクトは、農村での学校、病院、道路建設などの長期開発プロジェクトへと発展し、一九九六年からカンボジア開発評議会にセラー・タスクフォースとして事務局を設置し参加型農村開発を支援するようになり、住民による政策決定への参加が、社会経済の改善と復興の礎になるとの理念により、国内五州で活動を開始し、二〇〇三年三月からは活動範囲を全国に拡大した。この一連のプログラムによって、各地方行政レベルに農村開発委員会が設置され、地方における農村開発事業実施のための枠組みが確立したといえる。この頃から現在に至るまで、地方行政の制度作りから能力向上における開発パートナーの役割は大きい。

このような地方行政の発展に伴い、地方評議会選挙に先立って二〇〇一年にはクム支援国家委員会や内務省地方行政局のような地方分権化のための機関が設置された。その後、二〇〇八年には、首都・州・市・郡・区の行政運営に関する法律（地方行政法）及び首都・州・市・郡・区の評議会選挙に関する法律が公布された。翌年には、内務省には地方行政総局が設置され、民主的地方開発委員会が地方行政に関する意思決定機関となった。

二〇〇九年は、五月に首都・州および郡・市・区の評議会選挙が、比例代表制でクム評議員の間接選挙により実施され、カンボジア地方行政にとって、さらに大きな一歩を踏み出す年となった。この結果、地方評議会は、カンボジア人民党が圧倒的に議席を確保し、その後、二回の選挙においてもその勢力は保たれたままである。州評議会並びに郡評議会は、議長の下に内務省から任命される知事を置き、三ヶ年投資計画や五ヶ年開発計画の策定など、地方開発のための重要な役割を担っている。

開発計画の策定過程では、まずクムにて住民の参加により問題・ニーズ分析が行われ、その後、公開議会において住民参加の下で開発計画案が議論される。クムにて毎年作成される開発事業のリストを基に、クムで実施が難しい事業が郡・市や州での実施を検討されることにより、原則として住民のニーズに基づく開発事業の実施が確保される制度となっている。このように郡・区、州・市や中央政府のレベルで情報を共有して開発計画を把握し、各クムによる開発計画の重複を避け、NGOなど支援団体による援助を効果的に活用するための会合を各郡や区で毎年開催することにより、都市部と農村での進捗具合は異なるが、各クムがインフラの整備など、それぞれの開発計画を進めていることが報告されている。農村開発に関連する千以上の国内NGOとの協調関係も不可欠となっている。

クムにおける業務のポスター

二〇一〇年には、民主的地方開発委員会によって地方民主的開発のための国家プログラムが策定され、今後、一〇年間の課題や方針を明確にし、活動計画を示した。その後、郡・市の評議会設置から一〇年を経て、これまで郡・市レベルに縦割りで各中央省庁から配置されていた出先機関を、郡・市行政の管轄下へ再編成されることとなり、州レベルでも同様の再編成が検討され始めている。また、二〇一九年にクム毎に三万五〇〇〇ドル配分されていた開発予算が、二〇二〇年には倍の七万ドル以上に、二〇二三年には一一万ドルになることが公表された。住民サービスの改善においては、郡や州のレベルにワンストップ・サービス窓口を設置し、多様なセクターの行政サービスが提供されることとなった。

カンボジアにおける地方分権は、今後、さらなる制度整備と人材育成を必要としている。前述の通り、郡・市での各省庁の地方事務所の再編成が開始したが、それぞれの地方行政レベル間の役割分担や地方への職員の配置は、各省庁との慎重な調整が必要となっている。この点において、保健サービスは、他セクターと比較して、地方への権限移譲のための調整が関係省庁の間で進んでいる。地方財政に関しては、二〇一一年に地方財政法が公布されており、クム基金と同様、郡基金が設置された。それと同時に、地方税についての議論も進められているが、財源移譲を的確に実施するには、地方レベルでのさらなる人材育成も必要となっている。

（井手直子）

42

海外で働くカンボジア人労働者

★「安全な出稼ぎ」への課題★

カンボジアの人たちにとって、海外での出稼ぎは重要な選択肢のひとつとなっている。隣の国のタイには、一〇〇万人を超えるカンボジア人が働いているといわれる。また、マレーシア、韓国や日本も人気の出稼ぎ先である。

最も多くの人たちが働くタイとは、陸路国境を接していることから、長年、多くの人々が正式なパスポートや労働許可証を用意することなく国境を往来してきた。その際、ブローカーたちが越境手続きでの不正を導くなど暗躍してきた。その過程で、人身取引の被害者となり搾取されてきた人々も少なくない。タイ政府は、数年おきに不法就労者の摘発を強化し、管理につとめている。そのたびに、一時的に正規書類を整える試みが行われるものの、なし崩し的に元の状態に戻っていってしまうということが繰り返されている。本来は、二〇〇三年の二国間の覚書や二〇〇八年にタイが制定した外国人雇用法などのルールにのっとってパスポート、ビザ、労働許可などの書類をそろえてから出国・就業することになっているが、そのプロセスにかかる時間や費用を嫌う労働者たちは、必要手続きを取らずに出国してしまったり、もしくは手早く手続きを代行してくれるとい

タイで働くカンボジア、ラオス、ミャンマー、ベトナム出身労働者数（2022年8月、就業プロセス別）

	カンボジア	ラオス	ミャンマー	ベトナム
覚書	110,589	84,494	303,678	115
国境地域での雇用	7,940	0	9,017	-
閣議決定（2020/12/29）	107,642	48,051	257,043	-
閣議決定（2021/7/13）	126,963	39,014	769,119	2
閣議決定（2021/9/28）	68,214	18,468	217,551	19

（注）2020年12月29日、2021年7月13日、2021年9月28日にタイ政府の閣議決定により労働者たちの許可証の延長を行った
（出所）ILO（2022）TRIANGLE in ASEAN Quarterly Briefing Note, July-September 2022

う触れ込みのブローカーに頼って、結果的に必要な書類が実際には用意されていないまま出国し、不法就労状態に陥る場合も少なくない。政府や国際労働機関（ＩＬＯ）と国際移住機関（ＩＯＭ）は、安全な移民労働の啓発に向けた取り組みを行っているが、正規の手続きにかかる時間や費用が最小化されない限りはどうしても限界が生じてしまう。

二〇一四年には、タイでの大規模な不法就労者の摘発の実施が、「カンボジア人労働者がタイの兵士に殺された」という噂となり、三週間の短期間に二〇万人以上のカンボジア人がタイから帰国するという事態に発展した。しかし、タイの産業も多くを周辺国からの出稼ぎ労働者に依存する構造となってしまっていること、カンボジア政府も二〇万人分もの雇用を用意できる状況にはないことから、最終的には労働者たちがタイに戻ることをサポートすることになった。速やかに国籍証明手続き（簡易的なパスポート取得に代替する手続きをタイ国内で行う）を実施する体制を整えたり、カンボジア側でも窓口の増設などを行うことで、数ヶ月後にはほとんどの労働者がタイに戻っていった。

二〇一四年の騒動を経て、カンボジアの人々がより効果的に正

規のルートを使用することを推進する新規の覚書が締結され、正規のルートで入国・就労する人たちの数は大きく伸びた。ただし、引き続き、非正規ルートで入国する労働者は途絶えることがなく、本来は、正規で来なかった人たちの救済措置的位置づけだったはずの国籍証明手続を終わらせることがなかなかできず、何度か設定した「最終期限」は毎度のように延長され続けた。

二〇一七年六月、タイでは外国人就労管理に関する緊急勅令が出され、不法就労者への厳しい罰金に加え、雇用者に対しても罰金を科す仕組みが導入された。この厳しすぎる仕組みに対しては、タイ国内の外国人労働者だけではなく、タイの雇用者からも大きな不満があがり、二〇一八年三月、手続の複雑さや高すぎる罰金といった問題の解消がはかられた。二〇二二年八月時点の登録状況は表の通りで、何らかの形で登録されているカンボジア出身の労働者は一〇〇万人超えのミャンマー人労働者についで四二万人であるが、相当数の未登録者もおり、その総数は不明であるし、おそらく一〇〇万人規模のカンボジア人労働者が働いていると考えられている。

タイで働くカンボジア人労働者は、農業や漁業といった一次産業や、食品関連や製造業の工場、またバンコク近郊の建設業でも多くみられる。バッタンバンやオドー・ミアンチェイ州など、タイ国境に近い地域からは日常的にタイへの出稼ぎが確認されるが、タイを目指す人たちは国境周辺部出身者にとどまらない。タイのラヨーン県では、近海で操業する漁船で多くのカンボジア人が働いており、タイ国境から遠く離れたプレイベン州の複数の村の出身者が集まっている。彼らは積極的に情報交換しつつ、よりよい機会を求めており、タイ側もそのようなカンボジア人労働者を含む周辺国出身の労働者に依存する構造ができあがっている。

タイのラヨーン県でカンボジア人労働者が多く住む住宅（2014年9月撮影）

韓国での労働は、二〇〇七年から政府間合意に基づく雇用許可制が導入されている。悪質な派遣業者などの介在を防ぐために、韓国側が定めた割り当て人数に従って、政府機関が直接、送出し・受入れを行っており、毎年六〇〇〇人前後のカンボジア人が韓国に派遣されている。試験に合格すると三年のあいだ、認められれば一年一〇ヶ月の延長も可能で、労働者として働くことができた。最低賃金法も適用される労働者として働いており、中小企業の工場での厳しい対応や、カンボジアとは異なる気候のなかでの苦労はあるものの、海外で働くことを目指すカンボジア人にとって魅力的な選択肢となっている。

日本で働くカンボジア人も増加傾向にある。二〇二二年六月時点で一万八〇〇〇人以上のカンボジア人が日本に在留しているが、うち約一万人が技能実習、約一八〇〇人が特定技能の資格で働いている。技能実習については、二〇〇三年に最初

タイから帰国を急ぐカンボジア人労働者たち（2014年6月撮影）

の合意が行われ、細々と実施されてきたが、二〇一〇年代以降、日本側がより積極的に受け入れるようになった。二〇一九年三月には、日本とカンボジアは、在留資格「特定技能」を有する人の円滑かつ適正な送出し・受入れの確保や日本での就労における問題の解決などのための覚書を締結した。農業、建設分野での就労が多いが、介護人材としての受け入れも始まっている。

カンボジア政府は、増加する若者人口のための雇用創出は重要な課題であると考えている。ただし、国内での雇用創出に限界がある状況にあって、海外での雇用機会の活用をしていくことも重要と捉えており、二〇一〇年以降、シンガポール、マレーシア、クウェートなどとも覚書を締結してきた。しかし、シンガポールについては少人数での派遣が行われたあと、本格化はしていない。マレーシアに関しては、覚書締結以前から両政府間の合意に基づいた派遣が行われていたが、労働者への人権侵害が多発したことから、派遣が中断されるということがあった。また、中東向けの派遣も本格化はしておらず、当面は既存の送り出し相手国への派遣の枠組みのなかで、出稼ぎ労働者の環境を整えていくことになるであろう。

二〇二一年、海外からの送金は二六億ドルにのぼった。さらに、インフォーマルな送金も考えると、海外への出稼ぎ労働者はカンボジアに暮らす人々を下支えする重要な存在になりつつある。出稼ぎ労働者が多い地域には、送金で建てられたきれいな家が並ぶ。一方で、高齢の両親や幼い子供たちだけが残された農村は、少なからずその荒廃が課題となっている。人身取引・搾取労働の問題は、いまだに大きな課題であるし、社会保障にまつわる課題も山積している。さらに、二〇二〇年初めからのコロナ禍では、出稼ぎ先で仕事を失ったり、感染拡大防止策としての国境封鎖に右往左往するなど、出稼ぎ労働者たちは大きな困難に直面した。海外で多くのカンボジア人が働くいま、「安全な出稼ぎ」への取り組みが求められている。

（初鹿野直美）

芸術を楽しむ

女：お父さん、ひどいわねえ、か弱い女性芸術家を殺すなんて
男：全くだ。国の財産の仏像は壊して売り払うしね
(©Em Sothya)
1999年7月17日付『リアスマイ・カンプチア』紙掲載

43

工夫をこらした楽の器

★伝統楽器のつくり★

カンボジアには豊かな器楽音楽の伝統がある。小規模合奏形態のものが多く、日常生活から儀式や行事の折まで器楽合奏はなくてはならない存在となっている。

プンピアットは、伝統舞踊、仮面劇、影絵芝居の伴奏や、宗教儀式、葬式など宗教性のある行事に必須の合奏音楽である。歴史が古いことは、アンコールワット北回廊の壁画にある八個の鍋形ゴングを半月形に並べた楽器をはじめ、各種の太鼓、管楽器、ゴングなどの演奏のレリーフからもわかる。もとは宮廷専用の合奏音楽だったが、現在は村でも一般に広く演奏されている。プンピアット合奏には弦楽器が用いられない点が他と異なる。おもな楽器を紹介する。

（1）ロニアット・アエク　船形の木琴で、最初に演奏を始め、他の楽器に合図を送る役割も持つ。二一本のキーは硬い材質の木または竹製で、裏には蜜蠟（ろう）と鉛を混ぜたペーストをつけ、この量によって音程を微調整する。結婚式の演奏用にはラッカーをつけた撥（ばち）を用いて音を華やかにする。両手で速い動きの節をオクターブ演奏するのが一般的である。他にロニアット・トン（大きめの木琴）、ロニアット・ダエク（鉄琴）がよく用いられる。
（2）コーン・ヴォン・トム　青銅製のこぶつき鍋形ゴングを一六個円環状の枠に取りつけて置き、演奏者はその中に座って演奏する。円環状の形と金属性の音からプンピアット合奏のアイデンティティーとなる楽器である。ゴングのこぶは乳首と呼ばれ、その部分を温めておいて裏側に蜜蠟と鉛と米飯を混ぜたペーストをつけることで音程を微調節する。
（3）スロライ　乾燥させたヤシの葉を小さく切った四枚のリードを持つ個性的な楽器で、喉に力を入れて出す声のような強くはっきりした音でメロディーを演奏する。硬い材質の木をくりぬいて管状にし、中心部が少し膨らんだ約三〇センチの管の表面には一六本の輪形が刻まれている。これは装飾のためと指をすべりにくくするためである、指穴は六個だが、運指法により一二～一六音を出せる。
（4）サンポー　牛皮を張った両面太鼓で、左右の面の大きさが少し異なり、高低二音が出せる。

(1) 木琴ロニアット・アエク

木琴ロニアット・トン

鉄琴ロニアット・ダエク

(2)環状ゴング　コーン・ヴォン・トム

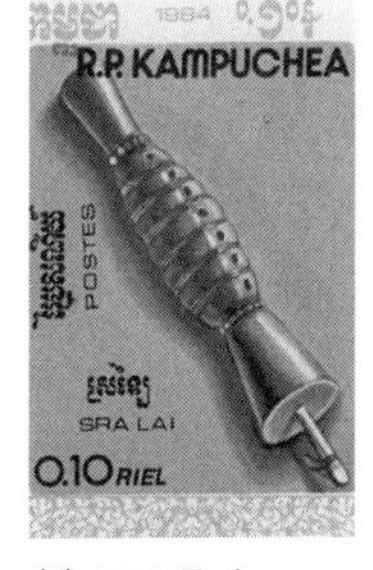

(3) スロライ

※一九八〇年代のカンボジアの切手より

皮の中央の黒く塗った部分に米飯と灰を混ぜたペーストをつけて音の高さを調節する。サンポーは合奏のテンポやリズム・サイクルの合図役をすることから、「師の楽器」ともいわれてきた。またサンポーは神聖な楽器とされ、皮を張るのは「木曜＝師匠の日」とされ、供物を供えて良い音を願うこともある。伝統的な格闘技の拳闘には、スロライ独奏とサンポーによる伴奏音楽が欠かせない。

（5）スコー・トム　一対の低音の樽形太鼓で、二つ並べて木枠に少し斜めに取りつけ、二本の木の撥で叩く。牛や水牛の皮を用いるが、音色を良くするために乾燥させた皮をココナツミルクに浸して柔らかくしてから張る。二つの太鼓は高低二音で応答するように演奏される。スコー・トムはアンコールのレリーフでは軍隊用に用いられて、行進、昇り降りなどの合図をしたと考えられる。

（6）チュン　一対の小型シンバルで、鉛と真鍮（しんちゅう）二種類の金属を混合して作ることによってより鋭く響く音が出る。二つのシンバルは紐で結んであり、片方のシンバルをもう片方のシンバルで軽く打って放し、音を響かせる音をチンと呼ぶ。打ったときに抑えたままにすると音は響かない。これをチョップと呼ぶ。チュンはこの二種類の音で合奏のタイムキーパー役をする。カンボジアの音楽はほとんどが二拍子系で、〔弱強弱強〕というように、後

(4) 両面太鼓サンポー

(5) 樽形太鼓スコー・トム

(6) 小型シンバルチュン

の拍（チョップ音）にアクセントがつくのが特徴である。

モハオリーは、よりポピュラーな合奏で、宗教的な意味合いのない行事、宴会、民俗舞踊、演劇の伴奏、日常的な楽しみのために演奏される。歌と交互にメロディーを演奏することが多く、内容は日常の仕事、子守唄、ラブソング、物語などさまざまである。楽器編成に弦鳴楽器が多く用いられることが特徴で、プンピアットと共通の楽器としてはロニアットを使う。二弦の弓奏楽器には、トロー・チェー（高音域）、トロー・サオ・トーイ（中高音域）、トロー・サオ・トム（中低音域）、トロー・ウー（低音域）がある。琴類のタケーは、鰐琴（わにごと）とも呼ばれるように、鰐が口を開いた形に作った楽器もかつてあった。三本の金属弦が象牙、骨、木や竹製の琴柱（ことじ）一二個の上に載っており、左手の指で琴柱を押さえ、右手に持ったツメではじいて音を出す。タケーは結婚式用のプレーン・カー合奏で用いられるばかりでなく、独奏楽器としても使われる。中国から伝わったヤンチン（揚琴）がもとになっ

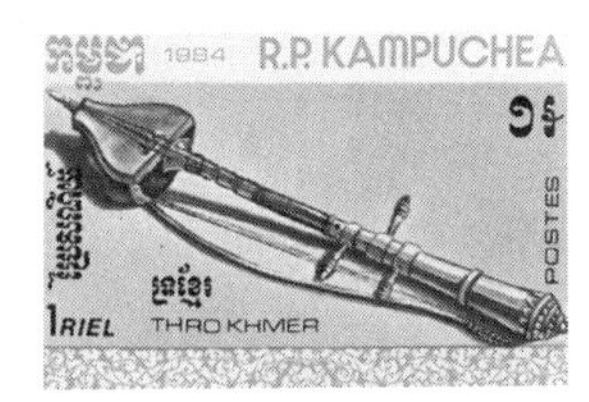

トロー・クマエ

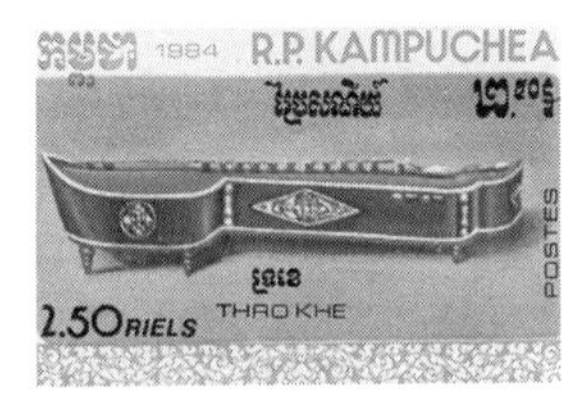

鰐琴タケー

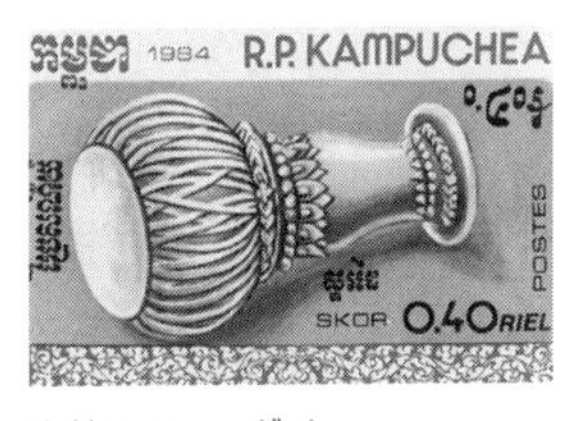

太鼓スコー・ダイ

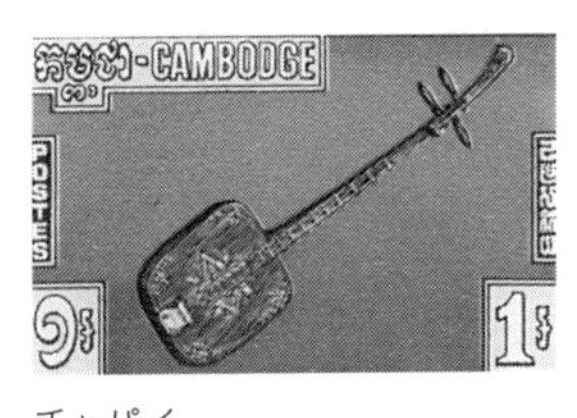

チャパイ

た楽器クムは、台形の板に張った三〇本ほどの金属弦を弾力性のある二本の竹の撥で叩く。太鼓は一人で二種類を扱う。小さな杯形のトンを右膝上に置き、薄形のロマニアと掛け合うように手の平で打つ。クロイは竹の縦笛で二オクターブの音域が出る。わずかにビリビリ響く「サワリ音」をつける場合は、指穴の上のほうに別の穴を開けてライスペーパーか竹の薄皮などいわゆる「竹紙」と呼ばれる薄い膜を張る。

結婚式に欠かせないプレーン・カー合奏は、現在では小編成としてトロー・サオとトロー・ウー、クム、タケー、ワイングラス形太鼓のスコー・ダイ、竹笛のクロイ、それに声楽が加わる。スコー・ダイは木製の胴に蛇やトカゲの皮を張った太鼓で、膝の上に置いたり、腕に抱えて手の平で打つ。大編成となると、三弦または四弦の長棹（ながさお）リュートであるチャパイ・ドーン・ベーンなどが加わる。

少数民族の例としては、モンドルキリ州に住む少数民族プノーンの楽器にプロイという瓢箪（ひょうたん）に数本の竹管を差した笙（しょう）がある。ハーモニカやリード・オルガンのように和音を演奏することができる。発音原理は中国のシェン（笙）、雅楽で用いられる笙も同じである。精霊信仰の儀礼やコミュニティーの娯楽に用いられたりする。

（岡崎淑子）

44

社会を映し、社会に語る伝統歌謡

★歌謡の維持と発展★

年中行事、仏教関係の行事、結婚式、葬式などの通過儀礼、また舞踊や演劇の伴奏、日常生活の中での楽しみのためにも、カンボジア独特の音楽は欠かせない。ここでは伝統的な歌謡を取り上げて、その特徴を見てみよう。

新年祭りでよく行われる伝統的な遊びにチューンがある。これは男女のグループが各々一列に向き合って並び、歌いながらスカーフを丸めて作った鞠(まり)を交互に投げ合う遊びで、若者男女の社交、求愛の機会でもある。この遊びのときに歌う歌詞の形式は伝統的な詩形に基づくものである。四シラブル、四行、一六シラブルでできた詩で、二行目、三行目が韻を踏んでおり、仏教経典の読誦に用いられる形式と基本的に同じである。男女が次々と即興的に韻を踏む歌詞をつなげて歌いながら交互に鞠を投げ、鞠をうまく取れなかったら相手の列のほうに捕えられていく。

伝統的な民俗舞踊や歌としてよく舞台でも紹介されるものに、ココナツ・ダンスがある。男女がペアになってココナツの殻を打ち鳴らしながら器楽と歌の伴奏に合わせて踊る踊りである。男女が二種類の竹かごで魚捕りをする場面を描写する「魚捕りの踊り」などとともに、カンボジアの地方に古くからあった踊りや歌を素材として、一九五〇～六〇年代にステージ上演向きに整えられたものである。カンボジアの伝統文化として保護し、外国公演での伝統文化紹介なども視野に入れて芸術大学で創作された。

こうした歌は、基本的なメロディーに自由に装飾をつけて歌われるが、基本メロディーをドレミで書いてみるとだいたい次のようになる。

ラド｜レーレミードミソ｜レミレドラソラド｜
｜レーレミードミソ｜レーーーーーラド｜
｜ラードードラレド｜ラドラソミーソー｜
｜ラードーーラレド｜ラーーーーーー

ファやシの音が使われていないドレミソラドのいわゆる四七抜き五音音階で、カンボジアの歌や器楽の多くはこの五音音階でできている。この他によく用いられるのは七音音階でこれは西洋のドレミファソラシドに近い。拍子に関しては、カンボジアの音楽はほとんどすべて二拍子系で、アクセントは、一（弱）、二（強）、一（弱）、二（強）と後の拍につく。このような弱―強アクセントは、タイ、ラオス、ミャンマーなどの音楽と共通であるが、タイのリズムとカンボジアのリズムでは、音の弾ませ方に微妙な違いがある。弱―強アクセントは別として、五音音階や二拍子系という点では日本とよく似ている。

踊りに歌がつく場合には、その歌詞が人々の生活習慣、仕事、情感などを具体的に描写する。もっぱら愛、自然の美しさ、価値観、信仰を表現する気持ちを歌ったものもあるが、教訓的な意味や啓蒙

ココナツ・ダンス。プノンペン芸術祭にて（2006年撮影）

をこめた歌も多い。ココナッツ・ダンスは東部スバイリエン地方の、結婚式のレパートリーの踊りと歌だったが、一九六〇年代に作られた歌詞は自然の恵みや男女の愛を表現しながら、政治的なトーンがかなり濃厚である。歌は次のような歌詞で始まる。

「ココナッツの殻をふたつ／雄と雌／ふたつの殻は呼び合って／一緒に踊り出す／殻のかたちは／美しいハート形／つややかに輝いて／カンボジアの心そのもの」

これに続く部分は一貫して民族への賛美、繁栄のための一致団結への呼びかけである。

「殻は歌う／かしこくなれと／たゆまずつとめ／伝統を守る／ココナッツ・ダンスは／カンボジアの宝の象徴／かしこく強く／（中略）／守り続けよう／愛しい祖国カンボジアを／高め栄えしめよ／平和と繁栄だけがもたらされんことを」

二〇世紀半ば、都市を中心に西洋文化が浸透す

チャパイを弾き語りするコン・ナイ。2017年、福岡アジア文化賞授賞式にて

る中、カンボジアの伝統文化を掘り起こして再編成し教育や観光を通して普及させようとしたとき、独立国家建設への士気を鼓舞するような歌詞がつけられたのだろう。

伝統的な歌謡には掛け合いの歌がある。アヤイは、普通男女一組で、機知に富んだ内容の詩を即興的に掛け合って歌い、楽器伴奏がつく。一九世紀末から二〇世紀のはじめに起こった形式で今も人気は高い。ことわざや民話をもとに社会問題などをテーマとしてストーリーを展開させ、韻を踏んだ詩の歌詞を即興的に掛け合うところにスリルがある。ユーモラスな言葉や猥褻（わいせつ）な表現も飛び出す。村の行事や儀式でもアヤイを歌うが、ステージで演じるときは男女の歌い手が聴衆の前に立ち、その後ろに楽器奏者が座ってにぎやかに伴奏する。太鼓のビートに従って語りの調子が変わる。アヤイの歌唱法技術はもともと達人のもとに弟子入りして模倣と反復による口頭伝承で覚えたものだが、今は芸術大学の専攻科目となって訓練が行われる。制度化することによって独特な歌謡伝統の維持、発展を図るためだろう。

もう一つカンボジアの伝統的な歌謡で保存の対象にもなっているのはチャパイという弾き語り形式の歌である。二〇一六年にユネスコの「緊急に保護する必要がある無形文化遺産」に登録された。三弦の長棹リュート、チャパイを伴奏に、古くからの教訓や伝説などに基づく機智に富んだ詩を歌い、現代的なトピック、その場に即したテーマや風刺的な表現をうまく織りこんでいくことが聴衆を魅きつける。時には静かに、時には伴奏のチャパイとの競演のように迫力ある演奏を得意とするチャパイの第一人者、コン・ナイの弾き語りを聴いたカンボジア系アメリカ人ラップミュージシャン、プラーチ・リーは、「まるでカンボジア版ラップ・ミュージックの原型だ」と言った。過去五〇年余、さまざまな時代を経て弾き語りを続けてきたチャパイの名手は、まさに時代に即して賢明に、注意深く歌詞を操作することによって生き延びてきた。

歌謡は歌詞によって具体的内容表現が可能であるだけに、社会を明解に映し出すものであり、メッセンジャーでもある。メディアによって多様な種類の歌や音楽にアクセスできる現代、伝統的な歌謡の維持、発展のためには何らかの策が必要となる場合が多い。特に口頭伝承による伝統にとっては師と弟子の存在が重要な問題であり、伝承方法を制度化せざるを得ない。しかし何といっても伝統を支えるのは聴衆の存在であろう。


（岡崎淑子）

45

みんなのうた

★挑戦する若者たちの音楽★

二〇一〇年代は、スマートフォンを所有する人が劇的に増加したこともあり、音楽に接する機会が一段と増え、また好みの選択肢の幅も広がった。二〇〇〇年代初頭あたりまでは、演歌調のメロディーに男女間の愛の破局や別離を物語った歌詞をのせたものが大半だった。海外の楽曲をカバー、アレンジしたものも多かった。二〇二〇年現在では、ロック、ヒップホップ調のものも加わり、オリジナルの楽曲が発表されるようになり、男女間以外の普遍的な愛をテーマにしたもの、あるいはイメージソングや応援歌などが登場するようになった。

カンボジアの洋楽のはじまりは、一九世紀半ば、フィリピンの楽団がカンボジアの王宮で行進曲、国歌や金管楽器の合奏を披露したことだと言われている。それらの曲は「マニラ・ミュージック」と呼ばれるようになった。その後、王宮やフランス保護国政府に関わる人たちは限られたコミュニティーの中でレコード、映画などを通して、クラシックのみならずポップスを含めた西洋音楽に親しんでいくようになる。国王、国家元首であったシハヌーク（一九二二〜二〇一二）はその生育環境と音楽的才能にも恵まれ、生涯で五〇曲以上の歌を作曲している。

第45章

みんなのうた

一般に西洋のポップスが浸透していったのは、一九五〇年代から七〇年代にかけてである。世界を席巻していたロックンロールやヒッピーといった若者文化がカンボジアでも同様に流行しつつあった。特にラジオが普及し始めていた時期と重なり、ポップスは都市だけではなく広く地方にまで広がった。ビートルズのレコードも国内で販売され、カンボジアでも人気が高まる中、カンボジア初のロックバンドであるバクサイ・チャム・クロンは一九五九年に結成された。一九六七年結成のドラッカーもあわせて、いずれも男性四人によるグループであり、カンボジアのポップス史に功績を残している。

現在に至るまで世代を超えて支持されているのがシン・シサモット（一九三三～七六）である。シン・シサモットは通算レコーディング数が一〇〇〇曲あり、たとえば、「バッタンバンよ、愛しい君／別れるのが切ない／遠く離れても絶えず君を想う」という歌詞で始まる「バッタンバンに咲くプルメリア」は、人々に最も親しまれている歌のひとつである。シン・シサモットは地方出身の医学生としてプノンペンで学んでいたが、作曲と歌唱の才能を発揮し、フランスからの独立後に国営ラジオの専属歌手となり、王宮楽団に召し抱えられた。その後、中国、フランスに留学して音楽のジャンルを広げ、また王宮舞踊団を率いてインドネシア、インド公演を成功させた。シン・シサモットは、ソロで歌うこともあれば、女性歌手ロ・スライソティア（一九四八～七七）とデュエットで歌うこともあった。国内の映画産業が最盛期を迎えており、シサモットの歌は映画の挿入曲として多数使用されたことが、シン・シサモットの人気を高める要因ともなった。

シン・シサモットの歌も含めて、この時代のカンボジアの歌には、日本の楽曲にカンボジア語独自の歌詞をつけたものが多い。ポル・ポト政権前の昭和四〇年代前半までの日本のヒット曲はかなりカバーされている。これらの歌は香港、台湾を経由してカンボジアに入ったので、元歌が日本のものだとはカンボジア人には認識されていない。

内戦終結後の一九九〇年代から特に人気の高いのが、プリアプ・ソワット（一九七五〜）である。演歌からヒップホップまで何でもこなす。泥にまみれて田んぼに入り椰子に上る地方の純朴な青年と、都会のファッショナブルなホテルやバーで不良っぽい男の両方をハスキーがかった情熱溢れる歌声とともに、ミュージック・ビデオで演じる姿が人気の理由である。高校卒業後、国防省専属楽団に入り、一九九七年に「君は僕の心」でCDデビュー、海外ポップスのカバーを歌うようになり知名度が上がった。

カンボジアの人気歌手の多くはリアスメイ・ホン・ミアハ社やタウン社など大手音楽プロダクションに所属して活動を行っている。このようなプロダクションは独自のテレビチャンネルを持ち、歌詞の字幕付きミュージック・ビデオや新人発掘のためのテレビ番組を制作、放送している。またプチュム・バンや新年には、飲料メーカーなどをスポンサーに付け、所属歌手によるジョイントコンサートを地方都市で開催し、多くの観客を集めている。

二〇〇〇年代は、シン・シサモットの歌を代表とする一九六〇年代、七〇年代の歌や台湾、タイのカバー曲が依然として主流であったが、二〇一〇年代になると、カバー曲ではなくオリジナル曲を発表するインディーズ系の歌手やグループが注目されるようになってきた。つまり歌だけではなく、誰が歌うのかということにも関心が持たれるようになったのである。

そのような中で若者層に支持されたのが、女性ボーカル、男性ギタリスト、ベーシスト、ドラマーで構成されたスモールワールド・スモールバンド（活動時期二〇一二〜二〇二一）である。二〇一七年のアルバム『2×5』が大ブレークした。収録されている「きっとできる」は自信を喪失している人の共感と励まし、「愛する父さんへ」は亡くなった父親に対する敬愛の気持ちを歌うなど、グループのメンバーの個人的なストーリーを歌にしている。ポップスの中にカンボジアの伝統的なメロディーやリズム、楽器を取り入れるなど、カンボジアのアイデンティティーを現代風にアレンジして表現することに成功している。さらにプロモーションのための動画配信やコンサートを頻繁に行うことで、これまでカンボジアのポップス界には存在しなかったコアなファン層が形成され、アーティストとファンが密接にコミュニケーションを図れるようになった。

スモールワールド・スモールバンド（© SmallWorld SmallBand）

その他、ラッパーのVannDaがチャパイ奏者のコン・ナイと共演した「タイム・トゥ・ライズ」（二〇二一）は、カンボジア文化の継承について歌ったことで注目された。また国際スポーツ競技大会応援のため「熱い想い」（二〇一三）「スポーツ精神」（二〇一六）「スポーツ戦士」（二〇一八）などオリジナルな公式テーマソングも作られるようになり、カンボジア代表選手が人気歌手たちとミュージック・ビデオで競演している。

（岡田知子）

プノンペンの歌

コラム18　岡田知子

カンボジアにはプノンペンという言葉をタイトルに含む歌が数え切れないほどある。シン・シサモットは日本のデュエット曲「愛して愛して愛しちゃったのよ」（一九六五）をカバーした歌「プノンペンは素敵な都」を牧歌的に歌う。人気男性歌手プリアプ・ソワットは高音を効かせて歌い上げる失恋の歌「プノンペンでの一夜」（二〇一三）を、そして若者のアイドル的存在となっている彼の三人息子たちも観光イメージソング「ウェルカム・トゥー・プノンペン」（二〇一八）を歌っている。

数あるプノンペンの歌の中でも、国が宣伝目的のために利用して国民歌となったものがある。

そのひとつはシハヌークが一九六〇年代に発表し、シン・シサモットが歌った「プノンペン」である。

プノンペンは都／人々が集う／美しい道があり／王宮があり／どこも彩られ／見目麗しい／女も男もみな見物に行こう／プノンペンは素晴らしいところ／あなたと一緒に遊びに行きたいところ

シンプルでゆったりとしたこの歌はシハヌークが監督したドキュメンタリー映画『一九六五年』（一九六五年）の中でプノンペンの美しく整備された町並みのシーンの挿入曲として使われている。そのため内戦終結後の一九九〇年代には「古き良きカンボジア」を象徴する映像、音楽として頻繁にテレビやラジオで流された。その後も、誕生日や独立記念日など国王シハヌークが直接関わる祝祭日には、その功績を称える意味も込めて「プノンペン」が使用され、それはシハヌークが二〇一二年に死去するまで続いた。

もうひとつは、毎年開催される人民党の一月七日勝利祝賀記念党大会での大会のイメージソングともなっている「ああプノンペン」である。

ああプノンペン／三年の間／いつもあなたを想っていた／あなたを離れて／私の心は痛み／癒えることはなく／敵は私たちの想いを断ち／私はあなたから離れ／胸はかき乱され悲しみにあふれた／今こそあなたのために敵討ちを／私の想いの証／プノンペン愛しき魂よ／三年の間／悲嘆にくれていたが／あなたは息災だった／勇敢で強く高貴な歴史を持つ／あなたはクメールの魂の象徴

一九七五年四月一七日、ポル・ポトらが率いるクメール・ルージュが都市住民を地方に強制移住させたため、プノンペンを離れざるをえなかった女性が、ポル・ポト政権崩壊後にプノンペンに戻った際に、プノンペンに対して深い愛を語りかける歌である。地方に強制移住させられていた元プノンペンの住人たちは、ポル・ポト時代が終わった後、ラジオから流れるこの曲を聞いて誰もが涙したという。

一九八〇年代は内戦の時代であった。カンボジアの中央政府は、さまざまな国民歌を作り、国民に政府や党の方針を浸透させようとした。頻繁に開催される党の会議や大会で歌われるだけではなく、メディアを通して人々に届けられた。国営ラジオ「カンボジア人民の声」では、送受信機器、放送時間に制限はあったものの、娯楽と宣伝効果をもたらすのに最適であった。一九八四年からは国営テレビが夜二時間、週四日、プノンペンでのみ放映を開始した。

国民歌には、ベトナムの指導者ホーチミンを称える「大勝利の喜ばしい日にホーおじさんがいるようだ」のカンボジア語版の他、「ああプノンペン」のように愛国心をテーマにしたもの、ポル・ポト時代の悲劇を歌った「ツールスレンの遺言」、反政府側からの帰順を促す「父さん、帰ってきて」などがあった。

シハヌークの死とともに彼の「プノンペン」はあまり聞かれることがなくなり、代わって「ああプノンペン」が多くの人気歌手によってカバーされ、のど自慢番組でも歌われるなど、今でも多くの人に歌い継がれている。いずれもミュージック・ビデオが制作され、ポル・ポト政権崩壊前後の一九七八年、七九年頃のプノンペンを映した白黒映像、黒い農民服、赤い格子柄の手ぬぐいを身に着けた女性が登場する、という点が共通している。そして一月七日の「虐殺政権に対する勝利記念日」には必ず歌われる歌となった。

こうしてプノンペンの歌は、完成したプノンペンへの郷愁を誘うものから、荒廃から復興し、なお目覚ましい発展を続けるプノンペンを象徴するものとなった。現在の平和と繁栄の起源がどこから来るのかを問うものであり、ひいては為政者の正当性を示すものとなる。そして今では誰もがユーチューブなどで簡単に視聴し共有できる国民歌となったのである。

46

踊りにこめた祈りと喜び

★古典舞踊と民俗舞踊★

カンボジアの舞踊は、大きく古典舞踊と民俗舞踊の二つに分けられる。古典舞踊の始まりは古く、インドからもたらされたヒンドゥー教の影響を受けて六世紀頃までに起こったと考えられている。ヒンドゥーの神々に願いを届ける手段であった舞踊は、時代を経て仏教と、もとから存在した精霊信仰をも取り込み、あまたのカミに捧げられる舞踊となった。

古代の舞踊がどのような形式であったかを知ることはできないが、現在に至る発展にはいくつかの歴史的な出来事がかかわっている。一五世紀にアンコール王朝が隣国タイのアユタヤ王朝に敗れた際には、多くの踊り手がタイに連れ去られた。一九世紀にウドンで即位したアン・ドゥオン王は、自身が長く滞在したタイから踊り子を連れ帰り、宮廷の舞踊団を再興した。一九三〇年代から一九六〇年代にかけては、新たな演目が数多く作られた。とくにシハヌークの母コサマク（当時王妃）は、アンコール遺跡の浮彫りを参考に踊りの型を改め衣装をデザインし直すなど、古典舞踊の発展に力を注いだ。この時代、舞踊は宮廷の管理下にあって宮廷舞踊と呼ばれていた。

コサマクが制作した「アプサラ・ダンス（天女の舞）」や、

同時代の作品である「麗しき神々の舞（テープ・モノロム）」はカンボジアを代表する優雅な群舞だ。また、物語の一節を短い舞踊に仕立てた劇舞踊もある。「モニメカラー」は、水を司る女神メカラーが、不思議な力をもつ玉を巡り魔物リアムソーと戦う物語を題材にしている。メカラーが投げ上げる玉のきらめきは稲妻を、魔物が投げつける斧の轟きは雷鳴を表す。最後にメカラーが魔物を負かすことで雨がもたらされると考えられ、かつては雨乞いの儀式として奉じられた。

古典舞踊には役柄がある。主に、女役、男役、魔物役、猿役の四役である。昔はすべての役を女性が踊っていたが、現在は猿役を男性が演じる。側転や蚤を掻くしぐさは男性の方が合うとされたためだ。どの役も基本姿勢が大切で、腿の付け根に力を入れるようにして腰を少し落とし、胸をまっすぐに起こし、足の指をそろえて反らす。手指は、植物の命のサイクル（芽吹き、葉となり、花開き、実を結び、熟して落ちる）をかたどって示す。その自然の息づきを身ぶりに取り入れながら、恥じらい、悲しみ、怒りといった感情を表現する。顔の表情はごく控えめで穏やかさを保つ。力を内に秘めながらもしなやかに見せる動きは、カンボジアの古典舞踊の特徴であり厳しい訓練のたまものである。踊り手になるには、小学校低学年の頃から体を柔軟にする訓練を始め、基礎的な型を身につけていかねばならない。ユネスコの無形文化遺産に登録されたこともあり文化芸術省や王立芸術大学、また民間のグループは、昔の演目の再現や新たな作品の制作に力を入れ

古典舞踊の四役（左から猿役、魔物役、女役、男役）

ている。そうした中で、古典舞踊を基礎にして、より自由な表現を目指すコンテンポラリー・ダンスの分野も開拓され始めている。

もう一方の民俗舞踊は、庶民の生活の中で生まれ引き継がれてきた舞踊である。例えばチャイヤムという踊りは、雨季の終わりの僧衣献上祭に欠かせない。僧衣献上祭は、親族一同で寄付金を集め、僧衣や燭台から鍋釜などあらゆる日用品を一つの寺に寄進する祭りだ。貧しい寺の振興や、僻地の村に寺を建てる目的で行われることが多い。祭主となる一家がチャイヤムの一座を雇う。何台もの車やトラックに寄進の品々を載せ出発すると、一座の踊り手もトラックの上で、太鼓を叩き続け道中をにぎやかにする。寺に着けば踊りながら寄進の行列を先導する。カラフルな布飾りをつけた細長いチャイヤム太鼓の音におどけた面をつけた踊りも加わり、祭りをいっそう盛り上げる。

僧衣献上祭でのチャイヤム

四月のカンボジア正月が近づく頃、シアムリアプ州では村の中を踊りながら練り歩く一座にしばしば出会う。一年の厄を払い翌年の豊穣を願うトロットという踊りで、狩人が鹿を射止めるという簡単なストーリーが組まれている。狩人役と鹿役を中心にした数名の踊り手が家々を一軒ずつ回り、鈴と飾り布をつけた竿をしゃんしゃんと鳴らしながら歌い、踊る。踊りがひとくさり終わると先頭の踊り手が赤い布袋をつけた竿を差し出し、家主はその袋にお金や米などを入れる。集められた金品は一座の上演料となるわけだが、正月を迎えるための習慣として人々は喜びをもって献じる。

舞台用に作られた民俗舞踊もさまざまある。「魚獲りの踊り」は、籠や笊(ざる)を使っ

パイリンの孔雀の踊り

て魚を獲る様子から発想を得て創作された。「パイリンの孔雀の踊り」は、パイリン地方に伝わる孔雀の伝説をもとに作られた踊りで、大きな羽を模した緑色の衣装が目を引く。舞台で見せる民俗舞踊の多くは若い男女の恋（孔雀ならば雌雄の恋）をモチーフに構成されており、どれも微笑ましい作品だ。

古典舞踊が常にプンピアットという大がかりな古典音楽を伴うのに対し、民俗舞踊ではそれぞれの踊りに合わせて太鼓や弓奏楽器を用いた音楽を演奏する。衣装は、木綿のシャツに木綿の一枚布を腰に巻く簡素なスタイル（19章参照）や、山岳民族の舞踊であれば土地の民族衣装を身につけるなど趣向がこらされている。

前述した各種の踊りは、アンコール遺跡に訪れる観光客ならば、シアムリアプ市内のレストランやホテルのディナーショーできっと見ることだろう。カンボジア人よりも外国人の方が見る機会が多いかも知れない。こうした鑑賞する舞踊とは別に、結婚式など祝い事の際にみなで参加する大衆舞踊がある。手指を美しく回しながら輪になって踊るロアム・ボン、両手を後ろに引いたり前で交差したりを繰り返して踊るサラワンなど、カンボジア人なら誰もが知っている楽しい踊りである。（福富友子）

コラム19

ソンペア・クルーの儀式

福富友子

舞踊や芝居などの芸能を演じるときに欠かせないのが、ソンペア・クルーの儀式である。ソンペアは手を合わせて敬意を表すこと、クルーは師。「手を合わせて師に敬意を表す」というのがこの儀式の意味である。ここでクルーとは、実際に今、芸を教えてくれている先生はもちろんのこと、すでに亡くなっている代々の師の霊、さらには、すべての芸能を司るプスヌカーという神をも示す。

儀式にはまず、バイサイという供え物を用意する。〇・五〜一メートルの長さに切ったバナナの茎の周囲に、同じくバナナの葉を丸めて重ねた飾りを留めつけていき、上端にゆで卵を刺して塔の形にしたものだ。葉を留めつける段の数は、一段、三段、五段……と奇数で、儀式の規模が大きいときほど、段数の多いものを作る。このバイサイの他に、聖水、ポップコーンのように炒った米、ろうそく、キンマの葉と檳榔樹（びんろうじゅ）の実などを器に入れて供える。盛大に行う場合には、ゆでた豚の頭や、丸鶏、いくつもの料理も供物として並べる。

舞台正面に、古典舞踊や仮面劇ならば頭飾りや面、影絵芝居なら師と神々をかたどった影絵人形というように、クルーを象徴する用具を置く。その手前に前述の供物を並べ、演者たちはそれらに向かって座り、手を合わせる。儀式を仕切るアチャー（祭司）、または一座の座長が祈りのことばを述べ、そして、クルーたちを呼ぶとともに災いを祓うための奇声を三度発する。楽士たちは音楽を奉納し、演者たちもクルーの加護を願い、精神を整えて役を演じる状態に入る。儀式は演者たちの

バナナの茎と葉でバイサイという供え物を作る

ためだけにあるのではない。上演の場所全体が守られ、観客に災い事がふりかからないようにという願いも込められている。儀式が進み、その場に神聖な空気が満ちたところで、演技が始まるのである。

ソンペア・クルーの儀式はこのように、上演前に行われるが、古典舞踊の踊り手たちは毎週木曜日にも欠かさず儀式を執り行う。ヒンドゥー教における「木曜日は師匠の日」という考えが受け継がれているようだ。また、病が長引いたり災難に見舞われたりした芸能者が、これをクルーへの敬意を怠ったためと考え、大がかりな儀式を行うこともある。

さて、舞踊や芝居の一団を日本公演に招く際に日本の主催者が苦労するのが、この儀式の準備だ。カンボジア人にとってはどこでも手に入るバナナの茎や葉、豚の頭、頭も足も残して羽をむしっただけの丸鶏など、注文できるところがなかなかない。舞台での線香や蝋燭への点火も、消防署の検査が必要だ。だがなんとかこれらを整え、滞りなく儀式ができるよう協力することで信頼関係は築かれるし、団員は安心して演技に臨み、クルーはきっと良い演技をさせてくれる。演者の大切にするものを理解するのは大切なことである。

プノンペン芸術祭でのソンペア・クルーの儀式（2006年撮影）

47

神に捧げる芝居

★伝統芸能・大衆芸能★

芝居は、カンボジアの日常生活の中にときどき現れて人々を楽しませるものだ。寺院で行われる大きな祭事や家庭での法事で、祭主が芝居を手配することがある。それはたいてい、日が暮れてから野外で演じられる。近隣の人や、噂を聞いた人々が思い思いに芝居を見に集い、食べ物を売る屋台も出てにぎやかな場が生まれる。予約は不要、入場無料である。

芝居はそれぞれの地域で発展し伝えられてきたものだが、なかでもユネスコの無形文化遺産に登録され国を代表する芝居として認知度を上げたのが、大型の影絵芝居スバエク・トムと仮面劇ルカオン・カオルである。いずれも昔は、国内の一部の地域で儀礼的な意味をもって演じられていた。このふたつには、カンボジアのラーマーヤナである「リアムケー」の物語だけを演目としていることと、男性のみで演じられてきたという共通点がある。

スバエク・トムは、牛皮で作った高さ一〜一・五メートルの大きな影絵人形を遣って演じる影絵芝居だ。野外に立てるスクリーンは幅十メートル、高さ四メートル。ヤシ殻を燃やす大きな炎を光源にして、人形と遣い手のシルエットを映し出す。語り手が朗唱する物語と、プンピアットという古典音楽の楽団が演奏する音楽とともに、約一〇名の遣い手が人形を掲げて踊るように動く。人形と言っても手足が動くような細工があるのではなく、一枚のパネル状のものだ。登場人物ごとに「歩く」「戦う」「拝謁する」「泣く」などのポーズを表すものや、戦う場面や館の中にいる場面など複数の登場人物と背景を含めて描かれたものがある。この精緻な彫りを施して作られた人形一五〇体余りを、物語に沿って次々に繰り出していく。遣い手がスクリーンの表にも出てきて、姿を見せて演じるのも大きな特徴だ。

大きな影絵人形を使って演じるスバエク・トム

演目の「リアムケー」は、リアム王子の弟レアクと、魔王の息子であるアンタチットの戦いを軸に七夜をかけて演じるよう構成され、戦いに駆り出される魔物たちや、その魔物たちの策略に翻弄される王子たちの姿を描いている。一九〇〇年代初めまでは、当時タイの統治下にあったバッタンバン州で、その後はシアムリアプ州で数少ない一座によって伝承され、主に高位の僧の火葬儀礼に合わせて演じられていた。

ルカオン・カオルは、顔をすっぽり覆う形の仮面を被り、古典舞踊と同じくスパンコールを縫い付けたきらびやかな衣装を身につけて演じる芝居である。スバエク・トムと同様に語り手が場面や台詞を朗唱し、プンピアットの演奏があり、役者はそれらに合わせ古典舞踊に通じる身振りで物語を表現する。仮面をかぶるのは王子兄弟、

仮面劇ルカオン・カオル（左からセダー妃、リアム王子）

魔物、仙人、猿やその他の動物で、女役は仮面を被らないとされている。ただし、ルカオン・カオルの伝承地であり、無形文化遺産の緊急保護リストに登録されたカンダール州のスバイ・オンダエト寺が擁する一座では、王子兄弟も仮面を被らない。スバイ・オンダエト寺の一座は、四月のカンボジア正月が過ぎて雨季に入る時期に、新年の豊作を願い、雨乞いの意味を込めてルカオン・カオルを上演してきた。そのため、水の流れを堰き止め旱魃（かんばつ）を引き起こそうとした魔物を白猿ハヌマーンらが退治し無事に水が流れる、というエピソードが大事な演目となっている。村の人々が協力し合って続いてきた一座だが、年配の役者の引退や後継者不足などで上演活動が下火になってしまっていた。そのようなときに緊急保護リストに登録されたことは、多くの人々がルカオン・カオルをはじめ国の伝統芸能にあらためて注目するきっかけになったと言える。

スバイ・オンダエト寺だけでなく、プノンペンでは王立芸術大学にルカオン・カオルを学ぶコースがある他、文化芸術省芸能局や民間のグループでも演じられている。劇場で演じる際に観客に好まれるのは、リアム王子が出生を知らないままでいた息子たちと出会う場面や、リアム王子とセダー妃の別れなど、家族のつながりに焦点を当てて構成された演目だ。

しかし、スバエク・トムもルカオン・カオルも無形文化遺産になったからといって上演の機会が増えたわけではない。生活状況の変化や娯楽の多様化などに圧され、カンボジア人自身に向けた上演機会は少ない。スバエク・トムでは、観光客向けに短時間の演技を行う機会はある程度あるものの、儀礼の場で時間をかけた演技を行う機会がほとんどなく、若者の関心も薄れつつあることが悩みだ。そこで、活動資金の援助を外部に募りながら、子どもたちや多くの人に関心をもってもらうべく、小学校でのワークショップや仏教行事に合わせて寺で上演するなどの試みをしている一座もある。またプノンペンでは、若者たちのグループが若い世代の人々に昔の祭りや伝統芸能をつないでいこうと、現代的な音楽や舞踊パフォーマンスと伝統芸能をともに披露するフェスティバルを開催している。

この他、娯楽として親しまれてきた庶民的な芝居に、バサック劇とジケー劇がある。バサック劇は、顔に派手な隈取りをする登場人物がいたり要所で見得を切ったりするのが特徴で、中国とベトナムの歌劇の影響を強く受けていることがわかる。王子や王女が登場する古典的な冒険物語を演目としており、喜劇的で、ハッピーエンドに終わるのが定番だ。ジケー劇は、打面の広いジケー太鼓を使って歌い踊る芝居である。こちらは悲恋物語の「トム・ティアウ」(コラム4参照)を代表的な演目として、悲しい結末を迎える物語を扱うことが多い。また影絵芝居にも、より庶民的なタイプがある。小型の影絵芝居スバエク・トーイは、手が動くよう細工した小型の皮人形を使い、古典の物語から民話、現代的な創作話まで自由な題材を、即興の台詞回しでコミカルに演じる。

こうしたさまざまな芝居が、舞台芸能としてだけでなく家族やコミュニティーの人々が楽しみを共有する場として存在し続けられるかどうか。社会の変化や、人が集まりにくいコロナ禍にあって、演じる側だけの自助努力だけでは存続が困難な状況にもなっている。

(福富友子)

48

カンボジアの微笑み

★現代演劇の試み★

バイヨン遺跡の巨大な四面像やジャヤバルマン七世像は、永遠を感じさせる静かな微笑をたたえている。祖国への郷愁を主題とした著作で、この「カンボジアの微笑み」を分析したニュオン・カン（一九三四～二〇〇二）は、「人と大地と水と空を共存させる自然から生まれた微笑み」であり、カンボジア人の感性に仏教的要素が加わって、純粋な心の底からわいてくる媚も飾りもない美しさが生まれた、と述べている。

カンボジア人の感性とは、「大きな山を見ると思い出す／水が広がるのが見える／土が広がるのが見える／空が広がるのが見える」という詩のままの、クロワーニュ山脈やドンレーク山脈のひとけのない森、山のふもとに広がる平原、カエプやコンポン・サオムの海辺といった自然に育まれ、竹とクロマーでできたハンモックの中で子守唄を聴き、月の輝く夜に歌声を響かせ、焚火を囲んで物語に耳を傾け、新年に伝統遊戯を楽しみ、水祭りに舟の速さを競うといった生活の中でつくられた感性である。ある種のもの憂さと善良な助け合いを特徴とし、動物にも人間と同じように心があると考えて「小さいものはそれなりに、大きいものはそれなりに」餌を探して生きる野牛の姿から、この世を支配する不変の法を見つける感性である。しかしこの感性はまた、現世について考えるより、涅槃(ねはん)へ向かうため、来世のための善行を奨励し、誠実すぎ、嘘をつけない人々は政治的、外交的に不利益をこうむったとも考察されている。

この微笑が背景に浮かび上がるかのような戯曲『アンコールの乙女プランサイラー』(一九九七)は、死期が近いことを悟り、「人生にいったいなんの意味があるのだろう。心のなかで育んでいる確かな信念のために、この身を捧げるのでないとしたら」と、魂の平安を求めるべくアンコール境内の静かな森に去る父と、その後を追ううちに、さまざまな社会問題を体現している人々と出会う娘を描いた作品である。娘は、死んだ子どもを探し歩く心を病んだ女を慰め、仏像を盗んだ少年たちをいさめ、結婚直後に妻を亡くし絶望のあまり死のうとする男を励まし、仏の道を進むべき祭司が困窮のあまり骨董商の求めるままに仏像の首を切り落とすのを止めようとするが、その努力は常に報われるわけではない。父の一弦匏琴(いちげんほうきん)の音は愛と平和に満ちた心を奏で、遠い時の彼方からわきあがって石の宮殿を築いた祖先の歴史を物語り、信念があるとき人は何でもできることを伝える。幕が下りる前に、「真実を愛する者は、どのように強いられようとも、自分の命と同じくらい愛するものを捨てたことはない。自分の信念が弱まることを恐れ

『婚約指輪』(1969年、ハン・トゥンハック)

るのは、弱い者の恐れることだ。強い者は信じれば信じるほど、常にますます強くなるんだ」ということばが父から娘に贈られる。

この戯曲は、内戦で失われた同タイトルの作品を新たな着想のもとに七場の劇としてよみがえらせたものである。ニュオン・カンはフランスで演劇と演出を学んで一九六九年に帰国後、王立芸術大学舞踏芸術学部長を務め、福岡アジア文化賞（一九九七）を受賞したチェン・ポン（一九三〇〜二〇一六）とともに、現代演劇の創始者ハン・トゥンハック（一九二六〜七五）に師事した。一九七五年四月、首都陥落直前に来日し能の研究に従事、その後アメリカと日本で暮らし、東京外国語大学教授（一九九三〜九六）も務めた。詩「凧」には、「ただ、美しい風の音の甘い記憶、そして我がカンボジアへの絶ちがたい思慕、そこで生きる望み、そこで死ぬ望みのみ」と綴られているが、その願いは叶わず、カリフォルニアで生涯を終えた。戯曲としては、古典詩に題材をとり、カリフォルニア州で開催されたロングビーチ・フェスティバル（一九八二）で上演された一一場の『カニカー』を恩師に捧げている他、ドストエフスキーや能の作品を翻案したり、『死せる告発者』など現代社会を扱った作品もある。また「人はみな芸術家である。人のいるところに芸術がある」として、祖先が大切にしてきた豊かな自然と遺産についての歌を音楽教科書で紹介している。

『曙光の下で』（1966 年、ハン・トゥンハック）

カンボジアの伝統演劇は、音楽、歌、舞踊が一体となり、語り手が語るものだった。それに対し西欧の影響を受けた現代演劇は、個々の俳優が語る台詞によって、現代社会のもたらす内面の苦悩、人生の虚しさなどを表そうとし、一九五〇～六〇年代に最盛期を迎えた。ニュオン・カンの恩師ハン・トゥンハックは首相を務めた政治家でもあり、「全力で闘ってこそ人生には意義があり価値が生まれる。人は運命のままに流される人形ではない」という台詞の通りに生きた。パリで演劇を学んだ後、一九五一年に帰国して抗仏独立運動に身を投じ、ラジオを通じ独立を訴える作品を発表していたが、独立後は、パウ・ユレーン、オム・チューンらが創設した国立劇団に協力し大きな影響を与えた。当時発表された『泥棒社長』は腐敗した資本主義社会を描いた作品で、ポル・ポト時代が終わって間もない一九八一年にパウ・ユレーン自身が手を加えた改訂版は、高校の国語教科書に指定された。ハン・トゥンハックは芸術大学長を務めた後、クーデターによる新政権に加わって入閣した。亡命の機会は幾度もあったが国内にとどまり、都市住民の一斉退去が行われた一九七五年四月一七日、弟子とともに嘆き悲しむ姿が路上で目撃されたのを最後に消息を絶った。当時の状況から、まもなく処刑されたものと考えられる。

ハン・トゥンハックは、シェークスピア、コルネイユの作品を翻訳する一方、国立劇団の俳優た

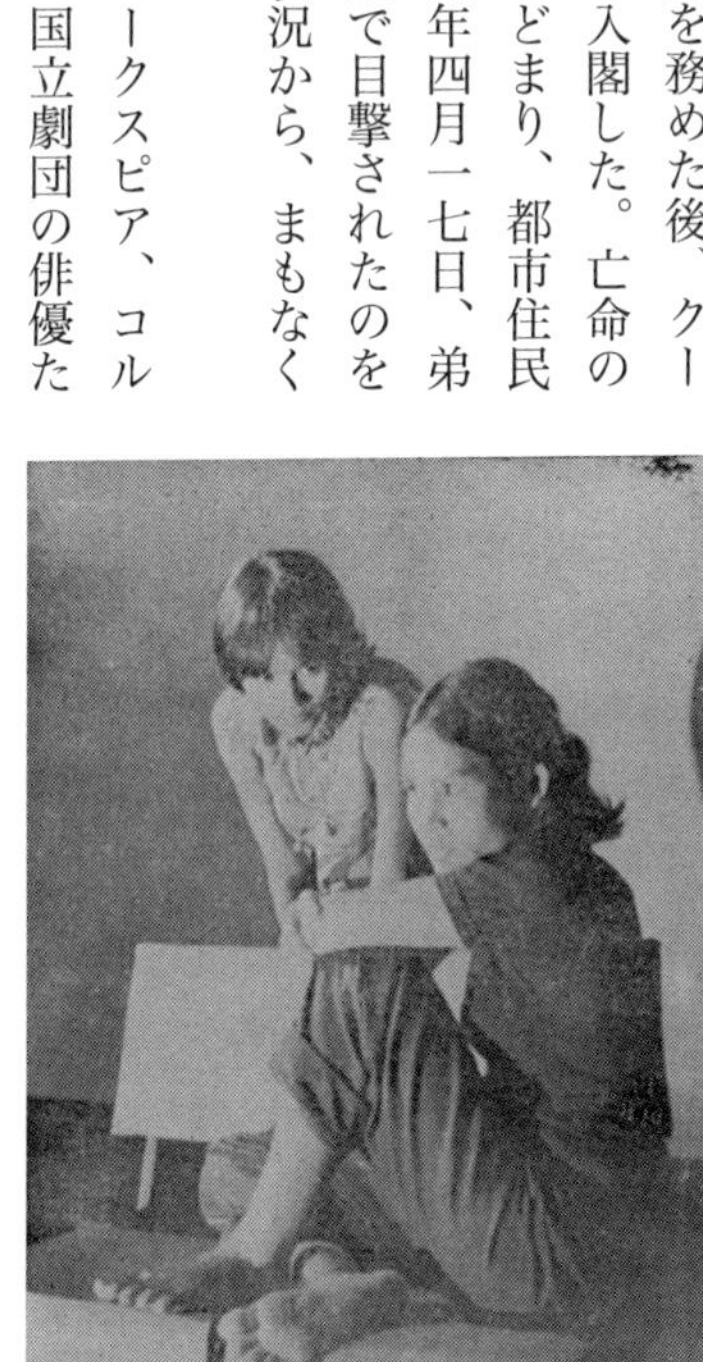

『婚約指輪』の一場面

『婚約指輪』の一場面

ちの技術向上を願い、数多くの戯曲を執筆した。価値観の違いから衝突を繰り返す兄弟姉妹を一芝居うつことで仲直りさせようとする『親のいない巣』、酒に溺れた夫と信心深すぎる妻の不和に善意の他人が巻き込まれる一夜を描いた『曙光の下で』、報われぬ愛に苦しむ人々が魔力を持つダイヤの指輪を巡って虚しく争う『婚約指輪』など、家族と愛情のあり方を主題とし、下級役人、主婦、学生、職人、運転手など等身大の人物が、平易なことばで語っている。ノーベル賞（一九三四年）作家ルイージ・ピランデッロ（一八六七〜一九三六）に傾倒し、登場人物が芝居と事実の境界を見失う、ナレーターが物語に巻き込まれるといった虚構と現実が交錯する作品が多い。国立劇団は学生の訓練を兼ねて州都を巡回公演し、ラジオを通じて広く支持されるようになった。社会に同居する善と悪という身近な題材を扱いながら新しい世代への希望を忘れなかったことが人々の心をとらえたといわれる。

（上田広美）

49

人気はコメディとホラー

★映画の歴史★

カンボジアに初めて映画が登場したのはフランス保護国時代である。一九〇九年、プノンペンの王宮前の川岸に建てられた映画館の落成式が行われた。その後、一世紀を経て、人々はショッピングモールでの買い物の帰りにシネコンに立ち寄り、コーラやポップコーンを片手にハリウッドや韓国の大迫力の映像と音響を楽しむようになった。

カンボジア人として初めて映画を撮ったのは、王位に就いたばかりのシハヌーク（一九二二～二〇一二）である。カンボジアで『*はるかなる慕情』（一九六二）（日本で未公開作品については*を付した）を撮ったマルセル・カミュに映画制作を薦められたこと、またカンボジアでロケのあった『ロード・ジム』（一九六四）が商業的に成功したことにも触発された。シハヌークの映画制作への情熱は強く、第二次世界大戦中にカンボジアに侵攻した日本軍将校の恋物語『ボコールのバラ』（一九六九）やカンボジアの豊かな自然や文化を描写した『魅惑の森』（一九六六）など、二〇〇九年までに九二本の映画を制作している。

一般のカンボジア人が映画を撮り始めたのは一九五〇年代

プノンペンの中心部に1938年にオープンしたアールデコ調のCine Lux。国産コメディ『よき夫』(2010年) の看板が見える。最後の単独系映画館として営業していたが、2017年に閉鎖された (提供：神田真紀子)

だった。フランスの高等映画学院やアメリカの対外広報機関で技術を学んだ人々が各省庁での映像記録の仕事に就いた。カンボジア人による商業用映画が公開されたのは一九六〇年代に入ってからである。これまで娯楽といえば大衆演劇が主であり、またこの頃ラジオも普及しつつあったが、色彩豊かな映像と音声が同時に入った映画が人々の最高の楽しみとなった。映画産業の黄金時代といわれる一九六〇年代、七〇年代前半には、人口約三八〇万人のこぢんまりとした都市プノンペンでは、のべ四〇〇タイトルを上回る国産映画が三〇もの映画館で上映されていた。たとえばリー・ブンジム (一九四二～二〇二二) の代表作である古典物語『一二人姉妹』(一九六八) は、当時としては珍しい特撮を独自の工夫と技術で盛り込み、現在でも国内外で評判が高い。次々と花形スターが誕生し、映画の主題歌や挿入歌がヒットした。ダヴィー・チュー監督（一九八三～）のドキュメンタリー映画『ゴールデン・スランバーズ』（二〇一二）が、関係者へのインタビューを通してこの黄金時代を詳しく描いている。

一九七〇年、内戦が始まり、戦時下での娯楽は相応しくないとして、政府は一九七三年頃には映画館の閉鎖を命じた。ポル・ポト政権下では、プロパガンダ映画のみが制作された。一九八〇年代は東西冷戦下にあって、ベトナム、ソ連、東ドイツなどの映画が上映されるようになった。一九九〇年前後になり、内戦終結の兆しが見え始めると、現代社会を舞台にしたメロドラマ風のビデオ映画が盛んに撮られるようになった。だが一九九三年にカンボジア王国となり自由市場経済となると、一般家庭にもテレビ、ビデオが急速に普及し、観客が来なくなった映画館はナイトクラブや飲食店に変貌を遂げ、国内の映画産業は落ち込んだ。

カンボジアを代表する映画監督リティ・パン（2013年、東京）

この後も映画産業は何度も浮き沈みを経験する。二〇〇三年、アンコールワットはタイのものだったとタイ人女優が発言したとする噂は政治的にも大きな問題に発展し、タイ産のコンテンツは使用禁止となった。その影響で一時期、国内産業は活気づいたが、パソコンやスマートフォンを持つ人が増え、映像は海賊版ＤＶＤやネットで視聴するようになったために再び低調になっていった。

しかし二〇一一年、カンボジアで初のシネマコンプレックスがプノンペンに誕生したことが、再び人々を映画館に呼び戻すことになった。次々とオープンするショッピングモールにはシネコンが併設されている。料金は席のグレードや作品によって異なるが、平均三ドル前後である。

映画産業の振興、撮影場所誘致、支援に関してもさまざまな活動が見られるようになった。文化芸術省と協力して二〇〇九年、カンボジア・フィルムコミッションが設立された。二〇一〇年からはカンボジア国際映画祭、二〇一二年にチャトモック短編映画祭、二〇一五年に日本映画祭が毎年開かれ、国内外の映画関係者や愛好者、特に若い制作者が集結するようになった。

人気俳優を起用した歴史、恋愛、学園、ホームドラマなどを中心とした国産コンテンツは人気があり、二〇一七年現在で二三チャンネルある地上波テレビの連続ドラマ用に量産されている。放送後はオンライン上でまとめて視聴することもできる。

ところで、映像作品を通して世界にカンボジアを知らしめたのは、『キリング・フィールド』（一九八四）と『トゥーム・レイダー』（二〇〇一）であろう。一方、国際的にカンボジア映画の存在を確固

2018年大阪アジアン映画祭で上映された『フォレスト・ウィスパー』（2016年）のポスター（提供：FIL-K Entertainment.）

たるものにしたのは、リティ・パン監督（一九六四～）である。ポル・ポト政権を生き延び、その後フランスで映画制作を学んだ。ポル・ポト時代の政治犯収容所の元「囚人」と元「看守」を実際に対峙させたドキュメンタリー『S21』（二〇〇三）、大江健三郎の文学作品を翻案した『飼育』（二〇一一）、ポル・ポト時代の自らの経験を土で作ったミニチュア人形を使って描いたドキュメンタリー『消えた画』（二〇一三）など、国際的評価の高い作品を多数発表している他、カンボジア人としてのアイデンティティー、尊厳を取り戻し、記憶を記録、収集、保存、公開、また後進の育成のためにボパナ視聴覚リソースセンターを二〇〇六年、プノンペンに設立した。ポル・ポト時代をテーマとした映画作品は、フィクション、ドキュメンタリー、アニメともに近年増えてきており、「ポル・ポト映画」と名付けられるほどの一大ジャンルを形成するほどになっている。長い間、「ポル・ポト映画」は制作者も観客も外国人であったのが、たとえば『＊遥か彼方へ！』（二〇一〇）、『シアター・プノンペン』（二〇一四）、『音楽とともに生きて』（二〇一八）のように、カンボジア人自身が「自分たちの物語」として捉えるようになってきた。ポル・ポト時代の捉え方が世代や育った環境によって多様になり、さらにクメール・ルージュ特別法廷の設置、リティ・パン監督の世界的な活躍、若いフィルムメーカーの輩出、作品公開の機会の拡大などがその理由であろう。

最近では国籍や出身が多様なチームで映画が制作されている。現代の経済発展とそれに翻弄される若者の姿を描いた『＊ダイヤモンド・アイランド』（二〇一六）、心理スリラーの『マインド・ケージ』（二〇一六）、カンボジアの伝統武芸を取り入れたアクション『脱獄』（二〇一七）などがある。

（岡田知子）

50

遺跡、冒険、戦争そして混沌の国

★日本人が描くフィクションの世界★

日本人はカンボジアのさまざまな側面から発想を得て芸術作品を創り出してきた。ここでは数多くある中から、代表的な作品を紹介する。

独立後のカンボジアで世界に先駆けて早くからロケーション撮影を行ったのは、日本であった。『アンコール・ワット物語　美しき哀愁』（一九五八）は、第二次世界大戦中、日本の占領下にあったカンボジアで日本軍に所属していた青年が、戦後カンボジアを再訪し、かつて親交のあった王女と再会し恋が芽生えるが、祖国を想うが故に別れるという物語である。日本の国産ドラマ初の海外ロケとして評判になったのは『快傑ハリマオ』「アラフラの真珠篇」（一九六〇）だ。これはテレビとタイアップして一九六〇年四月から一年間、講談社から創刊されたばかりの『週刊少年マガジン』に掲載された、山田克郎原作、石ノ森章太郎作画による同タイトルの漫画がオリジナルである。日本人でありながら「マレーの虎」として知られた正義の味方ハリマオが、アンコールワットで密輸商人である中国人と対決する。モノクロではあるが、一九五〇年代のアンコールワットのみならず、アンコールトムの南大門に並ぶ神々や阿修羅の像やグランド・ホテルが美しく映っている。宝塚歌劇でも、カンボジアの古代史からヒントを得て、クメール帝国に滅ぼされた扶南国の姫ラーガが帝国の王を誘惑するという『アンコールワット』（一九六四）の公演が行われた。三島由紀夫は、賢王として名高いジャヤバルマン七世が壮大な寺院を建立する中、病魔に侵されていく様子を戯曲『癩王のテラス』（一九六九）に表した。この作品はこれまで幾度となく舞台化されている。

『快傑ハリマオ』の一場面。アンコール遺跡で敵と闘うハリマオとドンゴロスの松（© 宣弘企画）

ベトナム戦争が激化してくると、カンボジアも多大な影響を免れなかった。漫画『光る風』（山上たつひこ、一九七〇）は、一九九〇年代初頭の国連平和維持活動（ＰＫＯ）への自衛隊派遣を予言するかのようなストーリーである。一九七〇年、アメリカがカンボジア領南部「さかなのつりばし」地区に小型中性子爆弾を投下し、その後もカンボジア共産軍の侵攻を止めるため、爆撃を繰り返す。この戦いに日本は国連軍として「国防隊」を派兵する、という物語である。実際にアメリカは、同年、重要な軍事拠点であった通称カンボジアの「オウムのくちばし」を目標として進攻作戦を展開している。映画『地雷を踏んだらサヨウナラ』（一九九九）では、一九七三年にフリーの報道カメラマンとしてカンボジアに入り、内戦に巻き込まれて亡くなった一ノ瀬泰造を描いている。この作品に着想を得たと考えられ

『ギャラリーフェイク』（小学館刊。© 細野不二彦／小学館ビッグコミックスピリッツ）

るテレビドラマ『ウルトラマンネクサス』（二〇〇四）では、アジアの紛争地域を取材していたカメラマンが、夢の中で密林に佇むアンコールワット風の奇怪な遺跡の中に入り、そこで巨大なリンガ状の像から放たれる謎の光と融合、ウルトラマンネクサスが誕生する。

アンコール遺跡はアニメの世界にも登場する。『モンタナ・ジョーンズ』（一九九四）の舞台は一九三〇年代で、世界各国の古代遺跡に眠る伝説の秘宝を悪党から守るという冒険活劇である。「東洋の奇跡」であるアンコールワットには、神に捧げられた黄金の米粒があるとしている。『ストリート・ファイターⅡ』（一九九四）では、犯罪シンジケートの巨大秘密基地がアンコール遺跡の中に造られている。『劇場版NARUTO―ナルト―疾風伝絆』（二〇〇八）では、「アンコールバンティアン」という悪の空中要塞が出現する。アニメ『コードギアス 反逆のルルーシュ』（二〇〇六）では、カンボジアが超大国「神聖ブ

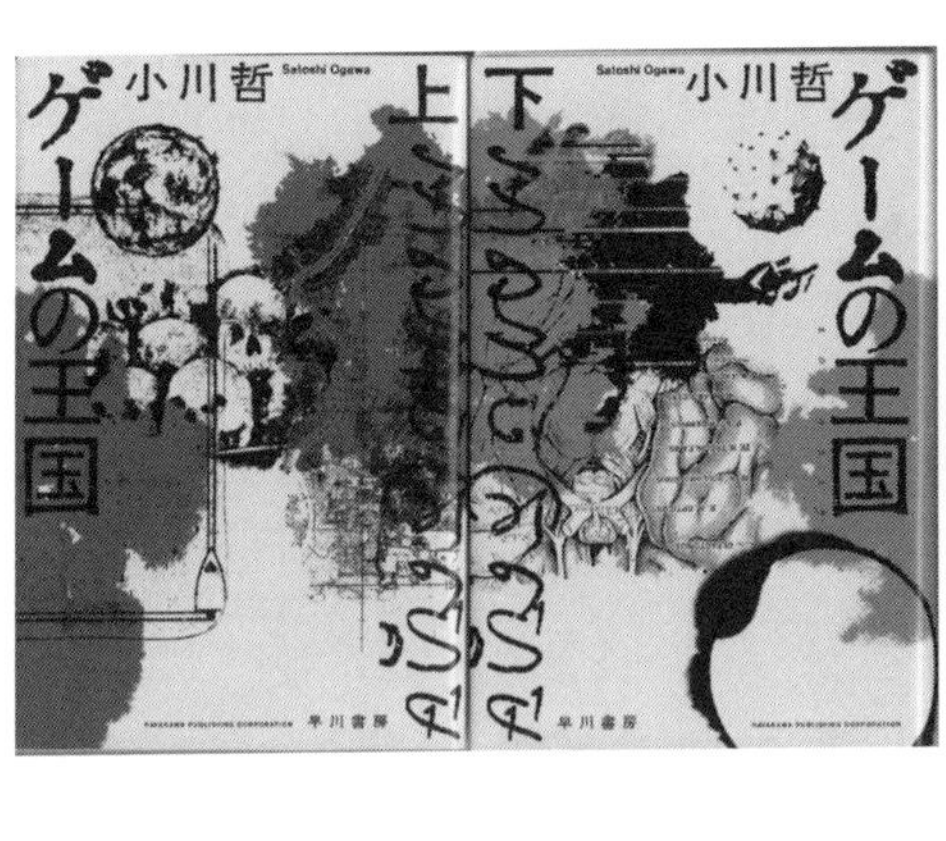

リタニア帝国」の宰相の配下の機関の拠点地として重要な役割を果たしている。

一方、ポル・ポト政権下の悲劇は世界中に衝撃をもたらした。漫画『サンクチュアリ』（史村翔原作、池上遼一作画、一九九〇、一九九五）は、ポル・ポト時代を生き延びた日本人少年二人が、経済大国となり「平和ぼけ」している日本に帰国し、それぞれ政治家、暴力団トップとなり表と裏の世界から「本当の人間を創ることのできる国家建設」を目指す、というものである。漫画『多重人格探偵サイコ』（大塚英志原作、田島昭宇作画、一九九八）では、多発する猟奇殺人事件の犯人たちは、左目にバーコードのような痣を持つという共通点があり、ポル・ポトも例外ではなかった、とされている。漫画『勇午』（真刈信二原作、赤名修一作画、一九九九）には、フリーランスでプロの交渉人が、一九七五年にカンボジアで行方不明になったアメリカ人カメラマンを探し出そうとするエピソードがある。そこで明らかになるのは、ベトナム戦争末期にアメリカがベトナムに持ちこんだ核弾頭の証拠写真を手に入れたポル・ポト派は、何年にもわたってアメリカを脅迫していた、というものである。漫画『ゴルゴ13』（さいとう・たかを）シリーズでも、「アンコールの微笑み」「略奪の森林」「クメールの赤い土」は一九九〇年代のカンボジアを舞台にし、スナイパーである主人公が活躍する。漫画『ギャラリーフェイク』（細野不二彦、一九九八）には、贋作画廊のオーナーが「東洋のモナリザ」と呼ばれる彫像の売買交渉のために、新作の構想を練るゲームデザイナーとともにポル・ポト派ゲリラの村を訪ねる、というエピソードがある。

最後にカンボジアを楽しめる小説を挙げておこう。『カンボジア奇譚』（三宅一郎、一九九四）は、第二次世界大戦中に商社マンとしてプノンペンに赴任した滝三郎が体験した不思議なエピソードからなる。『夢は荒れ地を』（船戸与一、二〇〇三）は、ＰＫＯに参加し、その後行方不明になった元同僚の自衛官を探しにカンボジアを訪れた男が、地雷、人身売買、汚職などさまざまな社会問題に直面する物語である。『ゲームの王国』（小川哲、二〇一七）は、ポル・ポトの隠し子とされる聡明で美しい少女と、神童といわれる貧しい村の少年が出会い、激動のカンボジアを生き延び、半世紀後までが描かれる。前半は一九六〇年代の複雑な権力闘争や政治状況などが一般人の視点からも描かれ歴史小説として読める。『インドラネット』（桐野夏生、二〇二二）は、現代に生きる無気力で何のとりえもない日本人青年が、カンボジアで消息を絶ったというかつての親友を探しにカンボジアを訪れ、次々に現れる敵か味方かわからない人々と関りながら目的を果たそうとする物語である。

（岡田知子）

51

歴史に翻弄された美術品

★世界に散ったアンコールの至宝★

美術品の流通は、政治情勢や社会状況と密に連動している。アンコールの美術品は、それぞれに時代の運命を背負い、もとの場所を離れざるをえなかった。

フランスはパリにある国立ギメ東洋美術館（以後、ギメ美術館と記す）から、話を始めよう。質と量ともに世界に誇る有数のアンコール美術品を所蔵していることで有名なこの美術館は、その名にも冠せられているエミール・ギメによるアジアの美術蒐集品を土台としている。

一八三六年、リヨンの裕福な家庭に生まれたギメは、アジアの美術や思想に強い関心を持ち、独学でそれらに対する理解を深めていった。一八七六～七七年にかけては実際に日本、中国、インドを訪問し、特に日本からは、膨大な件数の仏像・仏具を購入して帰国しているが、明治維新後の廃仏毀釈とそこに付随する寺の動きがそれを後押ししたことはいうまでもない。帰国後ギメは、これらの収集品をもとに、一八七九年に「宗教博物館」を地元リヨンに開館した。しかし彼は、東西一級と自負するこれらの美術品を、フランスの一地方都市リヨンに埋もれさせておくことに満足できなかった。やがて美術品をパリへ移し、

ギメ美術館

新たに「宗教美術館」を建設し、フランス国家に建物ごと寄贈してしまう。現在のパリ一六区イエナにそれが開館したのは、一八八九年一一月のことであった。

その頃アンコール遺跡では、フランス人を中心とした探検や調査が相次ぎ、遺跡としての高い評価を着々と西欧で築きつつあった。フランスの博物学者アンリ・ムオーがその火付け役になったといっても過言ではない。一八五八年からタイやカンボジアを旅行し、一八六一年一一月にラオスのルアンパバーンで亡くなるまでの間、彼は一八六〇年一月二二日から約三週間、シアムリアプに滞在している。そこで実見したアンコール遺跡についての描写は、その死後、雑誌に掲載され、一八六八年には著書としてもまとめられ、ヨーロッパ世界で大きな反響を呼んだ。

一方、仏領インドシナ成立に向けての第一歩として、ド・ラグレを隊長とする大規模なメコン川流域調査が一八六六年から一八六八年まで実施されている。ラグレ調査隊は、碑文を含むたくさんの「調査資料」を本国へ持ち帰った。さらにこの隊に参加したルイ・ドラポルトは、アンコール遺跡の、他に類をみない独自性、そしてその芸術性の高さに魅了され、「アンコールの美術品こそ博物館に所蔵するに値するものである」と強調した。彼は一八七三〜七四年に今度は自らが隊を率いてアンコールを再訪し、その「成果」として実に一二〇箱にも及ぶ美術品がフランスへ渡ったのである。ドラポルトの後、エティエンヌ・エモニエ（一八七四～八二年、他）や、ルシエン・フールヌロー（一八八七～八九年）等の調査団が、それに続いた。彼らによってフランスにもたらされたこれらの美術品は、一八七八年、パリにおける世界博にて公開された後、一八八二年にトロカデロ宮殿の一角に集められ、インドシナ博物館として発足したのである。

このインドシナ博物館からギメの宗教美術館へは、一九一九年の館蔵品委託協定に基づき、多くのインドシナの美術品が移管された。宗教美術館は、やがてその収集や活動内容が、宗教色よりもアジアの美術に対しての比重が強まり、一九二九年、二つの館が併合されたことにより、ギメ東洋美術館へと改称された。ギメ美術館にはその後もアンコールの美術品が増え続けた。一九〇八年にシアムリアプに開かれたアンコール保存事務所では、フランス極東学院の指揮のもと、その収蔵庫に「同様のものが二つ以上存在する」場合はその一つをギメ美術館で展示できること、ともした。

この時期、アンコールの美術品は海を渡って日本にも上陸している。第二次世界大戦末期の混乱の最中、一九四四

ギメ美術館内

年、当時ベトナム・ハノイに本部を置いていたフランス極東学院と、東京国立博物館（当時は、東京帝室博物館）は、所蔵品の交換を行った。これは、一九四〇年一一月に実施された日仏印会談にて、「日仏印間の友好関係は文化交換によっていっそう推進される」という政策が確認されたことにそもそも基づいていた。日本からは一九四三年九月に、サイゴン市（現ホーチミン市）のブランシャール・ド・ラ・ブロス博物館（現ホーチミン歴史博物館）へ、美術・工芸品計三一件が寄贈された。フランス極東学院からは、一九四四年一月〜二月頃、アンコール時代の作品を中心とした彫刻、金工、陶器等計六九件が、帝室博物館に到着したと考えられている。すでに博物館では、戦争被害を避けるために、一九四三年頃から美術品の疎開を進めていたが、いよいよ一九四五年三月には、空襲激化のために博物館は観覧を停止せざるをえなかった。こうした非常に厳しい状況の中、アンコールの美術品が、東京の博物館に迎え入れられたのである。これらは、当時の公式の手続きに則って日本にもたらされたアンコールの美術としては、最も古く、そして唯一のものであると考えられる。

以上は、歴史に翻弄され国外へ持ち出されたアンコールの美術品の一例であるが、これらが幸いな点は、いまもって所在が明らかで一般に公開されている、ということであろうか。不幸な美術品たちは、多くが盗掘や不法取引を経て今もって表社会から姿を消している。

（丸井雅子）

コラム20

国立博物館

丸井雅子

黄色い外壁に囲まれたプノンペンの王宮、その北側に真っ赤な建物が堂々たる構えを見せている。国立博物館だ。博物館を含む一角は、カンボジア文化芸術省が管轄する機関が敷地を共有し、王立芸術大学（以下、芸術大学とする）の一部の学部や、美術工房などがその裏手にある。通り沿いには画廊が軒を連ねている。アンコールワットや農村風景を描いた絵画が売られ、店の隅では画家が描きかけの肖像画や看板を仕上げている。

現在の博物館建物は、一九一八年に開校したカンボジア美術学校の校舎として建築された。同校は、フランス人官吏で画家でもあったジョルジュ・グロリエが指導し、それまで王宮内にあった直属の工房を再編成し、学校組織に築き直したものである。この美術学校の中に、全国各地から集められた美術品や工芸品などを保管、展示する目的で、資料館が作られた。これが博物館の前身と位置付けられている。翌一九一九年にはカンボジア博物館に改名され、さらに一九二〇年には当時のインドシナ総督に対する「表敬」の意を込め、アルベール・サロー博物館へと再び名称を変更した。なお、ジョルジュ・グロリエの息子ベルナール・フィリップ・グロリエは後にアンコール研究の第一人者となった。

一方、一九〇五年に、カンボジアの考古資料を中心としたクメール博物館が設立されている。これは規模を拡大して、一九〇九年にプノンペン博物館と改称され、シソワット高等学校内に建設された。プノンペン博物館には、フランス人による収集品や発掘資料など、一五〇点にも上るアンコール期の彫像が収められていた。これらはすべて一九二〇年に、アルベール・サロー博物館へ移され、新生博物館の内容を充実させた。この時点をもって、プノンペン博物館は解消し、カンボジアの博物館はひとつに集約されることとなる。

以上概観した博物館の一連の変遷は、すべてフランス人によって決定され監督されたものである。公式には、一九五一年にすべての博物館業務はフランスからカンボジアへ移譲されたけれども、それ以降も、実際に博物館としての調査、研究部門を牽引していったのは依然としてフランス人研究者であった。先に述べた美術学校では、芸術家や工芸品の職人を育てても、遺跡や歴史に関わる分野は教えていなかった。カンボジア人の研究者が国内に自生する土壌など皆無だった。一部の恵まれた者たちだけが、海外で勉強する機会を得る程度であったのである。

フランス留学組は帰国すると、当時カンボジア国内になかった同分野の高等教育機関設立を切望した。留学先のフランスに倣って王立芸

国立博物館外観

術大学を創立、そこに考古学部、建築と都市計画学部、造形学部、舞踊学部、音楽学部の五学部が開かれた。美術学校はこの大学の一部として存続した。これが一九六五年のことであった。

企画展「カンボジアと第一次世界大戦」(2016年)

学部構成は、現在もこれを維持しており、このうち考古学、建築と都市計画、そして造形の三学部が博物館に隣接して校舎をもっている。

　博物館は、一九六六年に初代カンボジア人館長の任命と同時に、国立博物館へと名称を変えた。国内情勢が悪化し始めた一九七〇～七五年にかけて、シアムリアプのアンコール保存事務所に保管されていたかなりの数の青銅製品や石製彫像などが、プノンペンに疎開してきた。しかし、一九七五年には博物館の建物は一部が破壊され、フランスで訓練を受けた博物館学芸員三人が殺された。博物館員の多くはその他大勢のプノンペン都民と同様、強制的にプノンペンを離れさせられた。当時の館長リー・ヴォンは殺害された。一九七九年一月プノンペン解放のとき、博物館には樹木が生茂り、館内は荒れ果てて埃に埋もれていた。生き残った六人が博物館に戻り、博物館再生に努め、その年の四月一三日、カンボジアの正月に合わせて開館することができた。内戦後の一九七九年には一時期、考古学博物館と称された時期もあったが、その後は再びもとに戻っている。

もう一度、博物館建物の前に立ってみる。アンコール時代の石造寺院を髣髴（ほうふつ）とさせる高い基壇は二・五メートルもあり、その上に建物がそびえる。開閉式の窓や扉はすべて木彫で、美術学校の教員と学生が総がかりで制作した。正面入り口の大扉には、一〇世紀のバンテアイ・スライ様式を模した装飾が施され、幅二・四メートル、高さ五・一メートル、その重さはゆうに一トンを超える。建物のコンセプト、そしてその中味も、アンコール時代を主流とする博物館である。

博物館は海外からのさまざまな復興援助を受け、建物の全面的な改修をはじめ、美術品の修復作業訓練や、博物館業務研修なども実施されてきた。カンボジア美術を海外に広めるため、館蔵品の貸し出しも行っている。一九九二年にはオーストラリアのキャンベラで、アンコール美術展が開催された。さらに、一九九七〜九八年にかけて、パリ、ワシントン、そして東京と大阪で、アンコール美術の一大展覧会が開催された。

博物館では、アンコール期の美術や考古学資料を主とする常設展に加え、時代や分野にとらわれない企画展示への挑戦も続いている。先史時代遺跡の最新の考古学調査成果の展示や、第一次世界大戦中に欧州沖で沈没した海軍戦艦に乗船していたカンボジア人義勇軍について、水中文化遺産という切り口から読み解いた企画は、教科書では語られない歴史へ光を当てた。

52

天蓋から手ぬぐいまで

★一枚布の織物文化★

カンボジアをはじめとする東南アジアの衣装の共通点は、一枚布の文化であると言われる。今日でも、一枚布は、頭巾や、肩掛け布、腰布など、身体のさまざまな位置に巻きつけて使われる。熱帯地域での装いは、防寒の必要がなかったため、一枚の布を身体に巻きつけるので十分であったという説の他にも、宗教的に、インド伝来のヒンドゥー教の輪廻転生の思想を表すサリーのように、連綿とつながる布の神聖性を断ち切るのを忌避されたからとも言われる。また、経済的に布はアンコール王朝時代以前から税や交換財ともされており、単なる「衣服」を超えて、一家の財産として大切に保管されてきた。そのため、個人のサイズに合わせて裁断するよりも、大きな布のまま代々保存する方が、交換可能な価値を損なわなかったのである。伝統的な高床式家屋の家を訪問すると、行李（こうり）などの中に、大切に折りたたまれた数十年前の布が保管されていることがある。その一枚一枚に母や祖母など家族との思い出が残されている。

歴史をさかのぼると、古来より布の一大産地であったインド、中国の狭間にあって、カンボジアは産地というよりも、消費者としての面が知られていた。アンコール王朝期の一三世紀末に王都に滞在した中国（元朝）の使者、周達観の『真臘風土記』によると、当時、綿や苧麻（ちょま）などのさまざまな食物繊維で作られた庶民用の布は、すでに幅広く生産されていた。一方で、王族などは、インドや中国産の幅の広い精巧な文様入りの布を好んだ。こうした身分による布の違いは、遺跡のレリーフなどからも見てとれる。また同時代に、養蚕の知識が隣国タイからもたらされたとされる。その後、一五世紀から一七世紀にかけての東南アジアの大航海時代には、西欧の商人達によって、西インド産の経緯絣（たてよこかすり）パトラが、胡椒などの産物との交換財として、競うように大量に持ち込まれた。一八世紀以降、大航海時代が終息すると、これを模倣した「パトラ写し」と呼ばれる絹絣織物が、東南アジアの各王宮で作られるようになり、独自の絹織物文化が花開くことになる。

朝と夕方、涼しい時間に気持ちを込めて織っていく（幼い難民を考える会　織物研修センター © 小林正典）

それでは、現代のカンボジアで、織物はどのように生産されているのだろうか。大きく分けて、平地と山地によって生産形態が異なる。平地では、大型の水平織機（幅一・二メートル×奥行き三〜四メートル程度）が、高床式家屋の床下に置かれ使用される。一枚の布の単位は、幅〇・九メートル×長さ三・六メートル程度で、一クバンとされる。クバンは、アンコール王朝時代から続く腰布の着用

第52章
天蓋から手ぬぐいまで

方法の一つ（布を腰に巻きつけ、端を屏風だたみにして股の間から通し、腰の後ろに折り込む）の名称で、それに必要な大きさの布である。少数民族であるプノーン人やチャラーイ人などが暮らす山地では、腰にひもをかけて使う簡易な腰機（こしばた）が一般的で、五〇センチ程度の幅の狭い綿織物が作られる。ここでは平野部の織物についてみていくことにする。

織物生産は、農家の女性の副業として、農村の貴重な現金収入源とされてきた。主な生産地は、市場となる首都プノンペン近郊で、人口密度が高く、一人当たりの耕地面積の比較的狭い、カンダール州、タケオ州、コンポン・チャム州、プレイベン州などの村落地域である。これらの州内でもとくにメコン川やその支流、バサック川沿いでは豊富な水を用いて綿花栽培や養蚕が行われ、同時にそこでは商業的な機織りもされていた。しかし、仏領期の安価な綿糸や絹糸の輸入に大打撃を受けて糸の生産はほぼ消失し、現在では綿糸は中国、絹糸はベトナムから主に輸入されている。カンボジア国内では、タイ国境のバンテアイ・ミアンチェイ州のプノム・スロック郡で、蚕の原種に近い多化性黄種のカンボウジュ種による、ゴールデン・シルクが生産されている。在来産地の他には、内戦終結後の一九九〇年代半ば以降、ユネスコや国際ＮＧＯの支援活動が盛んとなり、それによって復興されたシアムリアプ州やクロチェ州などの産地もある。

カンボジアの織物にはさまざまな種類があるが、ここでは、平野部の代表的な四種の織物をみていく。

ピダン（先染め、絣、平織り）は、パトラが源流にあるとされる、カンボジア語で「天井」を意味する絹絵絣である。内戦以前は、婚姻などの人生の節目に寺院に寄進され、天蓋（てんがい）として飾られる慣習

ピダン。ナーガや王宮、帆船、生命樹などが描かれる（タケオ州）

があったが、現在では、タケオ州など一部の地域をのぞきほとんど見られない。国際NGOの支援などによって、少量の生産は続けられている。東南アジアの絵絣の中でも、ピダンの絵画性は独特である。主な絵柄は、ブッダの一生やジャータカ物語などの仏教説話、ナーガ（蛇神）、船、生命樹などの吉祥文様、王宮などである。芸術性の高さから、スミソニアン博物館や福岡市美術館など、世界各地の美術館に収蔵品として収集されている。制作には半年から一年かかる希少な布である。

ホール（先染め、絣、三枚綾織り）は、ピダンと同じく絣の技法でつくられる。主に正装用として、女性の腰布や男性のジャケットに加工される。無地のパムオンと異なり、総柄の絣文様である。文様は、二〇〇種類以上あると言われ、ナーガなどの吉祥文様や幾何学文様、花や牛の目、蛙の子、明けの明星、蝶、といった農村の生活に身近なさまざまな動植物がモチーフとされ、日々織り手によって、新たな文様が生み出されている。主な産地は、タケオ州、コンポン・チャム州とプレイベン州の州境である。

クロマー（先染め、平織り）は万能布であり、日本でいう手ぬぐいに近い。一般的には赤と白の格子柄の綿織物であるが、現在では、多種多様な色があり、土産物やおしゃれ用には、絹でもつくられる。水浴びの際に腰布としたり、農作業時に頭に巻くなど、農村生活に必要不可欠な実用品として、さまざまに使われる。ポル・ポト時代には、体制側の象徴のようにも使われたため、被害を受けた都市部の住民の中には忌避する人もいる。農村部では、冠婚葬祭時の参列者へのお返しなどにも使われる。主な産地は、カンダール州、コンポン・チャム州である。

パムオン（先染め、三枚綾織り）は、都の布、の意である。かつては王宮の官吏が、腰布として着用していた。経緯（たてよこ）同色のもの、経糸と緯糸で異なる色で織られた玉虫色のものとがある。裾に、金糸や銀糸の浮き紋織り模様を入れたものが一般的である。主な産地はカンダール州である。

ホールとパムオンの合わさった布。ブラウス、スカートに仕立てられる（プレイベン州）

こうした織物は、農村の産地から仲買人を通じて、プノンペンの主要な五つの市場に運ばれる。中でも織物を一番多く扱っているのはオリンピック市場である。観光客用のものは少なく、冠婚葬祭用に仕立てる布を求めて買いに来るカンボジアの人々で混雑している。現在では、カンボジアの市場や専門店、NGOが運営するショップなどで購入できるだけでなく、日本でもフェアトレードなどで購入可能な機会が増えている。カンボジアの歴史、文化に思いを馳せ、ぜひ一度手にとってみることをおすすめする。

（朝日由実子）

受け継がれる伝統的手工芸品

コラム21

福富友子

カンボジアには細かな手作業で作られる工芸品が数多くあり、昔から今に受け継がれている。ここでは趣向の異なるふたつを紹介したい。

まずは、王宮で使われることで発達した銀細工。儀礼で使われる道具、仏像、装飾品、王のための棺まで、王宮御用達の職人の手で銀製品が作られてきた。一七世紀から一九世紀に王都があったウドンには、専門の職人が多くいたという。その後王都が移ったプノンペンにも伝統は引き継がれた。また、フランスの統治下では芸術学校で、独立後に設立された王立芸術大学でも技術者の養成に力が注がれてきた。

王宮だけでなく、寺院や人々の暮らしの中でも銀細工は使われている。代表的なものとして、高齢の女性が嗜好品として噛む、檳榔樹（びんろうじゅ）の実を入れておく蓋つきの小さな容器がある。この容器は、果物や動物の形にできていて大変かわいらしい。他に、聖水を入れる器、贈答用の飾り皿や煙草入れなどもある。どれも伝統的な蔦や蓮の花びら、炎の模様など精緻な彫りが施され精巧にできている。この細工は、彫刻する銀板を載せるための土台を作ることから始まる。まず、粘土粉末、樹脂、魚油を鍋に入れ火にかけて溶かし、よく混ざりどろどろになったとこ

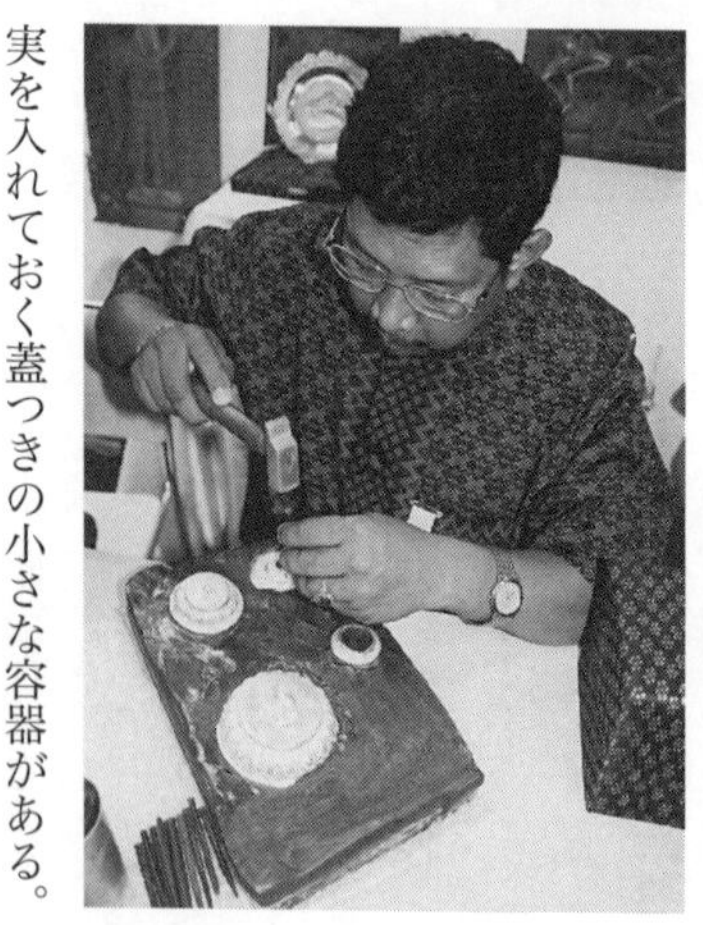

銀器の制作

ろで木枠に流し込む。この土台がまだ柔らかいうちに銀板をのせ、鏨(のみ)と鎚(つち)を使っておおまかな形と模様をつける。ある程度形ができるころ土台はかちかちに固まるので、火であぶり柔らかくして銀を外し、裏側から叩いて形を整える。

刷り上がった拓本とその原型

新たに柔らかい土台を作って銀を載せ、細かい彫りを施していく。いっきに作り上げるのではなく、土台の上で彫ることと、はずして形を整えることを何度も繰り返し、慎重に進めるのだ。檳榔樹を入れる容器のように小さな作品ならば、二〇個ほど一緒に工程を進めて一週間で仕上げられるが、模様にも凝った大きな作品では、一つに一ヶ月かかるものもあるという。銅細工や金細工も、銀細工とほぼ同様の作り方をする。代表的なものは、古典舞踊で踊り子が被る頭飾りだ。これは、銅で部品を一つずつ作り金メッキを施し、たくさんのガラス玉をはめ込み、組み立てるという手間をかけている。

上品な銀細工とは全く趣きを異にする、稼ぐための知恵で始まったおもしろい工芸品もある。シアムリアプの遺跡近くでよく売られている拓本だ。遺跡内に彫られている浮彫りと同じ図柄が、白い紙の上に黒や青のインクで写し取られている。売り子は「コレ、ホンモノー」と言うが、遺跡の壁で直接拓本を作ることなど禁止されている。どうやって作っているのだろう。カンボジアの土産物は、拓を採る原型から作るのだ。まず、蠟を溶かし、拓本にする大きさの木枠に流す。蠟が固まったら、遺跡の浮彫りを模して好きな図柄を彫っていく。どれだけ精巧に、生き生きとした図が彫れるかで、拓本のよさは決まる。蠟の原型ができたら、表面に油を塗ってセメントを流す。乾くのを待って蠟とセメントをぱかっとはがすと（不思議だが、ちゃんとはがれる）、セメントの凹型ができる。この凹型の表面にまた油を塗り、セメントを流す。これをまたぱかっとはがすと、拓本を採るための凸型ができるというわけだ。ここからは、湿拓法という工法。薄紙を濡らして型に貼り、ある程度乾いたところでたんぽでインクを打って採拓する。ぺりぺりとはがし、完全に乾かしてできあがりだ。数十年前はアンコール遺跡の壁に木枠を当てて粘土で固定し、油を塗った上にセメントを塗りつけ凹型を作るという、荒っぽいことをしていたそうだ。さすがにこれは、遺跡の保存上許されないことになった。

銀細工（カボチャ、ニワトリ、ウサギをかたどった器）

そこで、銅製の仏像を作る工法であった蠟型鋳金にヒントを得て、蠟型拓本を始めたということだ。手間のかかる工程なのだから、これで十分「ホンモノ」だと思うが、時にとても美しい実物大の拓本を見ることがある。もしかすると、その昔に遺跡で採られた凹型のセメントが残っているのかもしれない。

VI

明日へつなぐ

国立公園（©Em Sothya）
1999年7月9日付『リアスマイ・カンプチア』紙掲載

53

存在感を高める中国

★安定と発展のために必要な国際関係★

カンボジアは、一九八〇年代から一九九一年のパリ和平協定締結までのあいだ国際的な孤立を経験してきた。ポル・ポト政権が終焉後、内戦や貧困、飢餓などの厳しい状況に置かれていたが、東西陣営による冷戦が対立を深めるなか、国際的な支援を十分に受けることができずにいた。その経験から、パリ和平協定後のカンボジアは、積極的に国際社会からの支援・援助を受け入れてきた。憲法五三条でも、「カンボジア王国は、永世中立主義及び非同盟主義について、これを永久的に堅持する。カンボジア王国は近隣諸国及び世界のその他の国との間で相互に肯定的で平和的な関係を築きながら存続する」と定めている。

一九九〇年代、タイを中心とするカンボジアの周辺国では、長く混乱に見舞われてきたインドシナ地域を「戦場から市場へ」と変えて発展させていこうという機運が高まっていった。カンボジア自身も、国内の政治的安定の確保に腐心しつつ、経済基盤の復旧・復興に努めた。アセアンへの加盟は、カンボジアが東南アジア諸国から「国内の和解と安定を達成して、国際的信頼を取り戻した」という評価を得るために、最も重要なイベントのひとつであった。一九九七年、ミャンマーやラオスとともにカンボジアのアセアン加盟が承認される見込みというところまでたどり着いた。しかし翌年の総選挙を前に、一九九三年の選挙でもしのぎを削ったフンシンペック党と人民党との緊張感が最大限にまで高まり、一九九七年七月、ノロドム・ラナリット第一首相によるクーデター騒動（七月事変）が起きた。その結果、一九九七年中のカンボジアのアセアンへの加盟は見送られた。総選挙を無事に終えた一九九九年四月、カンボジアが安定を達成したと認められ、一〇番目の加盟国となった。その後のカンボジアは、基本的には中立政策のもと、隣国との穏便な関係構築に励んできた。

二〇〇〇年代半ばごろから、アセアン内でも自らの主張を積極的に発信していく機会が増えていった。二〇〇八年、タイとのあいだでプレア・ヴィヒア寺院周辺の領有権問題が過熱化し、両国が国境地域に軍隊を派遣してにらみ合う状況になった。このとき、タイはあくまで二国間での解決を主張したが、カンボジアはアセアンや国連などによる国際的な介入を望んだ。アセアンは、インドネシア国軍を派遣した監視を提案したが、結局はタイ側の国内での受け入れの調整ができず実現せず、その後、二〇一一年のタイの政権交代を機に事態は急速に収束に向かった。

二〇一〇年代になると、カンボジアへの二国間援助国のなかでの中国の存在感が急激に増していった。折しも、アセアンと中国とのあいだで、南シナ海の領有権をめぐる争いが顕在化するようになっていた二〇一二年、カンボジアはアセアン議長国を担うこととなった。同年七月に開催された外相会議では、ベトナム、フィリピン、マレーシアは、中国の南シナ海における拡張的な姿勢に大きく反発をしていた。しかし、カンボジアは、中国政府の肩をもつ立場をとったため、アセアン史上初めて会議での合同宣言が発表できない事態に陥ってしまった。会議が終わった後、インドネシアのマルティ

カンボジアへのODA支出額推移（100万ドル）

	2016	2017	2018	2019	2020
国連機関	65.7	59.4	62.4	63.5	77.4
世界銀行	17.6	21.1	30.5	76.7	90.5
ADB	118.2	125.7	122.8	243	452.6
その他	44.5	44.0	27.8	61.0	49.3
EU/EC	55.7	50.8	88.4	65.5	89.4
二国間	734.5	961.6	890.3	1195.1	1396.4
フランス	32.1	90.8	80.6	195.4	85.7
中国	307.2	415.8	352.0	503.7	494.8
日本	119.7	146.4	175.4	207.7	501.7
韓国	42	57.1	54.0	72.8	103.3
オーストラリア	51.9	58.3	50.0	41.2	33.1
アメリカ	77.9	93.2	91.7	95.3	93.0
その他	103.7	100	86.6	79	84.8
NGO	251	259.8	274.9	276.4	255.4
総計	1,287.10	1,522.20	1,497.1	1,981.2	2,410.8

（出所）Development Cooperation and Partnerships Report 2020 および2022より作成

外相が各国をめぐって、南シナ海での紛争を予防するための「行動規範」の早期策定に向けた合意を取り付け、数日後に合同宣言を発表することができたが、このころから、カンボジアへの中国の影響が強まっている事実が国際的にも強く認識されるようになった。

中国との経済的関係は援助のみにとどまらず、縫製業や大型インフラ、建設プロジェクトへの投資、縫製業の原材料の輸入や精米の輸出などの貿易、さらには観光やビジネスのための人の交流など、多面的に広がっている。もともと中国企業による投資はカンボジア経済の成長を支えてきていたが、二〇一〇年代になるとますますその規模が拡大していった。二〇一〇年には両国の協力関係を包括的戦略的パートナーシップ関係に格上げした。さらに、中国政府による「一帯一路」政策が推進されるなか、二〇一八年一月には両国の関係を「運命共同体」と位置付け、翌年には「運命共同体構築に向けた行動計画」に合意・署名し、多岐にわたる協力を進めている。二〇一八年には、中国からの観光客数は二〇〇万人を超えた。二〇二〇年一〇月には、二国間自由貿易協定（FTA）も締結され、貿易のさらなる拡大が期待されているなど、協力の深化は加速化している。

プノンペンの街では、いたるところに中国語の看板が掲げられた建設現場が増え、中国人労働者が多く働く現場がみられるようになった。シハヌークビルでは、中国人観光客目当てのカジノ・ホテルが乱立するようになり、中国人同士の喧嘩や殺人など、多くのトラブルが報告されるようになった。とくに、オンライン・カジノは犯罪の温床となったことから、カンボジア政府はその取り締まりを強化した。また、二〇一九年六月には、シハヌークビルで中国人投資家によって建設中のビルが崩壊し、多くの死傷者が出たことから、建物の安全性についての疑念が広がるなど、国内の中国マネーに厳しい目が向けられるようになった。また、二〇一九年以降、リアム海軍基地やコッコン州に中国企業が建設した空港について、中国軍に使用させる密約があるのではないか等の疑いが持ち上がり、アメリカ政府がカンボジア政府に問い合わせるような事態も生じている（カンボジア政府は疑いを否定している）。

プノンペン市内の建設現場は中国語表記の看板が多い（2020 年 1 月撮影）

プノンペン市内を走る中国が援助したバス（2018年7月）

二〇一八年総選挙の前に、カンボジア政府は野党である救国党を排除した。そのような手法に対して欧米を中心とする国際社会は選挙への支援を取りやめたり特恵関税の適用の見直しを通告するなどして、カンボジア政府のやり方に反感を示した。一方、中国はカンボジア政府の動きを黙認した。中国の影響力が高まることで、中国以外の国の影響力が相対的に低くなってきていることが、人権状況の改善にマイナスの影響を及ぼしていると指摘する声もある。

二〇二〇年初めに始まったコロナ禍により、中国からの投資や観光客は激減し、中国マネーに大きく頼ってきたカンボジア経済の先行きは不透明な状況に陥った。コロナ対策として、中国政府からは続々と医療専門家が派遣されたり、必要な医療器材が届けられた。二〇二一年からは、ワクチンの提供も受けており、コロナ禍のカンボジアでも中国は圧倒的な存在感を示してきた。この間、日本やアメリカ、EUも、人道的な見地はもちろんのこと、中国に対抗する戦略的な意味合いからも、カンボジアにさまざまな支援を行った。

二〇二二年、一〇年ぶりにアセアン議長国を担ったカンボジアは、ミャンマーの軍事政権との対話を試みたり、東チモールのアセアン加盟の原則承認をとりまとめるなどの任務をまっとうした。カンボジアにとって、アセアン加盟国としての責任を果たすこともまた、国の政治的・経済的な安定と発展のためには不可欠なことである。

（初鹿野直美）

国境地帯の遺跡

コラム22

丸井雅子

プレア・ヴィヒア遺跡は、ヤショバルマン一世（八八九〜九一〇頃在位）からスールヤバルマン二世（一一一三〜四五頃在位）の治世下にわたって長い年月をかけ今日見られる姿に完成されたヒンドゥー教シヴァ神に奉げられた、と理解されている寺院である。二〇〇八年七月、カナダのケベックで開催された第三二回世界遺産委員会において、プレア・ヴィヒアの世界遺産リストへの記載が決定された。カンボジアとしては、アンコール遺跡に次いで二番目の登録であった。現在、カンボジアの政府機関であるプレア・ヴィヒア機構による管理の下、国際的な共同チームが遺跡整備や保存活動、学術調査に取り組んでいる。

アンコール遺跡があるシアムリアプを車で出発して北東方向に走ること約五時間、切り立った急峻な山並みが眼前に広がる。標高約六五〇メートルのドンレーク山脈はカンボジアとタイの国境線でもあり、その山の斜面に沿ってプレア・ヴィヒア遺跡の参道や祠堂が造営された。カンボジア側からは、砂岩を用いた古代の階段（現在は、その脇に木造の階段が設置されて安全に通行することが出来る）が山頂の祠堂群へ通じているが、三〇度近い斜度をほぼ真っ直ぐ一時間近く上る階段を利用する人はほとんどいない。観光客はもっぱら山麓で四輪駆動車に乗り換え、曲がりくねった車道を通って遺跡へ向かう。車を降りると、見通しのよい傾斜地に古代寺院の参道が真っ直ぐに頂上に向かって伸びるのが見える。何百年も経た砂岩の建造物は山肌と一体化し、天候によっては参道の先にある祠堂群は霧に隠れ、天上の神殿とはまさにここのこと

プレア・ヴィヒア遺跡（2015年撮影、提供：宮本康治）

だったのでは、と錯覚するほどである。重厚な存在感は訪れるものを圧倒する。石の舗道を一歩一歩踏み締めながら頂上に至ると、脚がすくみそうな山脈の眼下には車で数時間かけて通過してきたカンボジアの平原が広がっている。まさに絶景である。プレア・ヴィヒア遺跡は、古代神殿と自然地形が織り成す壮大で且つわれわれの想像を超えるような融合のかたちが「神秘」や「秘境」といった言葉で形容され、現代のわれわれを魅了し続けている。この長閑で静謐な遺跡の在り様とは対極にあるのが、かつてここを舞台にカンボジアとタイとの間で幾度も繰り返された遺跡領有権及び国境問題である。

一九世紀後半から推し進められてきたフランス領インドシナ連邦の形成は、一八六七年七月一五日、カンボジアを保護国化することをフランスがタイに認めさせたのを端緒として、一九〇七年の協定によるバッタンバン、シアムリ

国境地帯の遺跡

アプ、シソポンの獲得によって大植民地連合の完成となった。プレア・ヴィヒア遺跡を包含する地域に関しては、一九〇四年二月一三日にフランスとタイの間で締結された国境条約に遡ることができ、同遺跡はこの時点でカンボジア領として組み込まれている。国境の画定にあたっては、フランスとタイの合同委員会が調査をしたことになっているが、実際にはその内容にタイ側は全く同意しておらず、その後の領有権争いの発端となった。さらに一九三四年にタイは国境地域を独自に再調査し、プレア・ヴィヒア遺跡はタイ国領内に包含されると結論し、同遺跡内に軍隊や警察を配置するに至った。第二次世界大戦終了後、カンボジア独立一九五三年の翌年になりようやく、この二国政府間による討議が開始されようとしたが、タイはこれを拒否、結局カンボジアは一九五九年一〇月六日に、ハーグ国際司法裁判所にこの問題解決を預け、一九六

整備や保護活動が進む（2015 年撮影、提供：宮本康治）

二年六月一五日、「プレア・ヴィヒア遺跡はカンボジア領土内に含まれる」という判決が下された。『淡淡有情』（平野久美子）によれば、当時のカンボジア政府外交官ウォンサニットは、自らが大英博物館に出向き古地図を調査している。それが同判決の重要資料として採用されたことで、その功績をシハヌークより称えられ勲章を授与されている。

冒頭で述べたように、カンボジア側からプレア・ヴィヒアへ到達するためには急な崖を登る必要がある。一方でタイ側からはなだらかな斜面に道路が山麓まで舗装され、簡便なアクセスが整備されていた。タイは、一九九八年三月に三番目の国立公園としてこのあたり一帯を指定し、プレア・ヴィヒア遺跡を含むエコツアーを推進していた。

二〇〇三年一月二九日、在カンボジア・タイ大使館、カンボジア経済の中枢を担っていた

アンコールワットで開催された世界遺産登録祝賀会（2008 年撮影、提供：三輪悟）

タイ資本の企業やホテル等が暴徒に襲撃され焼き討ちに遭うという大事件が発生した。プレア・ヴィヒア遺跡はこれを契機にタイ側国境が閉鎖され、事実上観光客の入園が不可能な状態に置かれることとなった。そこで同年六月には、タイのタクシン首相とカンボジアのフン・セン首相の間で、同遺跡を含む一帯を両国で共同開発する合意が交わされたが、これ以降も両国の外交上のバロメーターと化したプレア・ヴィヒアの国境は閉鎖と再開を繰り返すこととなる。こうした複雑な経緯の中で二〇〇八年七月、プレア・ヴィヒアはカンボジアとしては二番目の世界遺産に登録された。登録に先立って、再びカンボジアとタイ両国の緊張は高まり、プレア・ヴィヒアでは軍事衝突も発生した。プレア・ヴィヒア遺跡の近現代史を通じて、あらためて文化遺産と政治の強い関係に気づかされる。

二〇〇八年に世界遺産に登録されて以降のプレア・ヴィヒアでは、このコラム冒頭で紹介したプレア・ヴィヒア機構が先導し遺跡整備活動が進められている。二〇一四年にはカンボジア政府によってプレア・ヴィヒア遺跡保護と開発のための国際調整委員会が設立された。事務局としてユネスコ・プノンペン事務所が後方支援している。年二回開催される委員会の共同議長はインドと中国で、二〇一五年五月の同会議では、海外から九ヶ国政府機関の他二六組織が出席した。プレア・ヴィヒア遺跡を舞台に政治であれ文化遺産保護であれ、どのような国際関係が構築されていくのかは注目に値する。それは、東南アジアのみならず世界の同様の文化遺産保護に対するもう一つのオルタナティブな選択肢を提示する事例になるかもしれない。

54

世界遺産との共存

★遺跡保護と地域住民★

アンコールにはいくつかの画期があった。最初はヒンドゥー教寺院あるいは大乗仏教寺院として創建された頃、次にポスト・アンコール期の王たちによって上座仏教の信仰対象へと作り変えられた頃、さらにフランス統治期の一九〇八年に設立されたアンコール保存事務所主導のアンコール遺跡に対する整備、開発、修復、調査が開始された頃である。同事務所の活動は、実質的にはフランス極東学院が担っていた。そして、内戦後一九九二年のアンコール「世界遺産」登録。世界遺産、というブランドはまたたく間にアンコールを世界による国際支援の舞台へと押し上げ、それがもはやフランスだけのものではないことを示す幕開けとなった。

一九九二年一二月、アメリカのサンタフェで開催された第一六回世界遺産会議は、「アンコール」を世界遺産として登録することを承認したが、これは条件つきであった。カンボジア側に提示された課題として、自国の遺跡保護・管理を実施する機関を設立すること、というものがあった。これを受けて一九九五年に正式発足したアンコール地域保護整備機構（アプサラ）は、主要な遺跡群だけでなくシアムリアプ州全体約一万平方キロメートルを統括している。アプサラ機構が保護整備するのはアンコールワット等の文化財建造物だけではない。遺跡を包み込むように隣接する多くの村も、世界遺産の構成要素として機構の監督下に置かれている。ユネスコ世界遺産委員会は、これらの村に住む人々が、先祖代々受け継いできた伝統に敬意を払い、すでに他所では途絶えてしまった独特の文化を固く守り続けている、とみなして世界遺産アンコールを「生きている遺産（リビング・ヘリテイジ）」と称した。アプサラ機構による遺跡保護整備の方針も、文化財建造物といった有形遺産と、近隣に暮らす人々の営みや文化といった無形遺産との共存を目指すことで一貫している。

バンテアイ・クデイのプチュム・バンの行事（2019年撮影）

アンコール遺跡群地域に住む人々の伝統や文化の中には、アンコール期の遺跡を祈りの場とした信仰実践や季節の行事が多い。たとえば、一二世紀末頃に建造された大乗仏教寺院バンテアイ・クデイでは、祖先祭祀の儀礼であるプチュム・バンの期間中、村の有志が遺跡境内に集まり、僧侶を呼んで布施をする。集まるのは、アンコールが世界遺産に登録されるずっと前に、親類縁者の亡骸を遺跡境内に葬った人たちだ。現在は、遺跡内に埋葬することは禁止されているが、この行事は人々の記憶と共に続いている。あるいは、一二世紀末頃、王ジャヤバルマン七世の池であるジャヤタターカの中央に建

楽器を作る村の家族（2019 年撮影）

立された寺院ネアック・ポアンでは、毎年六月から七月にかけて雨乞いの祭りが行われている。ネアック・ポアンはナーガ（蛇神）が巻き付いた円形基壇と中央祠堂、さらにそれを囲む池によって構成されており、水との深い関係が込められた寺院建築である。祭りはアチャーと呼ばれる祭司によって先導され、中央祠堂に祈りを捧げた後に、人々は持参したバケツの水をネアック・ポアンの水路に注いで回る。

一方で、リビング・ヘリテイジの主役である人々は、生活のあちこちに不自由を感じている。遺跡保護政策は地域住民の生活にさまざまな変化をもたらした。そのひとつに土地政策がある。世界遺産保護地区は、世界遺産登録後の一九九四年五月、遺跡及びそれを取り囲む周辺地域の環境保護を目的としてその土地利用と開発に規制が設けられた。特に主要遺跡群を含む約四〇〇〇平方キロメートルの地区内では、宅地や農地を新しく開拓することが禁止されている。この規制下では、元からここに住む人々は、婚姻等で家族が増えても農地を広げることができず、深刻な土地不足、生活不全をもたらしているのであった。これに対応するため、アプサラ機構は規制地区外に大規模な新村を開発し、「エコ・ビレッジ」と銘打って住民の移住を勧め始めている。問題は土地利用だけではない。村の日常生活には欠かせない自然の恵みさえも、規制の対象だ。一九九九年、遺跡保護地区内で禁止する次の五項目が、アプサラ機構と遺跡保護警察から住民へ通達された。（1）木の伐採、樹脂の採取の禁止、（2）土手や道の造成、違法な盗掘の禁止、（3）環濠での魚とりや、水牛の水浴びの禁止、（4）夜七時から朝五時までの遺跡内への立ち入り禁止、（5）子どもたちによる国内外の観光客への物乞い禁止。以上を守らない場合は罰せられる、という内容だ。

このように世界遺産としてのアンコールを保護するため、人々の暮らしは以前とは異なる条件の中で営むことを余儀なくされている。しかし、世界遺産アンコールに由来するさまざまな仕事を、生活の糧にしている村人が多いことも事実である。村の中には、観光客の土産物（楽器やミニチュアの牛車等）を製作する工房があり、農作業が終わった午後や、農閑期には村人が集まって木の加工に勤しんでいる。もっと売れるようにするにはどのような工夫が必要なのか、牛車以外に観光客が欲しい物は何か、等商品開発に挑戦する若者もいる。遺跡に近いレストランや土産物屋で働く人もいる。バイクタクシーの運転手として観光客を乗せる人もいる。そして、アプサラ機構に雇われて、遺跡修復現場の作業員として働いている人もいる。

アンコール遺跡が二〇世紀初頭にフランスによる文化遺産としての保護と整備が始まって以来、近隣の村々は程度

村の長老との対話の会（2014年撮影、提供：三輪悟）

の差はあれ「保護すべき文化遺産」と密接に関わり合いながら暮らしてきた。村に住む長老たちも、小さな時から土産を作ったり売ったり、大きくなってからは農業の傍ら遺跡で働いたこともある。村の人にとって、アンコール遺跡はどのような意味を持っているのだろうか。村の人は、アンコール遺跡を通じて何を体験し、感じてきたのだろうか。人々が日々の生活のなかでアンコール遺跡と共存してきた事実を、彼女・彼らの記憶を辿りながら共有していくことで、未来の文化遺産保護の新しい形が見えてくるのではないかと考え、いまバンテアイ・クデイに接するロ・ハール村の長老たちと若い世代の間で「対話の会」の取り組みが行われている。家族の間でも、年寄りの昔話に耳を傾けることはあまり無いようだ。一つの質問に対して、長老が答えてくれると話が長い。しかしたいへん興味深い、豊かな経験と感性に魅了される。プノンペンから来た大学生達も熱心に聞き入り、質問が続く。

世界遺産との共存方法は、その地域、文化、歴史によってそれぞれ異なるはずだ。万国共通の規則の適用ではない、人々の声を聞くことからその方法を探り新たな共存の在り方を、アンコールから発信することが今、求められている。

（丸井雅子）

コラム23

「カンボジアのルネサンス」に身を捧げたフランス人女性シュザンヌ・カルプレス

調 邦行

シュザンヌ・カルプレス（Suzanne Karpelès 一八九〇～一九六八）は一七年間にわたってカンボジアに滞在し、仏教と文化の興隆に尽くしたフランス人東洋学者である。パリ生まれの彼女は父親の仕事の関係で少女時代をインドのカルカッタで過ごした。このころからアジアに強い興味を持ち、国立東洋言語学校から高等研究実習院に進んでサンスクリット語、パーリ語、チベット語などを学び将来に夢をつないだ。大乗仏教仏典に関する論文が認められた彼女は、一九二二年に碑文・文芸アカデミーから女性として初めてハノイのフランス国立極東学院の研究者に選ばれて経験を積み、一九二四年にフランスの保護国であったカンボジアに赴任した。保守的な考えが強い当時のフランス人男性社会で白眼視される中、彼女自らが「カンボジアのルネサンス」と称した活動を開始した。

この「ルネサンス」ということばには、文芸復興と宗教改革の波が同時に押し寄せた一六世紀母国フランスの歴史が重ねられている。当時カンボジア仏教は大衆の支持を基盤とし戒律に比較的緩やかなモハーニカーイ派と王族などに支持され戒律に厳しいトアンマユット派が並立していた。そのモハーニカーイ派内部では新仏法派と呼ばれる若手の僧数人が抵抗を受けながら、仏典のカンボジア語翻訳による正確な内容の理解と戒律の遵守を唱えて仏教実践改革運動を進めていた。仏教こそが農民中心のカンボジア社会における倫理的な支柱であるべきだと考えたシュザンヌ・カルプレスは、彼らの理念に共鳴し、欠落した仏典を集めるためフランス当局に王立図書館の設立を建言して実現させた。

同図書館には全国から一斉に仏典が集まり、それが新仏法派の活動を活発化させた。また、一九二六年に同図書館からカンボジア語による雑誌『カンプチア・ソリヤ』を発行し、カンボジア語に翻訳した経典や教理の解説を掲載して大衆への仏教伝道を推進させた。在俗者に積徳を勧める旧来型の説法は、このころから出版物によって仏教の本質的な教えを伝える説法へと変化し始めた。また、その後同誌は仏教関連の記事だけではなく、散文文学やカンボジア語に翻訳されたフランス文学を紹介し、詩や昔話を掲載するなどカンボジアにおける文学の興隆にも貢献した。

彼女はフランス領インドシナにおける上座仏教の保護を視野に入れていた。特に、自らがユダヤ系であることからクメール民族が暮らすベトナム南西部の低地カンボジアに思いを寄せた。同地における仏教の衰微を危惧した彼女は、カンボジア、ラオス、ベトナム南西部までを活動域とする仏教研究所の設立をフランス当局に認めさせ、一九三〇年に自ら事務局長に就任して積極的な活動を行った。仏教の伝道や文化、教育の発展に貢献するため、上座仏教の聖典三蔵のカンボジア語への翻訳、カンボジア語国語辞典の編纂、軍人への仏教教育、寺院学校による初等教育の普及などを同研究所の目標として掲げ行動した。

パーリ語による経・律・論三蔵は厖(ぼう)大な仏典であり、当時自国語への翻訳はどの国もなしえていなかった。また、それは出家者が修行のために読誦するもので、在俗者は理解することが難しかった。三蔵のカンボジア語への翻訳は仏教の教えを大衆に広めようとする新仏法派の念願を叶えた。この翻訳事業は一九二九年に開始され、完成は一九六八年となる一大プロジェクトとなったが、彼女は僧たちを鼓舞して推進した。新仏法派の僧によって編纂が進められていた国語辞典は出版に向けて作業を加速させた。

上座仏教は出家者だけが悟りを目指すことが重視され、人々に教えを説くことは疎かにされていたが、彼女は新仏法派僧を説教師として悪事に陥りがちな軍人に教えを説かせ、刑務所での布教にも同行した。更に、彼女は子供たちの教育を重視し、寺院を学校とし僧を正規の教師とする新しい公教育制度の推進に協力した。一方で、彼女は図書館車によって各地に王立図書館が発行した仏教関係の図書などを届け、多数の記録映画の上映会を催すなど文化活動にも力を入れている。

保守的な宗派はこのような彼女の活動を仏教の伝統を破壊するものとして強く批判したが、彼女はひるむことなく、仏教が人々のために果たすべき役割を認識して新仏法派の僧と共に行動し続けた。「知り、理解し、尊敬し、愛すること」という彼女の思想は彼らに影響を与え、社会の中で行動する僧へと意識を変えさせた。上座仏教の僧たちは女性との距離を保つことが戒律で厳しく定められていたが、彼らは彼女を尊敬し親愛の情をもって接した。それは優れた学者である彼女が仏教の興隆を目指す高い理想の持ち主であったことに加え、フェミニストとして強い信念をもち、仏教の教えを固く守る高位の尼僧のような存在であったからである。

シュザンヌ・カルプレスは広い視野に立って大胆に行動し、カンボジア仏教と文化の興隆に努力したがユダヤ系フランス人という出自を理由に、ヴィシー政権の排斥政策の犠牲となって王立図書館と仏教研究所の職を追われることとなった。一九四一年、彼女は多くを語らずインド・ポンディシェリーに去り、フランス語を教えながら仏教の研究を続けている。その後、彼女の精神はチュオン・ナートなど新仏法派の僧たちに引き継がれた。彼らが説いてきた仏教は近代化した宗教として大衆の信仰を集め、更には自治権獲得後の新憲法で国教と規定された。

一九七〇年代半ば、カンボジアは暗黒の時代を迎え仏教は壊滅的な打撃を受けたが、ポル・ポト政権崩壊後ただちに復興された。公認得度式に招聘されたのはベトナム戦争の中を生き抜いた低地カンボジアのカンボジア仏教僧であった。シュザンヌ・カルプレスが保護に努めた同地の仏教がカンボジアにおける仏教の蘇生に貢献したのである。

今日シュザンヌ・カルプレスの功績は忘れられがちであるが、彼女が近代カンボジアの歴史の中で果たした役割の意義は大きい。

55

本は知性とセンスを表現できるアイテム

★出版産業の発展★

カンボジアの国語研究の祖であるチュオン・ナートの誕生日である三月一一日が、二〇一五年に「読書の日」に制定されたのをきっかけに、読書に関するさまざまなイベントが催されることが多くなった。二〇一一年から毎年開催されていたブックフェアは、第一回目の来場者は七〇〇人ほどだったが、第八回目となった二〇一九年は教育省、文化省、情報省が共催し、「夢をかなえるために本を手にして」というスローガンを掲げ、一四二のブースが出店、一七万人が来場した。経済成長の恩恵を受けている都市住民、特に学生たちの読書に対する関心の高さがうかがえる。

カンボジアでは国民が世界遺産アンコールワットなどの遺跡や博物館は無料で見学できる一方で、日本で見られるような、読書の楽しみのために無料で利用できる公立図書館はない。プノンペンの中心部にある国立図書館や大学附属の図書館は、一般市民の利用を想定しておらず、学生や教員が学習、研究のための場としてサービスを提供しているだけである。

二〇一三年にスマートフォンがカンボジアにもたらされると、本を巡る環境は劇的に変化した。カンボジア語の書籍を無料公

2020年第5回読書の日にあわせて開催されたブックフェア。プノンペンの工科大学が会場となり、多数のブースが並ぶ（提供：Rous Chantra）

開する電子図書館がインターネット上にいくつも出現し、一九六〇年代、七〇年代に出版された書籍がスマートフォンから読めるようになった。カンボジア電気通信規制庁が二〇二〇年五月に発表したところによると、人口の九割がスマートフォンを使用しており、人口の約三分の二がフェイスブックを利用しているという。

カンボジアの急激な経済発展は、出版業界にも好影響をもたらした。これまでカンボジア語の本と言えば、子ども向けの絵本以外は、低品質の紙、背表紙があるかないかわからない製本、小説であればヒロインの顔がアップされた拙いイラストや、タイトルと簡単な写真で構成された代わり映えのしない表紙であることが多かったのが、一変した。手に取って触れたくなるような、おしゃれで綺麗な装丁の本が次々と登場するようになったのだ。その他、英語や中国語からの翻訳と思われる、世界的に著名な政治家の業績に関するノンフィクション、自己啓発、ビジネス・経済などのジャンルの本がところ狭しと並ぶ。

書店や作家は作品の魅力をフェイスブックで発信する。新刊の場合にはその本一冊のためのアカウントが作られる。まるで映画の予告編のような、俳優を起用した実写による宣伝用の動画が配信されることもある。もちろんオンラインでの注文が可能であり、初版は限定販売で予約制がとられ、豪華なギフトボックスに本の表紙のデザインをあしらった手帳、しおり、キーホルダーが新刊本と一緒に

若い世代に人気のハードカバーの小説（提供：Sok Chanphal）

プノンペンでは若者に人気の作家が開いているブックカフェがいくつかあり、作家、読者間での交流がはかられる（提供：Sok Chanphal）

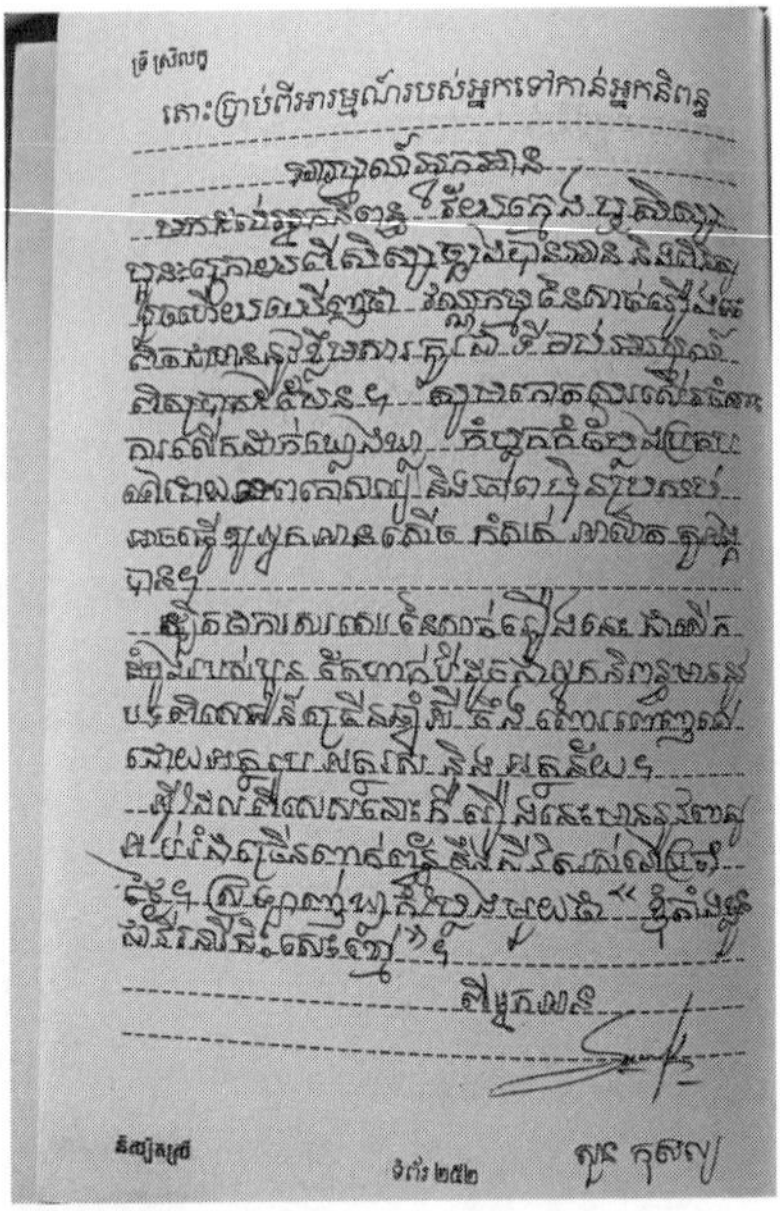

本のうしろの方には、読者が手書きでコメントを記入できるページがある。読者はコメントを写真に撮って FB に投稿する（提供：Try Sreyleak）

入れられていることもある。本の出版記念イベントをカフェなどで開き、作家による朗読、サイン会が催される。本はもはや、かつてのように、家の片隅に追いやられた「文字が書かれた紙の束」ではなく、所有していることで、知性とセンスを自慢できる商品、ファッションアイテムのひとつとなっているかのようである。これらの本は、いわゆる安価な文庫本ではなく、すべてハードカバーで、価格は一冊、約五ドルから八ドルである。工場労働者の月収約一七〇ドル（国際労働機関、二〇一八年）と比較するとかなり高価である。古本を扱う店は一般的ではないので個人で購入するしかない。街中のカフェでキャラメルマキアートを片手に読書ができる人にとっては、手頃な価格なのかもしれない。

フェイスブックによって、作家と読者の距離が近くなったこともこれまでと大きく異なる点である。作家、読者だけではなく、出版社、書店、映像制作会社といった、作品に関わる人々がフェイスブック上にひとつのコミュニティー空間を形成するようになったのだ。たとえば、販売側は、本がひときわ魅力的に見えるように撮った写真にその作品の解説をつけて投稿する。あるいは読書の日やブックフェアはもちろん、バレンタインデー、カンボジアの新年やプチュム・バン、水祭り、クリスマスといった行事に合わせて、特別キャンペーンのお知らせを投稿する。その他にも読書会や研究会を開いたり、私設図書室を開設するグループができ、それぞれのフェイスブック上で作品の紹介記事や動画を投稿し、また作家と読者の交流イベントを企画している。このような作家と読者の交流は作品が小説やエッセーである場合が多い。

一方で、販売されている書籍で、カンボジア語より点数、ジャンルともに多いのは英語書籍である。一九九〇年代は英語書籍を扱う書店の数は限られており、外国人観光客や在住外国人を対象としていたが、年々高まる英語学習熱とともに、英語書籍はあたかも公用語であるかのような勢いで読者を獲得している。二〇二〇年、マレーシアを中心に東南アジアでも広く展開している英語書籍のブックフェアであるビッグ・バッド・ウルフがプノンペンで開催され、一〇〇万点の書籍が展示され、五万人の来場者があった。

かつての読書は、作家である大人が読者である若者を一方的に啓蒙するひとつの手段とされてきたが、今では、子どもだけでなく大人も含めた読者自身が作家や仲間とともに、教養を身に付け、意見やアイディアを交換し、あるいは個人でリラックスするためのものになった。そして本は所持して愛でるためのアイテムにもなったのである。

（岡田知子）

56

学校へ行こう

★就学率と教育制度★

経済協力開発機構（ＯＥＣＤ）がカンボジアの教育青年スポーツ省と共同で、全国の七年生（日本の高校一年生に相当）以上に在籍する一五歳の生徒五〇〇〇人に行った二〇一八年の学習到達度調査（ＰＩＳＡ－Ｄ）によると、「読解力については八％が最低レベル」「数学的リテラシーについては一〇％が最低レベル」「三〇％は帰宅途中の安全に不安を感じている」「七・五％が、健康上の問題、家事手伝いなどの理由で三ヶ月以上欠席」といったようなことが明らかにされている。

カンボジアの教育制度は、一九五三年の独立以降、フランスを手本とした六・四・二・一制だったが、一九七五〜七九年のポル・ポト政権が崩壊した後は短期間に人材を養成する必要があったため、四・三・三制とした。内戦終結後、徐々に教育制度改革がなされ、一九九六年には六・三・三制を導入した。現在、義務教育は憲法上九年間とされているが、就学率、修了率にも都市部と地方ではかなりの差が見られる。二〇一九年の教育省の発表によると初等教育の就学率はほぼ一〇〇％で八割が卒業している。だが中学への進学はそのうち約半数のみ、高校への進学率はさらに低くなり、高校中退率はかなり高い。

幼稚園、保育園のような就学前教育機関、小、中、高ともほとんどが男女共学の公立校である。私立校への純就学率は、小学校六・四％、中学校二・六％、高校一・六％となっている（二〇一八年度、教育省）。男子は白のシャツに紺の長ズボン、女子は白のブラウスに紺のスカート、大学生はブルーのシャツにロングスカート、ズボンの標準服を着用する。私立学校ではチェック柄のスカートやセーラー服などの制服もある。学年の数え方は、小学校六年生の続きで日本の中学一年生は「七年生」、高校一年生は「一〇年生」となる。

新学年度、新学期は九月に始まり七月に終わる。小学校は、就学年齢が六歳となっているが、日本のような入学通知もなく、また学区も指定されていないので、学校も保護者の意向で選択できる。

初等、中等教育では、学校設備と教師の不足から、午前（七〜一一時）、午後（一三〜一七時）の二部制をとっており、一ヶ月ごとに午前と午後の部が交代する。教科書は貸与制であるが、希望者のために市販もされている。教育省は端末向けデジタルコンテンツの配信サービスや専用アプリを使って初等教育から高等教育までの教科書や視聴覚教材を揃えており、無料でダウンロードできるようになっている。またボーイスカウト活動や青少年赤十字の活動も学校教育の中で推奨されている。

王立プノンペン大学での就活イベント（提供：Nhip Sophy）

粗就学率および修了率（%）

		小学校	中学校	高校
粗就学率	都市部	89.2（88.9）	55.4（57.7）	38.9（40.2）
	地方	115.5（110.1）	56.8（61.9）	25.1（28.5）
修了率	都市部	73.03（77.15）	45.78（48.33）	33.12（33.69）
	地方	84.37（88.20）	45.13（50.68）	19.08（21.68）

（　）内は女子
出所：教育青年スポーツ省Education Indicators, 2018/2019より筆者作成

日本と比較すると不十分な点が多いカンボジアの公立校であるが、二〇一六年に、教育方針、予算に関して独立性を持ち、国際標準をめざす「新世代学校」が、プノンペンで最も歴史のあるシソワット高等学校の中に設置された。ここでは通常の公立校では年間九～一〇ヶ月の学習期間を一一ヶ月、三六人のクラスサイズで行い、保健室、図書室、実験室、講堂などの設備やICT環境が完備されている。論理的思考やSTEM教育に重点が置かれ、国際科学オリンピックや国際的な会議やシンポジウムにも参加している。カンボジアでは一般的ではない保護者会活動や文化祭などの学校行事も盛んである。二〇一九年の入試では七～一二年生まで合計二三四名の募集人数に合計一二六〇人の志願者があった。この「新世代学校」は二〇一七年までに中等教育校が六校、小学校が四校つくられ、さらに全国に広がりつつある。

七月末あるいは八月初めの中学および高校卒業時には、全国一斉の修了試験が実施される。中学卒業時の「中等教育第一期修了試験」（通称ディプロム）は、小論文、書取り、数学、物理、化学、生物、地学・環境、道徳・公民、地理、歴史、外国語（仏語か英語のうち一科目選択）の一一科目で、総合得点が優、良、可、不可の四段階で評価され、不可は留年となり、それ以外は合格で高等学校に進学できる。高等学校は中学校と同じ敷地内

2018−2019年度の時間割の例（インフォーマント調査により筆者作成）

【小学校6年生】

プノンペン都ヤマビコ小学校［午後の部］

	月	火	水	木	金	土
1	社会	科学	科学	補習および地域ごとの生活技術実習	社会	社会
2	社会	科学	国語		社会	算数
3	算数	算数	国語		算数	算数
4	国語	国語	算数		国語	科学
5	国語	国語	体育		国語	体育

コンポン・チナン州トロペアン・ムテヘ小学校［午後の部］

	月	火	水	木	金	土
1	国語	国語	国語	書き取り	国語	国語
2	国語	国語	国語	書き取り	国語	国語
3	算数	算数	算数	算数	算数	算数
4	国語	算数	社会	英語	科学	算数
5	体育	科学	社会	英語	体育	国語

授業は2部制で、午後の部は13時から1時限目が始まり、16時50分に5時限目が終了し、その後、国旗降納を行う。40分授業で、15分休憩が2時限目、および4時限目の後に設けられている

【中学校7年生（中1）】

プノンペン都ポーチェントン中学校［午前の部］

	月	火	水	木	金	土
1	国語	国語	国語	生物	代数	地理
2	国語	芸術	国語	英語	化学	英語
3	代数	生物	幾何	物理	英語	歴史
4	代数	家庭科	幾何	物理	公民	地学
午後		体育		農業		

授業は2部制で、午前の部の授業は7時から1時限目が始まり、11時に4時限目が終了する。60分授業で、10分休憩が各授業後に設けられている。火、木は14時から16時まで授業が設定されている

タケオ州アンコール・ニアプ中学校						
	月	火	水	木	金	土
1	化学	国語	地理	数学	国語	数学
2	化学	国語	地理	地学	国語	物理
3	芸術	英語	芸術	歴史	数学	物理
4		英語	国語	英語	数学	国語
5	公民	数学	英語	労働	生物	
6	公民	数学	家庭科		農業	
7	体育	生物			技術	

授業は7時から1時限目が始まり、17時に7時限目が終了する。60分授業で、授業間の休憩時間はなく、4時限目終了後の11時～14時に昼休みが設定されており、一度帰宅して昼食をとることも可能である。労働の時間では学校内外の清掃などに当てられる

【高校10年生（高1）】

プノンペン都サントーモック高校［午前の部］						
	月	火	水	木	金	土
1	数学	生物	化学	生物	英語	物理
2	数学	公民	化学	生物	化学	英語
3	物理	歴史	国語	物理	数学	経済
4	国語	数学	国語	物理	数学	地学

授業は2部制で、午前の部の授業は7時から1時限目が始まり、11時に4時限目が終了する。55分授業で、10分休憩が各授業後に設けられている

タケオ州スラームトゥナル高校						
	月	火	水	木	金	土
1	国語	英語	家庭	生物	物理	地学
2	国語	英語	家庭	生物	物理	国語
3	体育	地理	農業		化学	国語
4	体育	地理	歴史	数学	公民	
5	数学	数学	英語	コンピューター	国語	
6	数学	数学	英語		国語	
7			数学			

授業は7時から1時限目が始まり、17時に7時限目が終了する。60分授業で、授業間の休憩時間はなく、4時限目終了後の11時～14時に昼休みが設定されており、一度帰宅して昼食をとることも可能である

にあることが多いので、実際には通学先が変わることはない。一一年生で理系か文系のいずれかのコースを選択する。

　中等教育修了と高等教育入学資格をあわせて認定する「中等教育第二期修了試験」（通称は「第二のバカロレア」）を意味するＢａｃⅡ（バック・ドップ）は、理系コースが歴史、生物、化学、外国語、国語、物理、数学の七科目、文系コースが地理・環境、歴史、地理、外国語、数学、道徳・公民、国語の七科目となっていて試験問題は異なるものである。受験準備のために塾や予備校に通う生徒も多い。地方では一科目一時間で〇・二五ドル、プノンペンでは月謝制で一科目、約八ドルからで、少人数クラスは月謝も高くなる。教育省では前年に出題された問題解説の動画を配信している。試験日直前には、教育省のフェイスブックで、教育省大臣からの激励や高名な僧侶からの受験の心構えなどのビデオメッセージが公開される。受験生はもちろんのこと、保護者たちも受験勉強だけでなく願掛けに忙しくなる。

教育省から配信されているオンライン授業用動画「中学7年生 第3課 民族の遺産」（提供：Chouk Sophea）

　得点は、総合点、科目ごとにA～Fまでの段階でつけられる。総合点と各大学の必須科目がAであれば、国立、私立を問わず、学費の全額免除が、B、Cは一部免除が、D、Eは大学ごとの試験をさらに受験して合格すれば入学が認められ、Fは不合格となる。受験者は事前に奨学金支給のある希望校二校を高校に提出し、試験結果により教育省高等教育局が進学先を調整する。大学進学の優遇政策として、過去に国語、数学、物理において全国大会に選出されたことがある者、高等学校が一州に一校しかないモンドルキリ州、ラタナキリ州出身者、貧困家庭出身者、障がい者を対象として特別枠が設けられている。結果発表は合格者のみ、氏名と判定結果が教育省のフェイスブック上で全て公開される。二〇二二年は全国二二一ヶ所の会場で約一三万人（女性約六万九〇〇〇人）が受験し、合格率は約七割であり、うちA判定は一〇四九人であった。不合格者は翌年、再受験するか、専門学校や短期大学に進学することも可能である。

大学などの高等教育機関は、教育省がすべて管轄しているわけではなく、専門分野に従って一六の省庁が管轄している。二〇二〇年には一二八校（うち私立八〇校）が認可されている。学生は専攻分野に加えてＩＴか英語を別の大学で学ぶ、大学のダブルスクールが主流である。資金確保のためにカフェや初等、中等教育機関での講師のアルバイトをしている学生も多い。人口比率からいえばわずかに過ぎないとはいえ、毎年誕生する大卒者の能力を生かせる就職先を国内でどう確保するかなど、解決すべき問題は多い。

コロナ禍の影響で教育省は二〇二〇年三月一六日に全国の学校を休校とした。その後、再開するも状況に応じて、全国的、あるいは一部の地域の学校を休校にし、オンラインによる授業を実施している。

（岡田知子）

コラム24

日本語教育事情

調　邦行

カンボジアはアジアの国々の中でも親日的な国の一つである。日本に対する人々の関心も高く、特に近年になって日本語を学ぶ若者の数も著しく増加している。カンボジアで本格的な日本語教育が始まったのは、クメール王立大学(現王立プノンペン大学)に日本政府から教師が派遣された一九六〇年からである。しかし、その後の内戦によって日本語教育は一九七四年に中断され、再開されたのは一九九三年、王立プノンペン大学に青年海外協力隊の日本語教師が派遣されるようになってからのことだ。

日本語教育機関として最も伝統がある王立プノンペン大学外国語学部日本語学科は、現在五学科中で英語学科に次ぐ人気の学科である。同学科は午前、午後、夜間の三部制で、二〇一九年現在約七〇〇名の学生が在学している。大学一年生で『みんなの日本語I』を教材として日本語の基礎を学び、二年生から文法、作文、読解、会話などに特化した授業が行われる。三年生からはそれらの科目に加えて日本史や日本文学、日本社会など日本に関する幅広い科目が必修とされ、四年生では日本語教育専攻とビジネス専攻に分かれ、それぞれ日本語による卒業論文が課される。一、二年生の中には、他大学あるいは他学部に所属しながら日本語学科で学ぶ学生もいる。彼らは三年生への進級時に自分に適した学科を専攻するのだという。学生たちに日本語を学ぶ動機を聞いてみると、将来日本語を使う仕事に就きたい、日本に留学したい、日本語教師になりたいというものが多い。日本文化やアニメが好きで日本語に興味を持ったという学生はまだ少ないようだ。日本に留学する学生も近年急増し、同学科からは毎年五〇名前後にのぼる。

また、私立のカンボジアメコン大学人文・外国語学部の日本語ビジネス学科では現在約六〇名の学生が学んでいる。その他、王立法律経済大学には単位取得ができる日本語のコースが開設され、同大学の「名古屋大学日本法教育研究センター」では日本語および日本法の教育が行われている。その他にも国内には正規あるいは非正規で日本語コースが開設されている大学がいくつかある。大学以外の日本語教育機関では、国際協力機構（ＪＩＣＡ）と王立プノンペン大学の共同プロジェクトとして開設された「カンボジア日本人材教育センター」（ＣＪＣＣ）の日本語コースには、初級・中級コース、短期のビジネス日本語、教員養成、企業委託などのコースがあり、二〇一九年現在約五〇〇名が在籍している。他都市にもＮＧＯや個人が運営する日本語学校が多数存在し、多くの若者が日本語を学んでいる。これらの学校で日本語の初歩を学び大学に進学する者、大学と日本語学

王立プノンペン大学外国語学部日本語学科教室棟

王立プノンペン大学外国語学部日本語学科授業風景

校を掛け持ちする者などさまざまな形で日本語を学ぶ若者の姿に発展へのエネルギーを感じる。

最近急増しているのが日本への技能実習生送り出し機関で学ぶ若者たちである。プノンペンだけで一〇〇以上存在するといわれる機関で実習生に対する日本語初歩教育を施している。しかし、これらの機関での教育期間は短いため日本語の習得レベルは不十分で、日本語教師の技術レベルのばらつきも指摘されている。そのため、国際交流基金が協力して実習生送り出し機関の日本語教師の技能向上教育も始まっている。

現在カンボジアの中学や高校の正課に日本語は取り入れられていない。一方で、日本語学習者の裾野を広げる活動が地道に行われている。王立プノンペン大学日本語学科は、四年生の教育実習を兼ねて全国四つの高校で毎週土曜日に日本語教室を開催し、高校生に対する日本語の基礎教育に取り組んでいる。また、日本大使館の協力を得て毎年一回国内各地の高校に宣伝キャラバン隊を派遣し、高校生に日本の魅力を伝える活動も行っている。個人単位の日本語教育活動としては、大学で日本語を学んだ僧侶が地域の子供たちにボランティアで日本語を教える寺子屋などもある。このような場所で日本語を学ぶ子供たちの真剣な眼差しは、カンボジアの明るい将来を約束しているようだ。

現在カンボジア日本人商工会議所に加入している日系企業は約二七〇社にのぼり、日本語能力が高い人材の需要も急速に高まっているという。毎年実施される日本語能力試験には、カンボジアから延べ二〇〇〇人以上が受験するようになり、年々増加傾向にある。今後カンボジアの経済力が向上するに従って、これまでとは異なる形で日本との交流が生まれていくことだろう。それと同時にカンボジアの人々の日本に対する関心も多様化していくに違いない。二〇二三年の日本・カンボジア外交関係樹立七〇周年に向けて日本語に親しむ人たちがますます増え、両国の友好関係がこれまで以上に深まっていくことが期待される。

57

オリンピック・スタジアムはスポーツのショーウィンドウ

★市民生活とスポーツ文化★

一九六〇年代のカンボジアはスポーツ先進国であった、といってもにわかには信じてもらえないかもしれない。しかし、その面影は現在も首都プノンペンの中心部にあって存在感を示す総合スポーツ施設に見ることができる。オリンピック・スタジアムといわれるその場所には、五万人収容の競技場や大小の体育館、プール、テニスコートなどのスポーツ施設群が今日でも威容を誇っている。これらの施設は一九六三年、東南アジア競技大会を開催するため、カンボジア人建築デザイナーのヴァン・モリヴァンによって設計され、当時のシハヌーク国家元首が国の威信をかけて建設したものである。残念ながらこの大会は、カンボジアの国内情勢が不安定になったため中止され、ポル・ポト時代には処刑場として使用されるなど暗い歴史も持つ。

長い内戦を経て平和が訪れた現在、人々はさまざまなスポーツを楽しむことができるようになった。市民が普段どのようなスポーツに親しんでいるかを知りたければ、オリンピック・スタジアムにいってみるとよい。グラウンドでは男子や女子サッカーの練習風景が目に入る。大体育館ではフットサルやバスケットボール、テコンドー、小体育館ではバドミントン、卓球などに汗を流す市民の姿がある。野外コートには太極拳やバレーボール、ペタンクに興じる人もいる。広場では大型スピーカーから流れる曲に合わせて、さまざまなグループごとにエアロビクスで汗を流している。

最近では街中にスポーツジムも目立つようになってきた。ベンチプレス、ランニングマシン、サイクリングマシンなど最新の運動器具が並び、汗を流しにやってくる人たちがいる。普通のジムは利用料金が一回二〇〇〇リエルというから市民にとっては手ごろなスポーツ施設だ。また、街中でジョギングする人はほとんど見かけないが、夜明け前に友達同士や夫婦でおしゃべりしながらウォーキングする人たちは多い。一方で、カンボジアには綱引きや、ハンカチ落としなどスポーツ性を帯びた遊びも多く、お正月や祭日には大人も熱中する。日常でも若者たちが空き地や公園でバドミントンのシャトルに似たサイと呼ばれる羽根付きの球を蹴って遊ぶのを見かける。一一月の水祭りになると、プノンペンやシアムリアプは伝統的な競漕祭でにぎわう。色とりどりのユニフォームに身を固めた漕ぎ手たちが力を合わせてボートを漕いで速さを競い、大勢の市民が川の両岸でそれを応援する光景は圧巻だ。

カンボジア人に最も人気がある近代スポーツはサッカーだろう。広場でサッカーをする人をよく見

プノンペンの青空空手教室

かけるし、国内には一四チームが加盟するプロのメットフォン・リーグがあり、ヨーロッパ・サッカーの試合も常時テレビで放映されている。日本の本田圭佑氏が、カンボジアのナショナル・チームの指導を始めたこともあって、サッカー人気は一段と高まっているようだ。サッカーに次いで人気のあるスポーツはバレーボールで、プロリーグもある。また、カンボジアでは武道の人気も高い。カンボジア式キックボクシングのプロダル・セレイはタイのムエタイと同じ起源をもち、国家体育スポーツ総局がサッカーと並んで強化を図ろうとしている。空手やテコンドーを習う人も多く、プノンペン都内の道場では親に送り迎えをしてもらう道着姿の子どもたちも見かける。珍しいところでは、アンコール時代から継承されてきたというカンボジア独特の格闘技ボカタオも根強い愛好者がいる。

オリンピック・スタジアム

行政面に目を向けると、スポーツの活性化と競技力向上を図るため、教育・青年・スポーツ省に体育スポーツ総局が設置されている。現在、国内では競技連盟ごとの大会に加えて、バレーボール、バスケットボール、サッカー、陸上などの競技で小学校、中学、高校ごとの全国大会が開催される他、社会人クラブチームによるさまざまな競技の州対抗大会も開催される。また、最近ではパラ陸上競技会も開催されるなど、障害者スポーツにも目が向けられるようになってきた。子どもたちの体力向上のための運動会は、まだ一般的ではないが、学校体育の基盤が整えば普及する可能性がある。

ところで、カンボジアのスポーツ振興に日本人が一役買っていることはあまり知られてはいない。一九九六年、地雷で足をなくした人たちに義足などを支援するために「アンコールワット国際ハーフマラソン」が実施された際、オリンピックの女子マラソン銀・銅メダリストの有森裕子氏がアスリートとして参加した。その二年後、彼女はNGO「ハート・オブ・ゴールド（以下、HG）」を立ち上げ、本格的にカンボジアのスポーツ振興支援活動を開始した。HGは現在、カンボジア教育・青年・スポーツ省の依頼で国際協力機構（以下、JICA）の草の根技術協力事業である小学、中学、高校の体育科教育学習指導要領や体育科教育指導書の作成指導に取り組んでいる。その他、体育教師のためのワークショップ開催や国立体育・スポーツ研究所の四年制体育大学昇格に向けたノウハウ提供など、体育教師の養成に関する基盤作りも支援の重要な柱だ。また、カンボジア・パラリンピック委員会との共催でパラ陸上競技会を開催し、障害者スポーツの発展にも貢献している。

ペタンクに興じる市民

このような政策的支援とは別に、ＪＩＣＡの青年海外協力隊員としてカンボジアの教育現場で汗を流す若者もいる。将来日本で教師を目指しているという協力隊員のＩ氏に話を聞いてみた。彼はプノンペン都内の公立中学校に派遣され、学習指導要領に基づく体育教師の授業サポートを任務としている。彼が赴任した二〇一七年当時は、教師、生徒とも体育授業に対する認識が日本とあまりにも違うことに驚いたという。教師も学生も授業時間に対する認識がルーズで、教師は給料が安いため、副業の三輪タクシー運転手の仕事優先で授業は二の次、体育は遊びの延長で、教師はサッカーボール一つを生徒たちに与えて勝手に遊ばせて終わるなど、授業の体をなしていなかったらしい。まずは、教師も生徒も時間を守ることから始め、整列や授業の進め方を指導して、二年がかりでやっと認識が変わり始めたという。Ｉ氏は、体育専任教師の増員や雨季に備えた体育館の設置などハード面での整備を痛感している。だが、その前に身体能力を高め、健全な心を養うという体育の基本的な目的を、教師、生徒、家族に理解してもらいたいというのが本音だ。

プノンペン郊外に新国立競技場が完成するなど、経済発展に伴いカンボジアのスポーツ事情にも大きな変化が現れ始めた。しかし、ハード面だけではなく、指導者などの人材育成や組織の整備など学校教育現場や競技団体、地域ごとでの基本的な課題を一つ一つ解決していくことが、この国のスポーツの発展にとっては欠かせない。そのためには、技術やノウハウ、資金面での協力もさることながら、日・カ両国間のさまざまな分野、レベルでの交流を活発化させ、カンボジアのスポーツ文化の底上げを手助けすることも、日本ができる貢献の一つではないだろうか。

（調　邦行）

58

患者を救うという矜持

★改善される医療体制★

「カンボジアには病院が十分にない」「手術ができる医者はいない」「貧しい人は医療を受けられない」などのイメージは、既に過去のものとなり、平均寿命は二〇年弱の間に五八歳から七〇歳まで伸びた（ユニセフ、二〇〇〇～二一）。その背景には長年にわたる国際援助や外国医療機関による協力の成果、そして民間医療分野の発達があり、医療サービスを提供する側・受ける側ともに著しい変化が起きている。特に、母子保健は重要課題の一つとしてカンボジア政府が力を入れてきた分野だ。現在、あらゆる保健センターで子どもの予防接種は可能で、接種率は九割に達している（ユニセフ、二〇二一）。全ての新生児に母子手帳が配られ、接種有無や発育過程が記録されている。保健省による公立医療機関は次の図の通りである。地方の村に居住する患者を想定した場合、まずは家から最寄りの保健センター（診療所。一ヶ所で一万人を管轄）、または保健ポスト（無床診療所。最寄りの保健センターまで一五キロ以上の地域や交通が困難な地域の二～三〇〇〇人を管轄）を訪れて治療を受ける。看護師や助産師等が常駐する一次医療機関であり、①母子保健、②感染症対策、③非感染症対策、④保健教育、⑤アウトリーチ

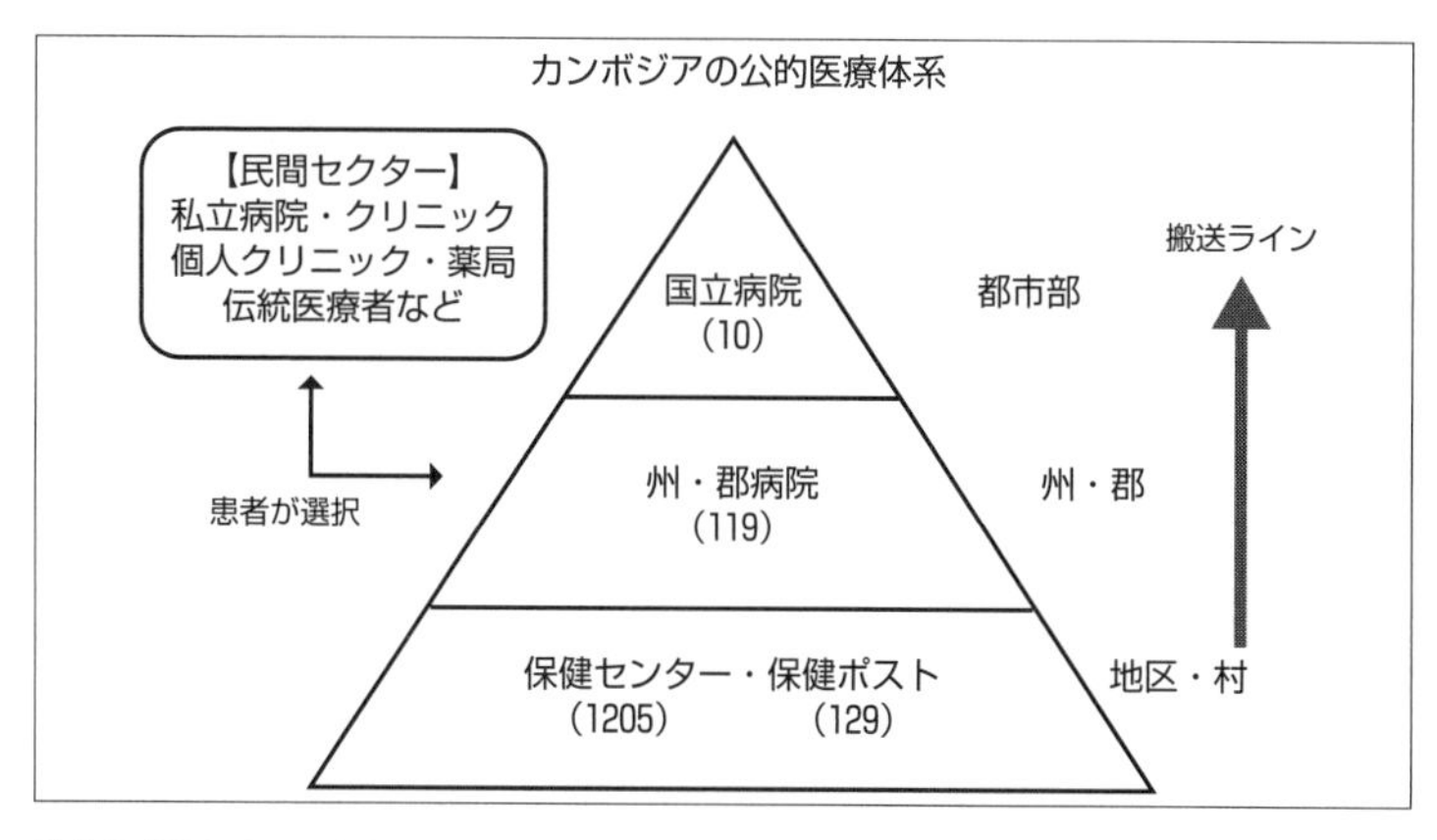

数字は "24th Annual Scientific Congress of Anesthesia, Critical Care and Emergency Medicine, 2019" より筆者作成

子どもの死亡率の変化（千人あたり）

	1990年	2000年	2010年	2021年
五歳未満時死亡率	116人	107人	44人	25人
乳児死亡率	85人	79人	38人	21人
新生児死亡率	40人	35人	22人	13人

出所：Child mortality date, UNICEF Data, 2021より筆者作成

診療を担う。医師の配置はないため、医師による診察・検査が必要な場合は二次医療機関である近隣の公立病院に搬送される。さらに高度な治療・検査が必要と判断された場合は、三次医療機関である都市部の国立病院へと搬送される。

都市部では一〇の国立病院（プノンペン都九、シアムリアプ州一）が、治療や研究、人材育成等におけるカンボジア医療の発展を支えている。各国立病院は外国からの資機材援助や技術指導を受けながら医療サービスの質の向上に努め、全国各地から患者を受け

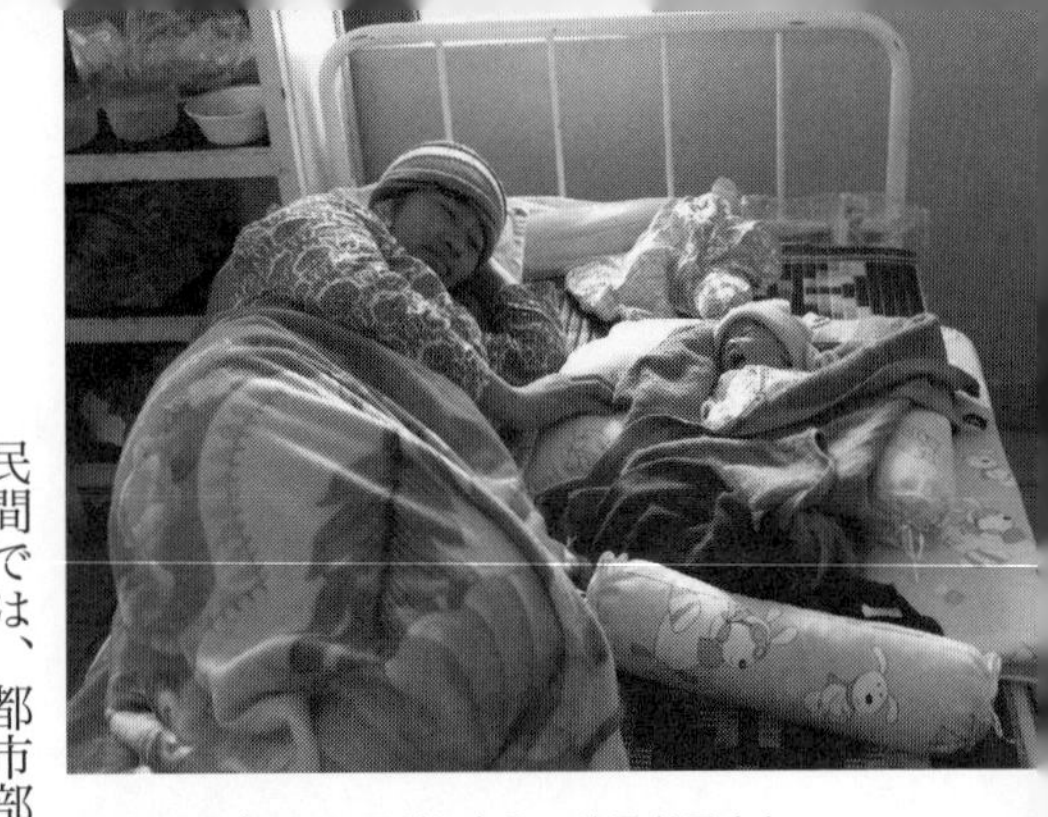

生まれたばかりの子どもをみつめるお母さん

入れて治療する「最後の砦」として、国の医療水準の変化を映し出すように着実に治療実績と経験値を蓄積してきた。

同じく都市部では、カンターボパー病院（プノンペン都）やアンコール小児病院（シアムリアプ州）など、無償で医療サービスを受けられる小児専門の大病院も存在する。子どもの人口が多いカンボジアでは小児医療のニーズが高く、入り口や外来受付では常に長蛇の列で、多くの小児患者と保護者が診察を長時間待っている。支払いに不安を覚える世帯は、無償であるこれらの病院を選ぶ。さらに、高度な治療を必要とする患者も全国から集まるため一極集中化が起こり易く、治療の専門性に応じて他の国立病院と連携を図ることが重要だ。

民間では、都市部を中心に海外資本の私立病院や個人経営のクリニックが増加している。外国人医師または海外留学を経たカンボジア人医師による高度な治療を掲げ、先進的な検査機器や快適な入院環境により、入院・治療費は高額であるものの利用者の満足度は概して高い。日本式医療の病院や日本人医師によるクリニックもあり、日本の技術への信頼感から多くのカンボジア人患者も受診している。カンボジアでは自国医療、特に公立病院に対する信頼の低さから、経済的余裕のある人々は渡航費用を費やしてでもタイやベトナムなど国外の病院を選択することもある。しかし、私立病院の評判が高まりつつある昨今では、国外への渡航・滞在費を勘案すれば医療費は高くとも名の知れた民間医療機関を国内で受ける方が安心できるという認識も広まっている。国立病院でも、高度な外科手術が可能になるなど専門性が向上しており、利用者が受診機関を選択できる時代が訪れている。

地方では依然として限られた人材や施設で最低限の医療サービスが提供されているのが実情で、都市と地方の格差は拡大の一途を辿っている。地方で開業している私立病院は限られており、巷のクリニックや薬局の多くは地元の公立病院や保健センターの職員が自宅を兼ねて経営しているに過ぎない。よって地方では、地元のこれら公立医療機関を受診するか、大病院のある都市部へ移動するかのいずれかとなる。しかし、慣れない都市部での入院には不安が伴うだけでなく、医療費の他に往復交通費や付き添う家族の生活費が必要で、余裕のない家庭には致命的な出費となる。また、首都への長距離の救急搬送では数時間を要するため、患者への負担が大きい。搭載機器が不十分な救急車輛も多く、容態が急変した際に十分な処置ができず命に関わる場合もある。よって、地方医療の改善は、大部分の国民が地方に居住するカンボジアにおいて、多くの人々が健やかに暮らせるためのカギなのだ。

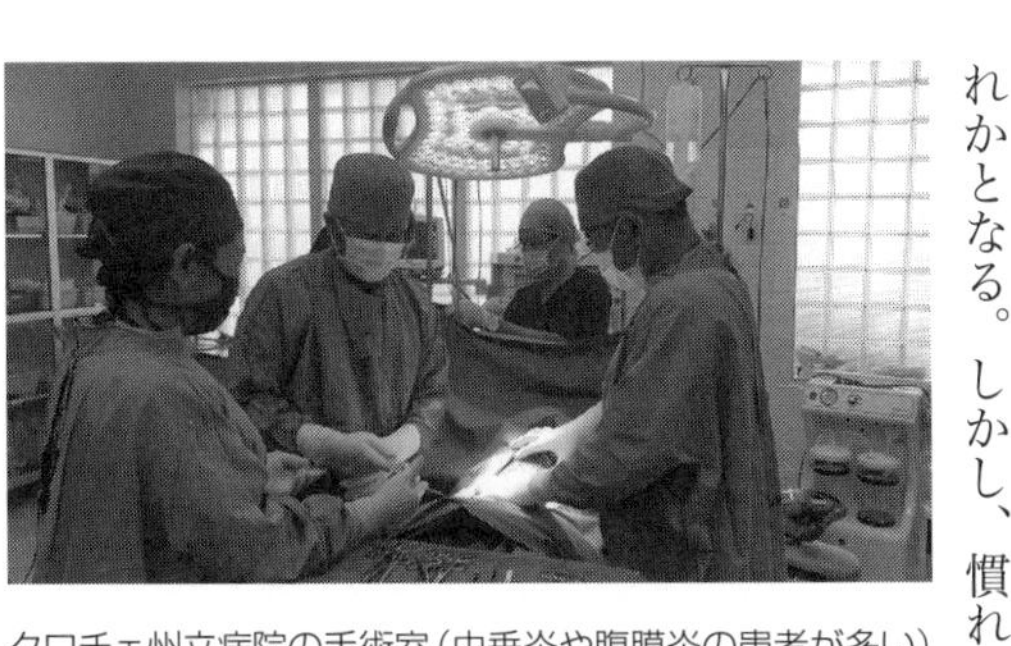
クロチェ州立病院の手術室（虫垂炎や腹膜炎の患者が多い）

地方病院の医療現場では、医療費を支払うのが困難という理由で手術を拒んだり、退院許可前に帰宅していたり、より高度な治療のために都市部へ搬送されることを拒む患者・家族もいる。貧困世帯を対象とした「公平な医療基金（以下ＨＥＦ）」という公的な医療費補助制度がある。認定カードを持つ患者は公立医療機関での医療費、救急車による搬送費用、付添い家族の食事代などの支払いについて免除や補助を受けることができ、当該費用は同基金から病院側へ補塡される。公務員や労働者は国家社会保障基金（ＮＳＳＦ）に加入しており、公立医療施設や一部クリニックでの医療費が免除される。だが、受給審査の結果、ＨＥＦに認定されない貧困患者や、カードを受け取っていない貧困患者もいる。そのような人々が医療サービスから弾かれることのないよう、公立病院では責任者の経営判断により患者の支払能力に応じて医療費を割り引くこともある。

患者が支払う医療費は、病院にとって安定的な経営を支える収入源である。カンボジアで、利用者が満足する医療サービスを受け、相応の対価を支払う、という市場原理によって病院経営が成り立つまでには年月を要するが、自立を目指すためには必要な視点である。

一方で、高血圧や糖尿病など日本同様の健康問題も広まっている。大人の約二割が肥満傾向であることが報告されており、近隣諸国同様に生活習慣病予防に対する取り組みも始まりつつある。大人も子どもも普段から砂糖たっぷりのエナジードリンクやコーラ、甘いコーヒーやミルクティーを好む。これら飲料にどれほど多くの砂糖が使われているかを知ると、大抵の人々は驚愕する。健康を意識した、栄養バランスの取れた食生活について学ぶ時間が二〇二五年に始まる保健科目の一環として学校教育に取り入れられる予定だ。また、健康ブームも起きており、夕暮れ時の川沿いや公園では音楽に合わせてエアロビクスに勤しむグループや、仕事帰りに街中のジムで汗を流す人々を至る所で見かける。スポーツ以外の日常生活において「走る」ということがあまりないカンボジアで、自発的な運動やエクササイズが流行していることにも、人々の健康意識の変化を窺い知ることができる。

（佐伯風土）

59

未来に向けての国づくりと日本

★ドナーからの支援★

日本が最初にカンボジアへの経済協力を行ったのは、カンボジアが独立して間もない一九五五年に日本・カンボジア友好条約を締結した後のことであった。一九五八年に経済協力協定を締結し、農業技術支援センターの建設などの経済協力を行った。その後も、一九六三年にカンボジア・日本友好橋が建設されるなどの援助が行われたが、一九六〇年代末以降のカンボジア内政の混乱および内戦への突入をもって、援助は停止してしまった。

内戦の時代を経て、パリ和平協定の締結に向けた動きが始まったころ、日本では「経済力に見合った国際貢献を行っていくべき」という議論が活発になり、カンボジアの和平合意やその後の復興・開発に積極的に取り組むこととなった。日本は、一九八九年の第一回カンボジア問題パリ国際会議に招かれて参加し、復旧・復興と避難民の祖国帰還を担当する第三委員会でオーストラリアと共同議長を務めた。さらに、国連カンボジア暫定統治機構（UNTAC）代表に日本人の明石康氏が就任したことを契機に、平和構築やその後の国造りに深く関わることとなった。一九九二年六月に国際連合平和維持活動等に対する

日本の援助実績

援助の形態	累計金額（億円）	プロジェクト例
（1）円借款	2073.10	新型コロナウイルス感染症危機対応緊急支援、シハヌークビル港多目的ターミナル整備事業など
（2）無償資金協力	2263.29	海洋プラスチックごみ対策計画（UNDP連携）、シアムリアプ州病院改善計画、プノンペン洪水防御・排水改善計画、教員養成大学建設計画など
（3）技術協力	950.54	幹線道路における道路交通安全改善、カンボジア地雷対策センター組織強化、母子継続ケア改善など

（注）金額は2020年末までの累計。円借款は借款契約ベース、無償資金協力は交換公文ベース、技術協力は予算年度の経費実績ベース
（出所）外務省ウェブサイト、JICAウェブサイト

協力に関する法律（ＰＫＯ法案）が日本の国会を通過し、同年九月に始まったＰＫＯ派遣では、自衛隊施設大隊、停戦監視要員、文民警察官及び選挙要員等延べ人数一三〇〇人が派遣された。なお、一九九三年総選挙直前の四月、国連ボランティアとしてコンポン・トム州で選挙監視活動に参加していた中田厚仁氏がポル・ポト派の兵士によるものと思われる襲撃により命を落とした。さらに、バンテアイ・ミアンチェイ州で日本から派遣された文民警官の高田晴行警部補が死亡し、一緒に行動していた三人も負傷するといった犠牲があった。

パリ和平協定締結後、日本をはじめ、国際社会はカンボジアの復興支援に向けて動き始めた。一九八〇年代はベトナム及びソ連・東欧諸国からの支援に頼るのみだったカンボジアに、一九九〇年代になると世界中から多額の支援が流入するようになった。一九九二年六月に開催された東京でのカンボジア復興閣僚会議では総額八億八〇〇〇万ドル分の援助が約束された。援助実行額でも、一九九〇年に四一六〇万ドルであったのが、一九九二年には二億六〇〇〇万ドルへと急激に伸びた。このようななかで、日本は、内戦中に破壊された日本・カンボジア友好橋（チロイ・チョン

ワー橋）の復旧を含むインフラの緊急的な復旧や復興を目指した支援を行った。無償資金協力では、道路、橋梁などの運輸インフラ、上下水道や電力といった社会インフラの整備、農業、選挙準備といった分野での支援が行われた。技術協力では、母子保健、結核対策や法制度整備の他、地雷対策、難民再定住、農村開発等に対する支援など、多面的な取り組みを展開してきた。一九九四～九八年の日本からのカンボジアへの援助累積額は四億三〇八〇万ドルに達しており、これはこの間にカンボジアが受け取ったODA総額一九億七四七〇万ドルの二割を超えている。なお、円借款／有償資金協力は、一九九〇年代初頭のカンボジアが後発発展途上国であり、なおかつ政治的に不安定であったことから、一九六八年に供与が停止されて以来再開できずにいた。しかし、日本は、一九九八年総選挙後のカンボジアの政治的安定と経済再建の進展を評価し、一九九九年に円借款供与を再開した。

二〇〇〇年代に入ると、カンボジアはより強固な政治的安定を基礎に経済開発に邁進するようになり、約七％の経済成長を継続的に達成し、一人当たり所得が一〇〇〇ドルを超え、世界銀行は二〇一六年にカンボジアを低位中所得国に格付けした。日本は積極的な援助を継続し、経済開発や社会開発、人材育成などの諸側面からの協力を行った。二〇〇七年には日本・カンボジア投資協定が締結され、援助のみならず投資による日本との関係が深まっていった。二〇一三年には両国の関係は戦略的パートナーシップに格上げされた。イオンモール一号店の開店（二〇一四年）、成田―プノンペン間の直行便運航開始（二〇一六年）などに伴い、経済的な関係も新たな段階に入りつつある。また、二〇〇九年からは日・メコン（カンボジア、ラオス、ミャンマー、ベトナム、タイ）首脳会議が毎年開催されており、カンボジアとの二国間での経済協力のみならず、周辺国とのつながりのなかでカンボジアの経

メコン川にかけられたつばさ橋（ネアク・ルアン橋）

済発展を支援している。

日本の国別援助方針（二〇一七年）では、経済基盤の強化、社会開発の促進、ガバナンスの強化といった分野を重点的に支援することをうたっている。カンボジア政府自身が二〇三〇年までの高位中所得国（一人当たり所得四一二六ドル以上）入りを目指していることから、それをサポートしうるような高品質なインフラの整備の分野での貢献を目指している。そのなかで、アジア開発銀行（ADB）が提唱する大メコン経済圏の南部経済回廊上に位置する国道一号線や五号線の修復・拡張のプロジェクトは、隣国とのコネクティヴィティ改善のうえで重要なものとなっている。たとえば、一号線沿いのカンダール州とプレイベン州境のネアク・ルアンでメコン川を渡るのにフェリーを使わなければいけなかった区間に日本の支援によってネアク・ルアン橋が二〇一五年に開通した。この橋は、二〇〇一年にコンポン・チャム州のメコン川にかけられた「きずな橋」同様に「つばさ橋」という日本語の名前をあわせもつ。この橋は、ベトナム国境とプノンペンとを結ぶ交通を円滑につなぐことに大きく寄与し、二〇一四年に発行された五〇〇リエル札にはこの橋の姿が印刷された。

二〇〇〇年代半ばころから、新興援助国として中国からの援助が徐々に増えていき、二〇一〇年に日本にかわって中国が二国間援助国第一位に名乗りを上げた。中国は、二国間での援助や投資に加え、国際的に展開している一帯一路構想を通した協力、さらにはメコン―ランツァン協力のような中国とメコン流域五ヶ国の協力スキームを通じた援助も展開しつつある。日本が支援したチロイ・チョンワー橋の横に建設された第二チロイ・チョンワー橋（通称中国橋）が二つ並ぶ風景は、新旧トップドナーの並列を象徴するようにも見える。二〇二二年には、中国の支援により、カンボジア経済の根幹ともいうべきプノンペン―シハヌークビル間の高速道路も開通した。ただし、カンボジアにとっては、日本か中国か、という話ではなく、欧米を含めたさまざまなドナーからの支援を必要に応じて得つつ、その効果の最大化をはかっていくことが重要となる。

（初鹿野直美）

60

開発課題を解決する一助に

★進む日本企業の投資★

長期の内戦を経験したカンボジアは、一九九〇年代に国家復興へ向けて歩み始めて以来、他のアセアン諸国から後れをとりながらも、最近では安定した政情を基盤に経済発展を進めている。二〇一一年以降、経済成長率は七％前後で推移しており隣国と比較しても景気は好調である。これまでは、日系企業が抱くカンボジアのイメージや国内での投資環境整備の遅れが投資の阻害要因であったが、昨今の進出は目覚しく、日系企業による投資優遇措置の申請数は、二〇一二年辺りでピークを迎えつつ最近では落ち着きを見せているものの、商業省への日系企業の会社登録数は増加している。

カンボジアへの日系企業の進出は、いち早く縫製業や不動産業を中心に進出した中国や韓国と比較して慎重であったが、最近では縫製業に偏っていた製造業分野に多様性をもたらし、カンボジアでの雇用機会を創出するとともに、製造業の拡大という意味で同国の持続的な経済成長への貢献が期待されている。特に、中小企業に蓄積される技術や経験を活用し、カンボジア国内での操業を通じて日本のものづくり技術及び経営ノウハウを移転することによって、同国政府の四辺形戦略の重点課題で

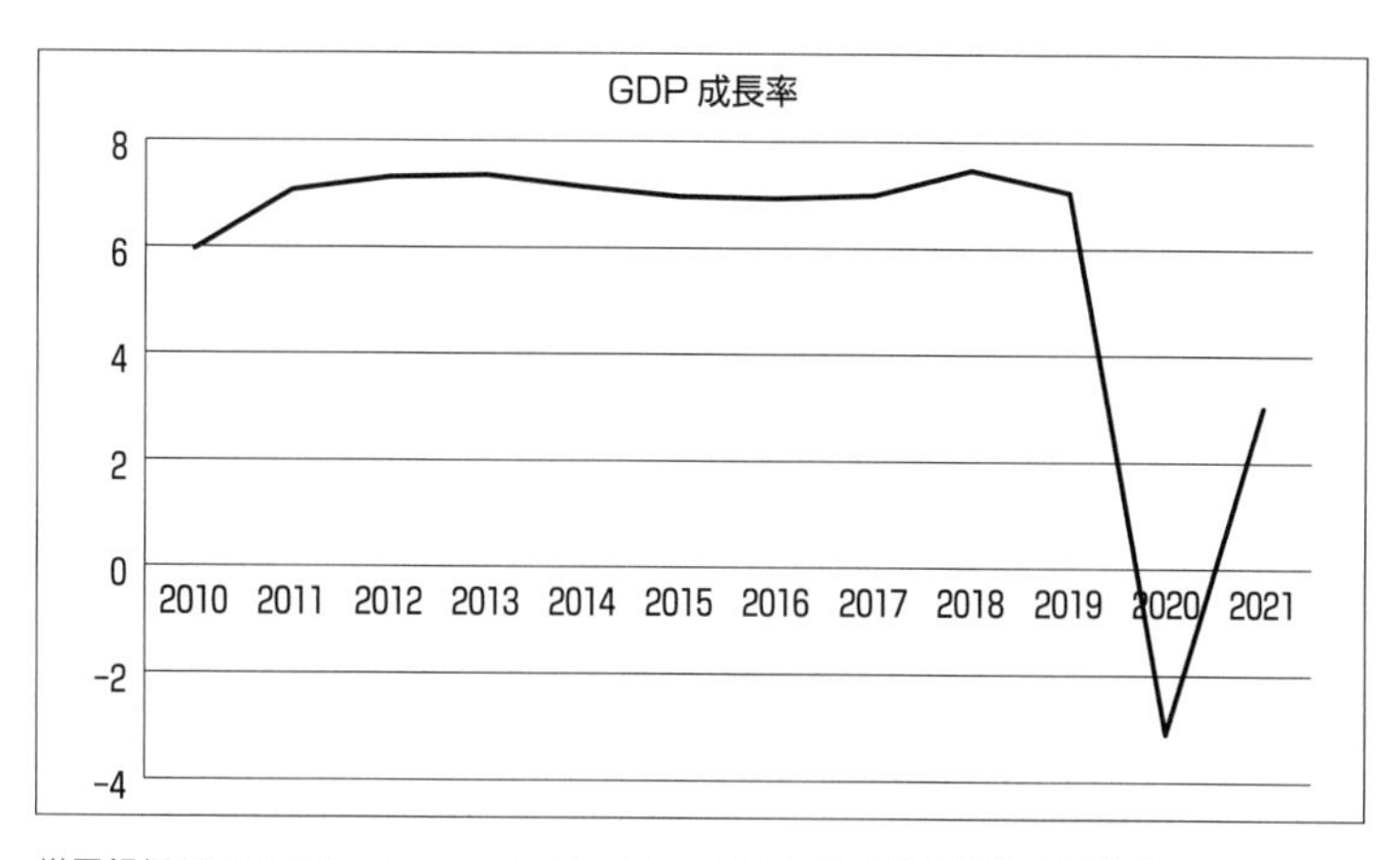

世界銀行 Cambodia Economic Update（2020）の資料を基に筆者作成

ある人的資源開発にも貢献していると言える。

昨今でもカンボジアの経済成長率は、二〇一八年で七・五％、二〇一九年で七・一％（世界銀行二〇二〇）であり、引き続き好調な景気が見込まれている。これに資する主要な分野は、縫製、建設、農業、観光であり、日本やアメリカの一般特恵関税制度やEUの関税優遇措置を受けて輸出は拡大してきた。一九九七年から開始したカンボジアに対するアメリカの一般特恵関税制度は、二〇一六年に対象とする品目に鞄や旅行関連の製品を追加し、中国とアメリカの貿易関係を背景として、カンボジアによる対米輸出額は増加している。対日輸出額も衣料などを中心に増加する一方で、二〇一八年の総選挙における野党解党など民主化への懸念を巡り、二〇二〇年二月にEUは特恵関税制度の一部撤廃を発表した。ちなみに、二〇一八年の国別輸出内訳は、EUが縫製品を中心に三八・一％を占めており、このようなEUの動きを受けてカンボジア政府は、EUによる特恵関税制度撤廃の可能性への対応を検討した上で、官民合同会議を開催し、貿易手続きの簡素化及びコスト削減、電気料値下げ、付加価値税VAT還付手続きのオンライン化、休日の削減、労働法及び投資法の改訂など貿易・投資の競争力強化に関連する対策を発表した。さらにフン・セン首相は、中国で開催された「一帯一路」会議に出席し頻繁に訪中するなど、中国との経済関係のさらなる強化がうかがえる。

このような状況において、日系企業がカンボジアへ投資する企業のメリットとしては（1）一〇〇％外資で事業を開始でき資金調達の規制がないこと、（2）投資優遇措置が受けられること、（3）米ドルで投資できること、（4）労働力が豊富で人件費が比較的安いことなどがある。世界銀行がビジネス環境を評価する「ビジネスのしやすさ指標」ランキングでは、一九〇ヶ国のうちカンボジアは一四四位であった（二〇二〇年）。まず、外資規制のある近隣諸国とは異なり、カンボジアに進出する海外企業は独自の資本で起業することができる。外国人も、カンボジア人と同様の手続きを踏めばよく、資本金や雇用においてカンボジア人が関与すべき割合は規定されていない。土地の所有はできないものの、それ以外であれば外国人でも、禁止される薬物の製造など一部の業種を除き、自由な投資が認められている。商業省にて登記後、経済財政省租税総局にて税務登録をし、労働職業訓練省にて労働登録をする。適格投資プロジェクトは、企業の投

カシューナッツ加工工場

建築中の高層ビル（2020年、プノンペン）

資プロジェクト毎に一定期間の法人税免税や輸出税の免税などが付与され、上記の手続きとは別に認可申請の手続きが必要である。経済特別区での投資、それ以外での投資によって、各々の政府の担当機関へ適格投資プロジェクト認可申請をし、基本的に一ヶ月程で登録証明書が発行される。企業は一社で複数の適格投資プロジェクトを実施することができる。カンボジアにはプノンペンや国境付近を中心に四〇ヶ所以上の経済特区が存在し、電力・上下水道・廃棄物処理等のサービスが提供され、多くの日系企業も経済特区内で操業している。また、カンボジアでは米ドルが主に流通しているため、現地通貨の両替に伴う為替差損の懸念が緩和される。さらに、カンボジアは若者の人口が多く労働力が豊富な上、人件費が安い。しかしながら、昨今では約六年間で最低賃金が三倍にもなっており、近隣国と比較して人件費の面ではそれほど魅力的ではなくなってきているものの、カンボジア人の真面目な仕事ぶりや細かい手作業を評価する日系企業も多い。また、昨今の投資環境の状況として、不安定で高めな電力は投資の阻害要因となっている。二〇一九年三月下旬にカンボジア電力公社（ＥＤＣ）は、五月末までの計画停電を発表し、発電設備のない経済特区で操業する日系企業にも影響が出た。これは降水量不足が原因であり、国内発電の約五割が水力発電に依存する中で、カンボジア電力公社は太陽光発電施設の稼働も推進し始めている。国内に存在する発電所が小規模であることから、大規模な発電所と比較して電気料金が高くなってしまうという背景はありつつ近隣国からの電力の輸入など、政府は今後、徐々に近隣国と同じレベルまで電気料の値下げを進める意向である。特恵関税制度撤廃停止の動きの中で、物流インフラの整備も含め当地でのさらなる投資環境の整備は引き続き課題であり、政府もさらなる投資環境の整備を進める方針である。また、日系企業の製品やサービスがカンボジアにおける開発課題を解決するための一助になるとの方針から、日系企業の進出を促進する動きもある。このように双方にとって有益な関係を構築していくことが引き続き期待される。

（井手直子）

参考文献

ここでは一般に入手しやすい日本語文献（単行本）に限定し紹介する。それぞれの関心の分野について、ここで紹介した図書の参考文献目録からさらにたどって多くの文献をご覧いただきたい。

［ことばと文化］

秋野晃司・小幡壮・澁谷利雄編著『アジアの食文化』建帛社、二〇〇〇年
石井米雄、千野栄一編『世界のことば一〇〇語辞典　アジア編』三省堂、一九九九年
石井米雄、千野栄一編『世界のことば・出会いの表現辞典』三省堂、二〇〇四年
石井米雄編『世界のことば・辞書の辞典　アジア編』三省堂、二〇〇八年
上田広美著『カンボジア語　読解と練習』白水社、二〇一七年
上田広美著『ニューエクスプレスプラス　カンボジア語』白水社、二〇二〇年
亀井孝、河野六郎、千野栄一編『言語学大事典』三省堂、一九八八年
坂本恭章『カンボジア語基礎一五〇〇語』大学書林、一九八五年
坂本恭章『カンボジア語会話練習帳』大学書林、一九八五年
坂本恭章『カンボジア語入門』大学書林、一九八九年
坂本恭章『カンボジア語辞典』（第三版）大学書林、二〇〇一年
柴田武、谷川俊太郎、矢川澄子編『世界なぞなぞ大事典』大修館書店、一九八四年
柴田武、谷川俊太郎、矢川澄子編『世界ことわざ大事典』大修館書店、一九九五年
高橋宏明編訳『カンボジアの民話世界』めこん、二〇〇三年
東京外国語大学語学研究所編『世界の言語ガイドブック　2　アジア・アフリカ地域』三省堂、一九九八年

沼野恭子編『世界を食べよう！――東京外国語大学の世界料理』東京外国語大学出版会、二〇一五年
パル・ヴァンナリーレアク『カンボジア　花のゆくえ』段々社、二〇〇三年
福富友子『旅の指さし会話帳19　カンボジア』(第三版)、情報センター出版局、二〇一六年
山口裕之・橋本雄一編『地球の音楽』東京外国語大学出版会、二〇二二年

［歴史と社会］

天川直子編『カンボジアの復興・開発』日本貿易振興機構アジア経済研究所、二〇〇一年
天川直子編『カンボジア新時代』日本貿易振興機構アジア経済研究所、二〇〇四年
天川直子編『後発ＡＳＥＡＮ諸国の工業化　ＣＬＭＶ諸国の経験と展望』日本貿易振興機構アジア経済研究所、二〇〇六年
アンリ・ムオ『インドシナ王国遍歴記――アンコール・ワット発見』中公文庫、中央公論新社、二〇〇二年
石澤良昭『アンコール・ワット――大伽藍と文明の謎』講談社、一九九六年
石澤良昭『アンコール・王たちの物語――碑文・発掘成果から読み解く』ＮＨＫブックス、二〇〇五年
今川幸雄『カンボジアと日本』連合出版、二〇〇〇年
坂本恭章著、上田広美編『カンボジア　王の年代記』明石書店、二〇〇六年
坂本恭章・岡田知子訳『フランス保護国時代のカンボジア』(第一分冊、Ａ・シルベストル著『カンボジアの行政』、第二分冊『ナガラワッタ』)、めこん、二〇一九年
笹川秀夫『アンコールの近代――植民地カンボジアにおける文化と政治』中央公論新社、二〇〇六年
ジャン・デルヴェール『カンボジアの農民――自然・社会・文化』風響社、二〇〇二年
周達観『真臘風土記　アンコール期のカンボジア』平凡社、一九八九年
デービッド・チャンドラー『ポル・ポト伝』めこん、一九九四年

デービッド・チャンドラー『ポル・ポト死の監獄S21　クメール・ルージュと大量虐殺』白揚社、二〇〇二年
フィリップ・ショート『ポル・ポト　ある悪夢の歴史』白水社、二〇〇八年
藤原貞朗『オリエンタリストの憂鬱　植民地主義時代のフランス東洋学者とアンコール遺跡の考古学』めこん、二〇〇八年
フランソワ・ビゾ『カンボジア　運命の門』講談社、二〇〇二年
フランソワ・ポンショー『カンボジア・0年』連合出版、一九七九年
ベルナール・P・グロリエ『西欧が見たアンコール――水利都市アンコールの繁栄と没落』連合出版、一九九七年
ミルトン・オズボーン『シハヌーク　悲劇のカンボジア現代史』岩波書店、一九九六年
山田寛『ポル・ポト〈革命〉史――虐殺と破壊の四年間』講談社、二〇〇四年
ユーディト・W・タシュラー『誕生日パーティー』集英社、二〇二一年
四本健二『カンボジア憲法論』勁草書房、一九九九年
ルオン・ウン『最初に父が殺された　飢餓と虐殺の恐怖を越えて』無名舎、二〇〇〇年

◉ **執筆者紹介**（50音順、*は編著者、［　］内は担当章）

朝日由実子（あさひ・ゆみこ）［52］
日本女子大学非常勤講師。

井手直子（いで・なおこ）［14、41、60、コラム14］
国際協力機構専門家。

*__上田広美__（うえだ・ひろみ）［1、2、3、4、5、6、7、19、24、25、29、48、コラム1、7、8、9、13、15］
編著者紹介を参照。

岡崎淑子（おかざき・よしこ）［40、43、44］
聖心女子大学名誉教授。

*__岡田知子__（おかだ・ともこ）［8、9、10、26、27、28、31、45、49、50、55、56、コラム2、5、12、18］
編著者紹介を参照。

加藤重雄（かとう・しげお）［38］
国際協力機構専門家。

佐伯風土（さえき・かざと）［58、コラム10］
公益財団法人国際開発救援財団 FIDR カンボジア事務所長。

調邦行（しらべ・くにゆき）［57、コラム3、23、24］
東京外国語大学特別研究員。

高橋美和（たかはし・みわ）［11、12、13、15、16、17、コラム6］
実践女子大学人間社会学部教授。

道法清隆（どうほう・きよたか）［36、コラム17］
日本貿易振興機構（ジェトロ）企画部地方創生推進課長。

初鹿野直美（はつかの・なおみ）［30、32、33、34、35、39、42、53、59］
日本貿易振興機構アジア経済研究所副主任研究員。

*__福富友子__（ふくとみ・ともこ）［18、20、21、46、47、コラム4、16、19、21］
編著者紹介を参照。

丸井雅子（まるい・まさこ）［22、23、37、51、54、コラム11、20、22］
上智大学総合グローバル学部教授。

◉編著者紹介

上田広美（うえだ・ひろみ）
東京外国語大学大学院総合国際学研究院教授。専攻はカンボジア語学。
著書は、『ニューエクスプレス カンボジア語プラス』（白水社、2020年）、『カンボジア語読解と練習』（白水社、2017年）。編訳書に、『フランス保護国時代のカンボジア（カンボジアの行政，ナガラワッタ）』（めこん、2019年）、『カンボジア　王の年代記』（明石書店、2006年）など。

岡田知子（おかだ・ともこ）
東京外国語大学大学院総合国際学研究院教授。専攻はカンボジア文学。
訳書に、『萎れた花・心の花輪』（ヌー・ハーイ著、大同生命国際文化基金、2015年）、『追憶のカンボジア』（チュット・カイ著、東京外国語大学出版会、2014年）、『地獄の一三六六日――ポル・ポト政権下での真実』（オム・ソンバット著、大同生命国際文化基金、2006年）」など。

福富友子（ふくとみ・ともこ）
上智大学・慶應義塾大学非常勤講師。東京外国語大学オープンアカデミー講師。
著書は、『旅の指さし会話帳19カンボジア［第3版］』（情報センター出版局、2016年）など。カンボジアの大型影絵芝居スバエク・トムの伝承を支援する活動を行っている。

エリア・スタディーズ　56

カンボジアを知るための60章【第3版】

2006年6月1日　初　版第1刷発行
2012年5月10日　第2版第1刷発行
2023年4月5日　第3版第1刷発行

編著者　上田広美
岡田知子
福富友子

発行者　大江道雅
発行所　株式会社明石書店
〒101-0021 東京都千代田区外神田6-9-5
電話 03（5818）1171
FAX 03（5818）1174
振替　00100-7-24505
https://www.akashi.co.jp/

装丁／組版　明石書店デザイン室
印刷／製本　日経印刷株式会社

（定価はカバーに表示してあります）　ISBN978-4-7503-5532-0

エリア・スタディーズ

エリア・スタディーズ

42 パナマを知るための70章【第2版】
国本伊代 編著

43 イランを知るための65章
岡田恵美子、北原圭一、鈴木珠里 編著

44 アイルランドを知るための70章【第3版】
海老島均、山下理恵子 編著

45 メキシコを知るための60章
吉田栄人 編著

46 中国の暮らしと文化を知るための40章
東洋文化研究会 編

47 現代ブータンを知るための60章【第2版】
平山修一 著

48 バルカンを知るための66章【第2版】
柴宜弘 編著

49 現代イタリアを知るための44章
村上義和 編著

50 アルゼンチンを知るための54章
アルベルト松本 著

51 ミクロネシアを知るための60章【第2版】
印東道子 編著

52 アメリカのヒスパニック＝ラティーノ社会を知るための55章
大泉光一、牛島万 編著

53 北朝鮮を知るための55章【第2版】
石坂浩一 編著

54 ボリビアを知るための73章【第2版】
真鍋周三 編著

55 コーカサスを知るための60章
北川誠一、前田弘毅、廣瀬陽子、吉村貴之 編著

56 カンボジアを知るための60章【第3版】
上田広美、岡田知子、福富友子 編著

57 エクアドルを知るための60章【第2版】
新木秀和 編著

58 タンザニアを知るための60章【第2版】
栗田和明、根本利通 編著

59 リビアを知るための60章【第2版】
塩尻和子 編著

60 東ティモールを知るための50章
山田満 編著

61 グアテマラを知るための67章【第2版】
桜井三枝子 編著

62 オランダを知るための60章
長坂寿久 著

63 モロッコを知るための65章
私市正年、佐藤健太郎 編著

64 サウジアラビアを知るための63章【第2版】
中村覚 編著

65 韓国の歴史を知るための66章
金両基 編著

66 ルーマニアを知るための60章
六鹿茂夫 編著

67 現代インドを知るための60章
広瀬崇子、近藤正規、井上恭子、南埜猛 編著

68 エチオピアを知るための50章
岡倉登志 編著

69 フィンランドを知るための44章
百瀬宏、石野裕子 編著

70 ニュージーランドを知るための63章
青柳まちこ 編著

71 ベルギーを知るための52章
小川秀樹 編著

72 ケベックを知るための54章
小畑精和、竹中豊 編著

73 アルジェリアを知るための62章
私市正年 編著

74 アルメニアを知るための65章
中島偉晴、メラニア・バグダサリヤン 編著

75 スウェーデンを知るための60章
村井誠人 編著

76 デンマークを知るための68章
村井誠人 編著

77 最新ドイツ事情を知るための50章
浜本隆志、柳原初樹 著

78 セネガルとカーボベルデを知るための60章
小川了 編著

79 南アフリカを知るための60章
峯陽一 編著

80 エルサルバドルを知るための55章
細野昭雄、田中高 編著

81 チュニジアを知るための60章
鷹木恵子 編著

82 南太平洋を知るための58章 メラネシア ポリネシア
吉岡政德、石森大知 編著

83 現代カナダを知るための60章【第2版】
飯野正子、竹中豊 総監修　日本カナダ学会 編

エリア・スタディーズ

84 **現代フランス社会を知るための62章**
三浦信孝、西山教行 編著

85 **ラオスを知るための60章**
菊池陽子、鈴木玲子、阿部健一 編著

86 **パラグアイを知るための50章**
田島久歳、武田和久 編著

87 **中国の歴史を知るための60章**
並木頼壽、杉山文彦 編著

88 **スペインのガリシアを知るための50章**
坂東省次、桑原真夫、浅香武和 編著

89 **アラブ首長国連邦（UAE）を知るための60章**
細井長 編著

90 **コロンビアを知るための60章**
二村久則 編著

91 **現代メキシコを知るための70章【第2版】**
国本伊代 編著

92 **ガーナを知るための47章**
高根務、山田肖子 編著

93 **ウガンダを知るための53章**
吉田昌夫、白石壮一郎 編著

94 **ケルトを旅する52章** イギリス・アイルランド
永田喜文 著

95 **トルコを知るための53章**
大村幸弘、永田雄三、内藤正典 編著

96 **イタリアを旅する24章**
内田俊秀 編著

97 **大統領選からアメリカを知るための57章**
越智道雄 著

98 **現代バスクを知るための50章**
萩尾生、吉田浩美 編著

99 **ボツワナを知るための52章**
池谷和信 編著

100 **ロンドンを旅する60章**
川成洋、石原孝哉 編著

101 **ケニアを知るための55章**
松田素二、津田みわ 編著

102 **ニューヨークからアメリカを知るための76章**
越智道雄 著

103 **カリフォルニアからアメリカを知るための54章**
越智道雄 著

104 **イスラエルを知るための62章【第2版】**
立山良司 編著

105 **グアム・サイパン・マリアナ諸島を知るための54章**
中山京子 編著

106 **中国のムスリムを知るための60章**
中国ムスリム研究会 編

107 **現代エジプトを知るための60章**
鈴木恵美 編著

108 **カーストから現代インドを知るための30章**
金基淑 編著

109 **カナダを旅する37章**
飯野正子、竹中豊 編著

110 **アンダルシアを知るための53章**
立石博高、塩見千加子 編著

111 **エストニアを知るための59章**
小森宏美 編著

112 **韓国の暮らしと文化を知るための70章**
舘野晳 編著

113 **現代インドネシアを知るための60章**
村井吉敬、佐伯奈津子、間瀬朋子 編著

114 **ハワイを知るための60章**
山本真鳥、山田亨 編著

115 **現代イラクを知るための60章**
酒井啓子、吉岡明子、山尾大 編著

116 **現代スペインを知るための60章**
坂東省次 編著

117 **スリランカを知るための58章**
杉本良男、高桑史子、鈴木晋介 編著

118 **マダガスカルを知るための62章**
飯田卓、深澤秀夫、森山工 編著

119 **新時代アメリカ社会を知るための60章**
明石紀雄 監修　大類久恵、落合明子、赤尾千波 編著

120 **現代アラブを知るための56章**
松本弘 編著

121 **クロアチアを知るための60章**
柴宜弘、石田信一 編著

122 **ドミニカ共和国を知るための60章**
国本伊代 編著

エリア・スタディーズ

123 **シリア・レバノンを知るための64章** 黒木英充 編著

124 **EU（欧州連合）を知るための63章** 羽場久美子 編著

125 **ミャンマーを知るための60章** 田村克己、松田正彦 編著

126 **カタルーニャを知るための50章** 立石博高、奥野良知 編著

127 **ホンジュラスを知るための60章** 桜井三枝子、中原篤史 編著

128 **スイスを知るための60章** スイス文学研究会 編

129 **東南アジアを知るための50章** 今井昭夫 編集代表　東京外国語大学東南アジア課程 編

130 **メソアメリカを知るための58章** 井上幸孝 編著

131 **マドリードとカスティーリャを知るための60章** 川成洋、下山静香 編著

132 **ノルウェーを知るための60章** 大島美穂、岡本健志 編著

133 **現代モンゴルを知るための50章** 小長谷有紀、前川愛 編著

134 **カザフスタンを知るための60章** 宇山智彦、藤本透子 編著

135 **内モンゴルを知るための60章** ボルジギン・ブレンサイン 編著　赤坂恒明 編集協力

136 **スコットランドを知るための65章** 木村正俊 編著

137 **セルビアを知るための60章** 柴宜弘、山崎信一 編著

138 **マリを知るための58章** 竹沢尚一郎 編著

139 **ASEANを知るための50章** 黒柳米司、金子芳樹、吉野文雄 編著

140 **アイスランド・グリーンランド・北極を知るための65章** 小澤実、中丸禎子、高橋美野梨 編著

141 **ナミビアを知るための53章** 水野一晴、永原陽子 編著

142 **香港を知るための60章** 吉川雅之、倉田徹 編著

143 **タスマニアを旅する60章** 宮本忠 著

144 **パレスチナを知るための60章** 臼杵陽、鈴木啓之 編著

145 **ラトヴィアを知るための47章** 志摩園子 編著

146 **ニカラグアを知るための55章** 田中高 編著

147 **台湾を知るための72章【第2版】** 赤松美和子、若松大祐 編著

148 **テュルクを知るための61章** 小松久男 編著

149 **アメリカ先住民を知るための62章** 阿部珠理 編著

150 **イギリスの歴史を知るための50章** 川成洋 編著

151 **ドイツの歴史を知るための50章** 森井裕一 編著

152 **ロシアの歴史を知るための50章** 下斗米伸夫 編著

153 **スペインの歴史を知るための50章** 立石博高、内村俊太 編著

154 **フィリピンを知るための64章** 大野拓司、鈴木伸隆、日下渉 編著

155 **バルト海を旅する40章**　7つの島の物語 小柏葉子 著

156 **カナダの歴史を知るための50章** 細川道久 編著

157 **カリブ海世界を知るための70章** 国本伊代 編著

158 **ベラルーシを知るための50章** 服部倫卓、越野剛 編著

159 **スロヴェニアを知るための60章** 柴宜弘、アンドレイ・ベケシュ、山崎信一 編著

160 **北京を知るための52章** 櫻井澄夫、人見豊、森田憲司 編著

161 **イタリアの歴史を知るための50章** 高橋進、村上義和 編著

エリア・スタディーズ

162 **ケルトを知るための65章**
木村正俊 編著

163 **オマーンを知るための55章**
松尾昌樹 編著

164 **ウズベキスタンを知るための60章**
帯谷知可 編著

165 **アゼルバイジャンを知るための67章**
廣瀬陽子 編著

166 **済州島を知るための55章**
梁聖宗、金良淑、伊地知紀子 編著

167 **イギリス文学を旅する60章**
石原孝哉、市川仁 編著

168 **フランス文学を旅する60章**
野崎歓 編著

169 **ウクライナを知るための65章**
服部倫卓、原田義也 編著

170 **クルド人を知るための55章**
山口昭彦 編著

171 **ルクセンブルクを知るための50章**
田原憲和、木戸紗織 編著

172 **地中海を旅する62章** 歴史と文化の都市探訪
松原康介 編著

173 **ボスニア・ヘルツェゴヴィナを知るための60章**
柴宜弘、山崎信一 編著

174 **チリを知るための60章**
細野昭雄、工藤章、桑山幹夫 編著

175 **ウェールズを知るための60章**
吉賀憲夫 編著

176 **太平洋諸島の歴史を知るための60章** 日本とのかかわり
石森大知、丹羽典生 編著

177 **リトアニアを知るための60章**
櫻井映子 編著

178 **現代ネパールを知るための60章**
公益社団法人 日本ネパール協会 編

179 **フランスの歴史を知るための50章**
中野隆生、加藤玄 編著

180 **ザンビアを知るための55章**
島田周平、大山修一 編著

181 **ポーランドの歴史を知るための55章**
渡辺克義 編著

182 **韓国文学を旅する60章**
波田野節子、斎藤真理子、きむ ふな 編著

183 **インドを旅する55章**
宮本久義、小西公大 編著

184 **現代アメリカ社会を知るための63章【2020年代】**
明石紀雄 監修 大類久恵、落合明子、赤尾千波 編著

185 **アフガニスタンを知るための70章**
前田耕作、山内和也 編著

186 **モルディブを知るための35章**
荒井悦代、今泉慎也 編著

187 **ブラジルの歴史を知るための50章**
伊藤秋仁、岸和田仁 編著

188 **現代ホンジュラスを知るための55章**
中原篤史 編著

189 **ウルグアイを知るための60章**
山口恵美子 編著

190 **ベルギーの歴史を知るための50章**
松尾秀哉 編著

191 **食文化からイギリスを知るための55章**
石原孝哉、市川仁、宇野毅 編著

192 **東南アジアのイスラームを知るための64章**
久志本裕子、野中葉 編著

193 **宗教からアメリカ社会を知るための48章**
上坂昇 著

194 **ベルリンを知るための52章**
浜本隆志、希代真理子 著

195 **NATO（北大西洋条約機構）を知るための71章**
広瀬佳一 編著

196 **華僑・華人を知るための52章**
山下清海 著

——以下続刊

◎各巻2000円（一部1800円）

〈価格は本体価格です〉